澳大利亚文学经典
Australian Classics

The Ancestor Game

Alexei Miller

浪子

（澳）亚历克斯·米勒／著
李尧／译

青岛出版社
QINGDAO PUBLISHING HOUSE

鸣　谢

WESTERN SYDNEY
UNIVERSITY

Foundation for Australian
Studies in China

本译文集荣获北京外国语大学、内蒙古师范大学、西悉尼大学、在华澳大利亚研究基金会的大力支持，特此感谢！

总序 ❶

General Preface

I am pleased to introduce this important collection of Australian literature translated by Li Yao.

The 40th anniversary of Li Yao's career as a translator is a timely occasion to revisit some of Australia's great literary works.

Thanks to Li Yao's unwavering commitment to translating Australian literature into Chinese, works by Alexis Wright, Patrick White, Thomas Keneally, and Colleen McCullough, among others, will continue to delight readers in China.

We can see in this collection the uniqueness of Indigenous stories and writing that reflects Australia as a contemporary, diverse society.

The breadth of this collection and the interest in China in Li Yao's translation of Australian works reflect both the richness of Australian literature and the depth of the ties between Australia and China.

The publication coincides with the 45th anniversary of the establishment of diplomatic relations between Australia and China in December 1972, providing an opportunity to celebrate what has already been achieved and to consider how we can further enrich each other's societies, including through literary exchange.

The many partnerships between authors, translators, editors, publishers and readers that have made this collection a reality form an important part of the great fabric of the Australia-China relationship,

I congratulate the Editorial Board, in particular Professors Sun Youzhong, Zhang Haifeng and Li Jianjun; Beijing Foreign Studies University, Inner Mongolia Normal University, Western Sydney University and the Foundation for Australian Studies in China, as well as the publisher of the collection, Qingdao Publishing Group.

I am sure these stories will continue to inspire interest in Australia and in Australian literature in China.

Jan Adams

Jan Adams Ao PSM
November, 2017

总序 ❶

General Preface

我很高兴在此向大家介绍李尧翻译的这套重要的澳大利亚文学作品选集。

在李尧翻译生涯进入第四十个年头的时候，重温澳大利亚一些伟大的文学作品可谓正逢其时。

正是由于李尧对澳大利亚文学作品中译的不懈努力，亚力克西斯·赖特、帕特里克·怀特、托马斯·肯尼利和考琳·麦卡洛等人的作品将继续给中国读者带来愉悦。

从这部译文集里，我们既能看到澳大利亚独特的原住民故事，也能读到反映澳大利亚现代、多元社会的作品。

译文集的跨度以及李尧译作中的中国兴趣既反映了澳大利亚文学的丰富性，也体现了中澳两国关系的深度。

中澳两国1972年12月建立外交关系，译文集的出版正值建交四十五周年。这也为我们提供了一个契机，庆祝所取得的成就，并思考如何通过文学交流等方式丰富彼此的社会。

作者、译者、出版社和读者之间的诸多伙伴关系促成了这部译文集的完成，这也是构成中澳关系丰富肌理的一个重要部分。

我祝贺编委会，特别是孙有中教授、张海峰教授和李建军先生，也要祝贺北京外国语大学、内蒙古师范大学、西悉尼大学、在华澳大利亚研究基金会以及这部译文集的出版方——青岛出版集团。

我相信译文集中的故事将继续在中国唤起人们对澳大利亚及其文学的兴趣。

Jan Adams

澳大利亚驻华大使 安思捷

2017 年 11 月

总序 ❷

General Preface

德国文学、法国文学、英国文学、俄罗斯文学、美国文学和日本文学介绍到我国已经有了很长一段历史，从十九世纪末到二十世纪初期出现了大量各国文学译本。特别是日本文学，据查，在明代已经有李言恭、郑杰编纂的日本短歌39首被译为中文。澳大利亚文学进入中国则是比较近期的事。1953年上海出版公司出版了詹姆斯·阿尔德里奇(James Aldridge)的小说《外交官》(*The Diplomat*)的中文译本，这是我国出版的第一部澳大利亚小说。1954年出版了弗兰克·哈代(Frank Hardy)的《幸福的明天》（*Journey into the Future*）和《不光荣的权力》（*Power Without Glory*），此后又陆续出版了一些长篇和短篇小说以及一些诗集和剧本，包括凯瑟琳·苏珊娜·普里查德(Katharine Susannah Prichard)的《沸腾的九十年代》（*The Roaring Nineties*），朱达·沃顿(Judah Waten)的《不屈的人们》（*The Unbending*）等。[①]但是，总的来说，在二十世纪五十至七十年

①陈弘：《20世纪我国的澳大利亚文学研究述评》，《华东师范大学学报（哲学社会科学版）》2012年第6期。

代，我国的澳洲文学翻译不仅数量很少，而且，由于当时的时代背景，翻译的选题范围狭窄，作品内容单一。

这一局面的改变得益于1978年我国开始实行的改革开放政策。在这一年，发生了一些对澳洲文学翻译具有深远意义的事情。安徽大学成立了大洋洲文学研究所，推出《大洋洲文学》期刊，翻译出版了澳大利亚、新西兰的一些文学作品。人民文学出版社出版了刘寿康翻译的《劳森短篇小说集》。这一年年底，教育部将全国选拔出的9位中年教师集中于北京，准备派往悉尼大学。这就是日后人们戏称“九人帮”的一批学者。在悉尼大学，他们虽然分属英文系和语言学系攻读硕士学位，但多数都选学了澳大利亚文学课程。这一批学者在学成归国后，在推动澳大利亚研究方面发挥了重要的作用。也就是在这一年，李尧先生开始了他漫长的文学翻译之旅。

二十世纪八十和九十年代是一个热气腾腾的时代。澳大利亚文学翻译呈现出勃勃生机。在这一时期出版的澳大利亚文学作品包括艾伦·马歇尔(Alan Marshall)的《我能跳过水洼》（*I Can Jump Puddles*），罗尔夫·博尔德沃德(Rolf Boldrewood)的《空谷蹄踪》（*Robbery Under Arms*），帕特里克·怀特(Patrick White)的《风暴眼》（*The Eye of the Storm*）、《人树》（*The Tree of Man*）、《探险家沃斯》（*Voss*）、《树叶裙》（*A Fringe of Leaves*）和《镜中瑕疵》（*Flaws in the Glass*），迈尔斯·弗兰克林(Miles Franklin)的《我的光辉生涯》(*My Brilliant Career*)，兰道夫·斯托(Randolph Stow）的《归宿》（*To the Island*），托马斯·肯尼利(Thomas Keneally)的《辛德勒的名单》（*Schindler's List*）和《内海的女人》（*Woman of the Inner Sea*），彼得·凯里(Peter Carey)的《奥斯卡和露辛达》（*Oscar and Lucinda*）以及一批短篇小说集和诗集。

杰克·希伯德(Jack Hibberd)的剧本《想入非非》(*A Stretch of the Imagination*)不仅翻译出版，而且在京沪两地公演。综前所述，可以看出我国译者不断拓展澳大利亚文学翻译的范围，将不同背景、不同流派的作家纳入自己的视野，使得澳洲文学翻译在我国不仅数量激增，而且内容也发生了实质性的变化。

致力于翻译和介绍澳大利亚文学的中国学者是一个群体，既包括早期的马祖毅、刘寿康等，也包括八十年代初从澳大利亚归来的留学学者黄源深、胡文仲等，他们一直处在澳大利亚文学翻译、教学和研究的第一线。译者中还包括朱炯强、叶胜年、曲卫国、欧阳昱、李尧等。这一大批译者在介绍和推广澳大利亚文学方面成绩显赫。其中李尧的贡献尤为突出。除了文学翻译，还应该特别提到黄源深教授撰写的《澳大利亚文学史》以及王国富教授主编翻译的《麦夸里英汉双解词典》，这两部巨著对于澳大利亚文学研究和翻译都起了重要的作用。

李尧先生致力于文学翻译四十年，主要从事澳大利亚文学翻译，也翻译出版了部分英美文学作品，总计52部，字数逾千万，在我国翻译界如此多产的译者实属少见。李尧翻译的作品涵盖澳大利亚作家老中青三代，既包括老一代作家帕特里克·怀特，托马斯·肯尼利，亚历克斯·米勒等，也包括中年作家彼得·凯里，尼古拉斯·周思等，还包括一些年轻的儿童文学作家。从文学流派看，现实主义、现代主义和魔幻现实主义都囊括其中。此次出版的《李尧译文集》只占他翻译的澳大利亚文学作品的约三分之一。收入集子的作品大部分获得过文学大奖，在澳洲文学中具有一定的代表性，有些则是考虑到作家在中国的影响或者题材与中国有关。这一译文集集中反映了李尧在澳大利亚文学翻译方面的成就。

李尧先生1966年毕业于内蒙古师范大学外语系，从事记者工作和文学创作二十余年，发表过报告文学、散文、小说等近百万字，1986年成为中国作家协会会员。正是由于李尧的作家背景，他翻译的文学作品具有一个突出特点：文字优美，行文流畅。阅读他翻译的作品，给人以欢畅淋漓的感觉。李尧回忆说："我翻译小说的时候，常常是从一个写小说的人的角度出发，像我自己写小说一样，体会、捕捉作者的思路，创作的技巧，注意人物性格化语言的翻译。不是只从字面上去对应。我看懂原文，就用自己的语言而不是字典上的意思去翻译。这样译出来的东西就比较鲜活，可读性强。"翻译亚历克西斯·赖特(Alexis Wright)的《卡彭塔利亚湾》(*Carpentaria*)难度很大。作者是澳大利亚当代最有成就的原住民作家。小说涉及澳大利亚原住民的宗教信仰、部族矛盾、生产生活方式、风土人情、历史渊源等，而且写作方法也比较独特。李尧在翻译这部小说前，大量阅读了有关澳大利亚原住民历史文化的著作，同时不断和作者联系，取得她的帮助。悉尼大学在授予李尧荣誉文学博士学位时指出："《卡彭塔利亚湾》是李尧毕生从事文学翻译和四十余年来中澳文化交流的巅峰之作。"有评论指出："《卡彭塔利亚湾》是纯文学性文本，李尧先生翻译策略的选择，让译文洋溢着一种梦幻般的抒情色彩，充满文学情调，让读者感受到澳大利亚古老土地的荒芜。"①

翻译从来都不是简单地把一种语言变成另一种语言的过程。王佐良先生对于翻译，特别是文学翻译，曾经发表过许多重要的论述。他指出："因为有翻译，哪怕是不免出错的翻译，文化交流才成为可能。

①张华：《纽马克文本翻译理论与李尧文学文本翻译策略》，《安徽工业大学学报（社会科学版）》，2016年第5期。

语言学家、文体学家、文化史家、社会思想家、比较文学家都不能忽视翻译。这不仅是因为通过翻译者的辛勤劳动才使得一国的文化遗产能为全世界的人所用，还因为译者做的文化比较远比一般人要细致、深入。他处理的是个别的词，他面对的则是两大片文化。”①李尧正是通过他的文学翻译将独特的澳洲大陆文化介绍给了拥有悠久历史文化传统的中国人民。

李尧先生几十年来耕耘在澳大利亚文学翻译这片土地上，他的勤奋努力非常人所可比拟，他经常夜以继日地工作，节假日也很少休息。他在澳大利亚文学翻译方面的成就获得了广泛的认可，于1996、2008、2012年三次获得澳中理事会颁发的澳大利亚文学翻译奖。2014年被悉尼大学授予荣誉文学博士学位。表彰词指出，李尧“在中国，在文学翻译和澳大利亚研究方面作出了杰出的贡献。他把许多澳大利亚作家介绍给中国读者，包括帕特里克·怀特，托马斯·肯尼利，亚历克西斯·赖特，为中国读者更好地了解澳大利亚和澳大利亚人民提供了丰富的资源”。

澳大利亚文学翻译在中国的成功首先是由于译者的努力和奉献，但与澳大利亚作家们对中国的友好感情也紧密相关。许多译者都与澳大利亚作家有过密切而友好的交流，从他们那里得到了无私的帮助。澳中理事会在推动澳大利亚文学翻译和澳大利亚学术研究方面也起了至关重要的作用。最后，还应该提到中国出版界对于澳大利亚文学翻译的兴趣和关注。没有他们一以贯之的支持就不可能有今天澳大利亚文学翻译在中国的丰收。

①王佐良：《翻译中的文化比较》，《王佐良全集》第8卷252页，外语教学与研究出版社，2016年。

2018年适逢中国澳大利亚学会成立三十周年，也恰是李尧先生从事文学翻译四十周年。北京外国语大学、内蒙古师范大学、西悉尼大学和在华澳大利亚研究基金会共同发起出版的十卷本《李尧译文集》既是对于李尧几十年来从事澳大利亚文学翻译的充分肯定，更是繁茂的中澳文化交流之见证。我们相信，澳大利亚文学翻译事业今后在我国必将取得更长足的进步，在促进中澳文化交流方面也必将起到更大的作用。

胡文仲

2017年8月27日

General Preface

It is my great honour to have been asked to write a General Preface for this important series of award-winning translations of Australian literature by Professor Li Yao, to be published by Qingdao Publishing House. The series is in celebration of Professor Li Yao's 40th Anniversary as a translator of Australian literature, which coincides with the 45th Anniversary of the establishment of diplomatic relations between our two countries. As I will explain, these two anniversaries are closely connected.

The Australian Labor Party, led by Gough Whitlam, had recognised the Peoples' Republic of China as early as 1955, but it was another seventeen years before it was elected into government, on 2 December 1972. Less than three weeks later, on 21 December 1972, Prime Minister Gough Whitlam signed the joint communique establishing diplomatic relations between Australia and The Peoples' Republic of China. Under the terms of the Communique, the two Governments agreed to "develop … diplomatic relations, friendship and co-operation between the two countries on the basis of the principles of mutual respect … equality and mutual benefit, and peaceful coexistence".

The Australian Embassy in Beijing was opened on 12 January 1973, and later that year Gough Whitlam became the first Australian Prime Minister to visit China, holding historic meetings with Zhou Enlai and Mao Zedong. Whitlam's establishment of diplomatic relations between Australia and China has been described as the single most important event in relations between our two countries in the twentieth century, and remains the foundation of the relationship today.

In addition to trade and tourism, cultural and educational exchanges have been of increasing importance to the relationship between our two countries. Since the 1970s, these links have included the study of Australian literature. The first five Chinese students to study in Australian universities after the establishment of diplomatic relations arrived in 1975, and the number increased rapidly from the late 1980s. Professor Li Yao's career in translating Australian literature for generations of Chinese readers has been central to this story of cultural exchange.

After graduating from Inner Mongolian Normal University in 1966, Li Yao worked as a writer and editor for journals in Inner Mongolia until his appointment as Professor of English at the Training Centre of the Ministry of Commerce in Beijing in 1992. He became a member of the Chinese Writers' Association in 1986, specialising in literary translation. At that time, he started collaborating with Professor Hu Wenzhong at Beijing Foreign

Studies University on the translation of Australian literature. Professor Hu is a graduate of the University of Sydney, a member of the so-called "Gang of Nine", who were among the first students from China to undertake graduate study in Australia after the Cultural Revolution of 1966 to 1976. In 1979, the "Gang of Nine" studied under my predecessor as Professor of Australian Literature at the University of Sydney, Professor Dame Leonie Kramer. I was then a young tutor in the English Department researching my own PhD thesis, and I well remember the presence of our Chinese visitors in the Department. The "Gang of Nine" proved influential in developing Australian Studies in China after their return. Since that time, over 30 Australian Studies Centres have been set up across China. A number of these centres have courses on Australian literature, and have people working on translating and introducing Australian literature to Chinese readers. They include Peking University and Beijing Foreign Studies University, where Professor Li Yao teaches advanced translation studies, as well as, Shanghai's East China Normal University, Renmin University, Anhui University, Suzhou University, Inner Mongolia University and Inner Mongolia Normal University.

It was Professor Hu Wenzhong who first encouraged Li Yao to make his career in the study and translation of Australian literature. When they met in Beijing in the mid 1980s, Professor Hu explained that Australian literature was still an untouched field in China, and he encouraged Li Yao to devote himself to this area and make a contribution to it as a translator. Before the Cultural Revolution, Chinese readers had some familiarity with American, British, Russian, French, German and other European literatures, but they knew little about Australian literature. At that time, only Henry Lawson, Frank

Hardy and a few other "social realist" writers were known through translation. Collaborating together, Professor Hu and Li Yao translated Patrick White's The Tree of Man, which was published by Shanghai Translation Publishing House in 1991. Patrick White was Australia's most famous writer, having won the Nobel Prize in 1973. Unlike the earlier realist writers, he was significant because his novels mediated Australian experience and the Australian landscape through the stylistic innovations of international modernism.

After collaborating with Professor Hu, Li Yao continued to translate Australian literature, carrying on the tradition that he had initiated. Li Yao today has translated a staggering total of 35 titles. The list of his translations includes novels by Brian Castro, Richard Flanagan, Anita Heiss, Colleen McCulloch, David Malouf, Alex Miller, and Kim Scott, as well as important works of history and non-fiction. Most of Li Yao's translations were generously supported by funding from the Australia-China Council, the Literature Board of the Australia Council and FASIC, the Foundation for Australian Studies in China. The works selected for re-printing in the 45th Anniversary series include many of the novels that have gone on to achieve fame both in Australia and internationally through their winning of prizes such as the Miles Franklin Literary Award, the Commonwealth Writers Prize, and the Man Booker Literary Award. His translations include Patrick White's novels, The Tree of Man and A Fringe of Leaves, and his autobiography, Flaws in the Glass; two of the earliest novels about Australian-Chinese relationships, Brian Castro's Birds of Passage, and Alex Miller's The Ancestor Game; and Avenue of Eternal Peace, by academic and former cultural officer in Beijing, Nicholas Jose. The list also includes titles by the three Australian authors who have won the prestigious Man Booker Literary Prize: Peter Carey's True History of the Kelly Gang, Tom Keneally's Woman of the Inner Sea and Richard Flanagan's Gould's Book of Fish. In addition to The Ancestor Game, which won both the Miles Franklin Literary Award and the Commonwealth Writers Prize, there are two other novels by Alex Miller, Landscape of Farewell and Coal Creek. In addition to works of fiction, Li Yao's translations of important works of non-fiction include David Walker's memoir Not Dark Yet, and Mara Moustafine's Secrets and Spies: The Harbin Files, both of which in different ways touch on people-to-people Chinese-Australia links.

In more recent years, Li Yao has continued to provide leadership and innovation by keeping up with the latest developments in Australian literature, and continuing to introduce new works by Australian writers to Chinese readers. He has recently shown a particular interest in the areas of Australian children's literature, and writing by Australia's Indigenous authors, and there are examples of these works also included in the Anniversary series. Sponsored by the Australia-China Council, from 2010 Li Yao worked to select and translate 10 Australian children's books, including such well-known and loved classics as Ethel Pedley'sDot and the Kangaroo, May Gibbs' Tales of Snugglepot and Cuddlpie, Ethel Turner's Seven Little Australians, Dorothy Wall's Blinky Bill, Ruth Park's The Muddle-Headed Wombat, and Colin Thiele's Storm Boy. These books were published by People's Literature Publishing House and have become very popular in China. New editions of Dot and the Kangaroo and Seven little Australians are to be published by China Youth Publishing House. Li Yao has reaffirmed his commitment to promoting Australian children's books in China, and will introduce more titles into this series, which is to be called his Koala Books series.

Since 2006, with the help of his great friend, the novelist, academic, and former cultural counsellor, Professor Nicholas Jose, Li Yao has been researching and translating Australian Aboriginal Literature. His translations include Kim Scott's Benang: From the Heart, Alexis Wright's Carpentaria, and Anita Heiss' Who Am I. He is currently working on a translation of Alexis Wright's The Swan Book. He hopes that these books will expand Chinese understanding of Australia, aware that Australian Aboriginal literature has not been introduced to China systematically so far, and so to most Chinese readers this is still an unfamiliar field.

In addition to his translation and teaching at PKU, Li Yao has served as a council member of the Chinese Association for Australian Studies since it began in 1988. He won the Australia-China Council's inaugural Translation Prize in 1996 for his translation of Alex Miller's The Ancestor Game, in 2008 for Nicholas Jose's The Red Thread, and again in 2012 for his translation of Alexis Wright's Carpentaria. He was awarded the Council's gold medal in 2008 for his distinguished contribution in the field of Australian literary translation in China.

Perhaps because of White's own fame as Australia's only Nobel Prize winning writer, Li Yao is known especially in Australia as a champion of Patrick White in China. His translation of The Tree of Man has been reprinted three times in the past twenty five years, selling over 20,000 copies. White's autobiography, Flaws in the Glass, has also been reprinted three times, seeling more than 12,000 copies. His translations of The Tree of Man, Flaws in the Glass, The

Ancestor Game, True History of the Kelly Gang, and Carpentaria have been well reviewed and well received in China, and many students have gone on to write their Masters and PhD dissertations on these world-class Australian novels, having been first introduced to them by Li Yao.

Li Yao's translation of Carpentaria perhaps deserves special comment as the culmination of a lifetime's work, and some forty years' cultural exchange between the two countries. The novel imagines Australian life from an Aboriginal perspective; it is written from within the Aboriginal life world, in a unique style that might be described as a kind of Aboriginal magical realism. Among Chinese translators of Australian literature, only Li Yao had the depth of experience to take on the challenging task of translating such a masterwork from another culture into Mandarin. He saw it through to publishing with the prestigious People's Literature Publishing House and gathered support from leading Chinese writers, including Nobel literature laureate Mo Yan, who launched it at the Australian Embassy in Beijing.

Today Li Yao remains very actively engaged with Australian literature. Most recently, he was an honoured guest of the 2017 Conference of the Association for the Study of Australian Literature (ASAL) in Melbourne, where he addressed an interested and appreciative audience of Australian scholars about his life's work. Li Yao is always open to advice on new titles of interest. Chinese readers are currently very interested in Tom Keneally's works, for example, and he plans to translate Shame and the Captives. He remains interested in Australian Indigenous Literature and Children's books, and plans to translate further new novels by his friend Alex Miller. He is also co-writing, with Professor David Walker, a memoir about his and his family's experiences in and after the War of Liberation and in the early years of New China and in the Cultural Revolution. This is a book that will be eagerly read by his many friends in Australia.

Li Yao has shown extraordinary dedication in his sustained commitment to the translation of Australian literature in China. No one in China knows more about Australian writing today than Li Yao, who has many friends among authors and literary scholars in Australia. In 2014, I attended a ceremony in the University of Sydney's historic Great Hall in which Li Yao was awarded an Honorary Doctorate for his services to Australian literature. It was a proud moment for the University that had played so foundational a role in Australian literary studies, both in Australia and China. "I love Australian literature', Li Yao has said. "It is an important pillar of world literature. Over the past four decades, I have nurtured great friendships with many outstanding authors from Australia. In translating their works, my own life has changed immensely". In retrospect, we can see that Li Yao's career in literary translation has been exemplary in fulfilling the terms of the 1972 Communique, with which it is approximately contemporary: that is, to "develop … diplomatic relations, friendship and co-operation between the two countries on the basis of the principles of mutual respect … equality and mutual benefit, and peaceful coexistence".

Professor Robert Dixon, FAHA

Professor of Australian Literature

The University of Sydney

July 2017

总序 ❸

General Preface

我十分荣幸地应邀为李尧教授这套重要的澳大利亚文学优秀翻译作品写序。这套书为庆祝李尧教授从事澳大利亚文学翻译四十周年，由青岛出版社出版，恰逢我们两国建立外交关系四十五周年。我要指出的是，这两个周年纪念日密切相关。

高夫·惠特拉姆领导的工党早在1955年就承认了中华人民共和国。可是直到十七年之后，1972年12月2日，该党才成为执政党。1972年12月21日，高夫·惠特拉姆就任总理不到三个星期，便与中国政府签订了澳大利亚与中华人民共和国建立外交关系的联合公报。根据《公报》，两国政府同意“在互相尊重……平等互利、和平共处的原则基础之上，发展两国间的外交关系、友谊和合作”。

1973年1月12日，澳大利亚驻华大使馆在北京正式开馆。同年晚些时候，高夫·惠特拉姆成为第一位访华的澳大利亚总理，并且与周恩来、毛泽东进行了历史性的会晤。惠特拉姆创建的澳大利亚与中国的外交关系一直被描绘为二十世纪我们两国之间发生的最重要的事件，时至今日，仍然是两国关系的重要基础。

除了贸易和旅游业，文化教育交流对于我们两国关系的发展起到越来越重要的作用。从二十世纪七十年代起，这种交流便将澳大利亚文学研究囊括其中。建立外交关系之后，1975年，第一批五位中国学生到澳大利亚大学学习。李尧教授为几代中国读者翻译澳大利亚文学的生涯一直以这种文化交流为中心。

1966年，李尧从内蒙古师范大学毕业之后，作为作家和文学杂志编辑一直在内蒙古工作，直到1992年到北京商务部培训中心任英语教授。他1986年加入中国作家协会，专事文学翻译。从那时起，开始和北京外国语大学胡文仲教授合作翻译澳大利亚文学作品。胡文仲教授是悉尼大学的研究生，所谓“九人帮”之一。“九人帮”是1966到1976年“文革”之后，第一批从中国到澳大利亚攻读硕士学位的学者。1979年，他们师从我的前辈——悉尼大学澳大利亚文学教授雷欧妮·克雷默爵士。我那时是英语系一个年轻的辅导员，正在做博士论文。时至今日还清楚地记着活跃在系里的这几位中国访问学者。

“九人帮”学成回国之后，对推动中国的澳大利亚研究起到很大的影响作用。从那时候起，在中国各地已经建立起三十多个澳大利亚研究中心。许多学者把澳大利亚文学翻译介绍给中国读者，不少“中心”开设澳大利亚文学课程。包括北京大学、北京外国语大学——李尧教授在这两所大学教授澳大利亚文学翻译——华东师范大学、人民大学、安徽大学、苏州大学、内蒙古大学、内蒙古师范大学。

最初，是胡文仲教授鼓励李尧从事澳大利亚文学研究与翻译。二十世纪八十年代，他们在北京相识。胡教授说，澳大利亚文学在中国还是一块未开垦的处女地。他鼓励李尧作为翻译者致力于这一领域，作出贡献。“文革”前，中国读者对美国、英国、俄罗斯、法国、德国和其他欧洲国家的文学比较熟悉，但是对澳大利亚文学知之甚少。那时候，只有亨利·劳森、弗兰克·哈代和少数几位“社会主义现实主义”作家通过翻译为中国读者所知。1991 年，上海译文出版社出版了胡教授和李尧合作翻译的帕特里克·怀特的《人树》。帕特里克·怀特是澳大利亚最著名的作家之一，1973 年获得诺贝尔文学奖。他之所以影响深远，是因为和早期现实主义作家不同，他的小说通过国际现代主义文体创新，展示了澳大利亚社会与澳大利亚风土人情。

和胡教授合作之后，李尧坚持翻译澳大利亚文学，把他已经继承的传统传承下去。迄今为止，他已经翻译了多达三十五部的澳大利亚文学作品，其中包括布莱恩·卡斯特罗、理查德·弗兰纳根、阿尼塔·海斯、考琳·麦卡洛、大卫·马鲁夫、亚历克斯·米勒和金姆·斯科特等多位作家的小说。还有历史与非小说译作出版。李尧大多数翻译作品的出版都得到澳中理事会、澳大利亚理事会文学委员会、在华澳大利亚研究基金会的资助。为纪念中澳建交四十五周年重新选择出版的这套译著包括业已在澳大利亚和世界范围内赢得盛誉的作品。这些作品有的获得“迈尔斯·富兰克林文学奖”，有的获得“英联邦作家奖”，有的获得“布克国际文学奖”。他的译著还包括帕特里克·怀特的长篇小说《人树》《树叶裙》、自传《镜中瑕疵》；表现澳中关系最早的两部小说：布莱恩·卡斯特罗的《候鸟》和亚历克斯·米勒的《浪子》；著名学者、前澳大利亚驻华大使馆文化官员尼古拉斯·周思的《长安大街》。还有赢得“布克国际文学奖”的三位作家的作品：彼得·凯里的《凯利帮真史》、托马斯·肯尼利的《内海的女人》、理查德·弗兰纳根的《古尔德鱼书》。除了获得“迈尔斯·富兰克林文学奖”和“英联邦作家奖”的《浪子》之外，李尧还翻译了亚历克斯·米勒的《别了，那道风景》和《煤河》。还有一些重要的非小说类作品，包括大卫·沃克的家族史《光明行》

和马拉·穆斯塔芬的《哈尔滨档案》。这两本书都从不同的角度记录了中澳两国普通人之间的关系。

最近几年，李尧紧跟澳大利亚文学的最新发展，继续把澳大利亚作家的新作品介绍给中国读者。他对澳大利亚儿童文学和澳大利亚原住民作家的作品特别关注。这个纪念译文集也收入了相关作品。从2010年起，李尧在澳中理事会的支持下，选择并组织力量翻译了十本澳大利亚儿童文学经典，包括深受几代读者喜爱的埃塞尔·帕德利的《多特和袋鼠》、梅·吉布斯的《小胖壶和小面饼》、埃塞尔·特纳的《七个澳大利亚小孩儿》、多萝西·沃尔的《眨眼睛的比尔》、鲁斯·帕克的《糊里糊涂的树袋熊》和科林·蒂勒的《暴风雨中的男孩》。这些书由人民文学出版社出版，在中国很受欢迎。《多特和袋鼠》《七个澳大利亚小孩儿》新版将由中国青年出版社出版。李尧决心为推动澳大利亚儿童文学作品在中国的翻译出版作出更大的贡献。他将翻译介绍更多的儿童文学作品，收入他的“考拉丛书”。

自从2006年起，在他的好朋友——学者、作家、前文化参赞尼古拉斯·周思教授的帮助下，李尧一直在研究、翻译澳大利亚原住民文学。已经出版的作品有金姆·斯科特的《心中的明天》、亚历克西斯·赖特的《卡彭塔利亚湾》和阿尼塔·海斯的《我是谁》。他目前正在翻译亚历克西斯·赖特的《天鹅书》。鉴于澳大利亚原住民文学到目前为止还没有被系统地介绍到中国，对大多数中国读者而言，那还是一个不熟悉的领域，李尧希望这些书能使中国读者对澳大利亚有更多的了解。

除了从事文学翻译以及在北京大学、北京外国语大学教授澳大利亚文学翻译之外，李尧从1988年中国澳大利亚研究学会成立以来，一直担任学会理事。1996年，他因翻译亚历克斯·米勒的《浪子》获得澳中理事会首次在中国颁发的翻译奖，2008年因翻译尼古拉斯·周思的《红线》、2012年因翻译亚历克西斯·赖特的《卡彭塔利亚湾》又连续两次获此殊荣。2008年因其在澳大利亚文学翻译领域的杰出贡献，获澳中理事会颁发的金奖章。

也许因为怀特作为澳大利亚唯一的诺贝尔文学奖获得者享有盛名，李尧也因其在中国翻译介绍帕特里克·怀特的作品在澳大利亚广为人知。在过去的二十五年里，他和胡文仲教授合作翻译的《人树》先后印刷三次，销售量超过20000册。怀特的自传《镜中瑕疵》也被印刷三次，销售量超过12000册。他翻译的《人树》《镜中瑕疵》《浪子》《凯利帮真史》和《卡彭塔利亚湾》在中国受到好评和欢迎。不少学生依据李尧第一次介绍到中国的这些世界第一流的澳大利亚文学作品，撰写硕士和博士论文。

李尧的译作《卡彭塔利亚湾》作为他毕生从事文学翻译以及四十多年来两国文化交流的巅峰之作，也许特别值得一提。这部小说从原住民的视角出发，以一种也许可以称之为原住民魔幻现实主义的独特风格想象了澳大利亚的生活。在中国的澳大利亚文学翻译者中，也许只有李尧因其具有丰富的经验，可以接受挑战，将这样一部杰作从一种完全不同的文化翻译为中文。2012年，他克服了重重困难，在久负盛名的人民文学出版社出版此书。该书翻译出版过程中，得到多位中国著名作家的支持。诺贝尔文学奖获得者莫言在澳大利亚驻华大使馆为《卡彭塔利亚湾》举行的新书发布会揭幕，并做了热情洋溢的发言。

今天，李尧依然活跃在澳大利亚文学研究的舞台上。最近，作为在墨尔本召开的“澳大利亚文学研究会2017年会”（ASAL）的贵宾，他对兴趣盎然、不无赞赏的澳大利亚学者讲述了自己毕生的工作。李尧总是乐于倾听同事们对新的、有趣的选题的建议。比如，最近中国读者对托马斯·肯尼利的作品很感兴趣，他就计划翻译这位文学大师的《耻辱和俘虏》。他对澳大利亚原住民文学和儿童文学依然表现出浓厚的兴趣，计划翻译他的朋友亚历克斯·米勒的新小说。他与大卫·沃克教授正在合作撰写关于他和他的家族在解放战争前后、新中国建立初期以及“文革”中经历的纪实文学作品。这是一本令他许多澳大利亚朋友热切期待的书。

李尧在中国长期致力于澳大利亚文学翻译，表现出非同寻常的献身精神。在中国，没有人比李尧对澳大利亚文学作品更了解。他在澳大利亚作家和文学工作者中有许多朋友。2014 年，我在悉尼大学历史悠久的大会堂参加了授予李尧荣誉文学博士的典礼。对于这所无论在澳大利亚还是中国都在澳大利亚文学研究领域起到基础性作用的大学来说，这是一个骄傲的时刻。“我热爱澳大利亚文学。”李尧说，“它是世界文学的重要支柱。在过去的四十年里，我和许多澳大利亚优秀作家结下了深厚的友谊。在翻译他们作品的过程中，我自己的生活也发生了巨大的变化。”回顾往事，我们可以看到，李尧的文学翻译生涯，堪称实现 1972 年《公报》初衷的楷模。今天，我们依然为之努力，那就是“在互相尊重……平等互利、和平共处的原则基础之上，发展两国间的外交关系、友谊和合作”。

罗伯特·迪克逊

澳大利亚人文科学院院士

悉尼大学澳大利亚文学教授

2017 年 7 月

目录

CONTENTS

第二部

第一部

第一章 父亲之死

不到一年前，在多塞特[①]一片荒凉的原野，我问母亲："这么说，您不想让我在英格兰陪您？"

她斟词酌句，就好像正试着把那些水蜡树修剪出一个新花样。她回答："不，谢谢，亲爱的。"

停了一两分钟，完全出于尽儿子的义务，我硬着头皮说出另一个办法："您去澳大利亚跟我生活在一起，好吗？"

"谢谢，亲爱的，我想还是不必了。"

我们又去看一对天鹅。它们灰白的身影融进河水、色彩单调的原野、天空，然后又十分奇妙地出现在眼前，仿佛被一群正在嬉戏的孩子们无形的手推了出来。没有任何别的东西在运

①多塞特（Dorset）：英格兰南部一郡。

动，周围的一切都是灰蒙蒙的，一种闪闪发光的灰色，而且很冷。我们被雾包围着，只有一英里以外的那条公路上传来汽车飞驰而过的声音。站在母亲身边，我才意识到我已经到了做出抉择的关头。莫可名状的焦虑在我心头像一团火闪闪烁烁。我想起中国人把这种时刻叫作“关键时刻”。

水天一色，我们看着那两只时隐时现的天鹅，等待着，直到残阳融进暮色。日落时分，我们这样久久伫立在寒冷之中，是为了悼念我的父亲、她的丈夫。不会有表示永久纪念的墓碑，没有举行什么哀悼的仪式，也没有一块能让人想起他的神圣不可侵犯的土地。他也许希望有一席之地：立在众多墓碑中的一块属于他自己的墓碑，上面刻两行彭斯[①]的诗：谁也不会留住时间和潮水，劫数一到，一命西归。

我的母亲既不喜欢墓碑，也不喜欢丈夫对于诗歌的趣味。现在，既然掌权的是她，这两样就都无从谈起了。没有人对这种安排提出异议。父亲那边没什么朋友替他出面争辩，母亲和我是我们这个家庭现在仅有的成员。她挽着我的胳膊，穿过灰白的、霜花遍地的原野向家里走去。如果有人看见，一定觉得像其他英国人一样，我们是一对按照习惯、下午出来散步以便使身体强壮的母子。尽管气候恶劣，仍然坚持不懈——英国人在这种事情上颇为执着。事实上，我和母亲都不是地道的英国人，而且在过去的20年里，我们只见过两三次面。

我不是为了埋葬父亲才回英格兰，而是为了参加我第一本小说的首发式才“荣归故里”的。这件事为我的这次旅行提供

---

①彭斯（Robert Burns，1759—1796）：苏格兰诗人。

了一个理由。这本书以英格兰为背景，我希望它能成为我和生身之地相通的证据。我一直希望到现在为止，我和这块土地之间的鸿沟已经弥合。我在机场给父母亲打电话，告诉他们我已经回来的消息时，一直小心翼翼、试图发现这种弥合的蛛丝马迹。母亲听出我的声音之后，大吃一惊。“是你呀，斯蒂文！我还以为是医生回的电话呢。你父亲刚咽了气。”

我不无赞赏地注视着她那几件漂亮的英式家具和饰架上摆着的瓷器。这都是她这些年精心搜集的。我看到她已经深深地扎根在这块土地上。看到我不在英国期间，她是怎样努力支撑着不被排斥。成功的文化移植使她充满信心地从她选择的这个国家的“根茎”吸取了营养。

虽然时值冬日，她还是设法弄来几盆天鹅绒似的菊花。我总觉得这种布置和眼下哀伤的气氛不协调，更像庆祝。回到那间屋子的时候，她看了看那几盆花，那神情并没有要请我一起观赏的意思。我们坐在煤气取暖器旁边的扶手椅上看电视。她坐她自个儿那张，我坐的那张，我想一定是父亲常坐的。电视里正播放伦敦交响乐团的演出，索尔蒂指挥。母亲一边摇晃，一边哼哼，好像她就是夹在大提琴手两腿之间的那把大提琴。布里顿[①]的这首乐曲演奏完之后，她立刻从椅子上站起来，关了电视机，淡淡地说了一句“还不错”。为了让她在我身边多

①布里顿（Britten，1913—1976）：英国作曲家。其创作有歌剧、轻歌剧、合唱、弦乐、钢琴、小提琴协奏曲等。其中有一部《中国歌集》，以杜甫、李白、白居易、陆游等人的六首诗为歌词。

待一会儿，我又接起今天早些时候的话茬。“您是不是真的不要诺兰[1]那本画册？如果不要，我可就拿走了。”

她在我的椅子后面停下，手里的托盘上放着我们的杯子和晚餐用过的碗盏，俯视着我的头顶——我从电视机屏幕上看得见她的身影。她提醒我：“那是你在他六十岁的时候送的生日礼物。”我把这事儿忘了。刚才提到这事儿，我还想，我是从父亲的遗物里随便挑了这本画册。是为了怀念他而拿的一样东西，可不是拿一样原本是我的东西来回忆往事。

“他从来不看这本画册。”她不自在地笑着说，还有点不大耐烦，“他讨厌这种画儿。凡是让他想起画家丢掉了约翰·考特曼和弗朗西斯·丹巴画风的事儿都让他生气。我想，你送这本书给他就是为惹他生气的。他也这么认为。”

她停了一下又说：“斯蒂文，我不想装成你的知己。”

她丢下这句话向厨房走去，就好像丢开我一样。厨房里传来她洗盘子的声音，嘴里哼着布里顿那首交响乐中大提琴部分的旋律。我意识到，她已经巴不得我快点儿离开，好一个人清清静静地过日子。看起来，她的观点是，如果我希望自己属于英格兰，就应该理所当然地留下来。

她从厨房回来之后，没有再坐，而是摆弄了一下椅垫，站在那儿等我。她准备上床睡觉了。我想把心里的感觉告诉她，但是没法儿开口。

“我希望你的书反响不错。”她终于说，好像是说一个她无法相信的虚无飘渺的世界。

---

①诺兰（Sydney Nolan）：澳大利亚当代著名画家。

“谢谢。”

她没有动，默然无语，我们之间那根无形的弦崩得很紧。过了一会儿她才说：“斯蒂文，你就从来没有给我们写过一封信，一直过了好多年才听到你的一点儿消息。我们还认为你葬身在那片蛮荒之地了，或者出了别的什么事情。后来收到你寄来的画册，就像是对我们的一种嘲弄。所以现在不管什么地方让你不安，你都不该责怪我们。”

我把西德尼·诺兰那本沉甸甸的画册带回卧室，在膝盖上摊开。扉页上写着一行字。我认出那是我的笔迹——有一阵子我的字就是这个样子，规规矩矩还有点矫揉造作，就好像伸出脚尖儿，犹犹豫豫试探着往前走。后来我的字才成了现在的样子，稍稍向后倾斜，看起来更加自然。那行字这样写道：“最亲爱的爸爸，在您生日之际，您的儿子斯蒂文满怀爱意向您致以最美好的祝愿。”时间是1961年8月。这本书刚刚出版。那时候我一定为自己这种赶时髦的能力而沾沾自喜。我想起了写这句话时的情形，想起了我用的那支自来水笔。现在，在我三十九岁快要结束的时候，我却成了写给父亲生日祝福的第一个读者。难道我从地球那边把这本赞美现代主义的画册寄给父亲——古物收藏家和业余水彩画家——是为了嘲弄他吗？半个世纪以来，他那双眼睛还没能习惯已经黯然失色的水彩画的衰落。他一定认为现代派画家粗暴地抵制了传统的技法。他深信自己是这种技巧的继承者，也是理所当然的保卫者。他一定气得发抖，连打都不曾打开，便把这本四开大的画册塞到了书架上。

翻过那页，我开始读科林·迈克伊尼斯为这本画册写的前言，心里颇有点忐忑不安。“澳大利亚原本是属于亚洲的岛屿，一个偶然的原因使欧洲人在这里定居下来。”这篇文章开宗明义第一句便这样写道。再往下，他又写道：“澳大利亚的一切都有一种不同寻常的色彩。”作者对澳大利亚和居住在这块土地上的欧洲人的“君主地位”的看法极其偏狭，直把我看得兴趣全无。但我还是想增加一点自信，愿意相信这是一本好书，便翻起里面的画儿来。

那里面有好几幅描绘奈德·凯利[①]在丛林里的画。有的画上画着几乎寸草不生的旷野里丢弃的犁杖，辽阔的、渺无人烟的红土地上横陈着马和牛的尸体。还有的画上画着面目可怕的轻骑兵，他们头戴垂边帽，上面插着鸸鹋的羽毛，祈求神明的保佑。在这些描绘军人的形象、表现丢弃的主题、展示不毛之地和失败场面的画图中，出现了勒达[②]和那只天鹅——希腊神话中的克吕泰墨斯特拉[③]、卡斯托尔[④]、波吕丢刻斯，以及引起特洛伊之战的海伦的双亲。它们的背景明白无误地充满澳大利亚的特色——天鹅是白色的。

王后的一只天鹅在这个充满凶残、不祥的世界里干什么呢？它看起来似乎不是从人类某出悲剧的场景中悠然飞起，而

①奈德·凯利（Ned Kelly，1855—1880）：爱尔兰流放犯，约翰·凯利之子。因反抗警察当局、策动起义，于1880年被处死。他的故事在澳大利亚广为流传，并成为小说、绘画等艺术形式所表现的题材之一。

②勒达（Leda）：希腊神话中的斯巴达王后，她与化为天鹅的宙斯交接，生下引起特洛伊战争的海伦。

③克吕泰墨斯特拉（Clytemanestra）：希腊神话中Mycenae的国王阿伽门农之妻。阿伽门农是特洛伊战争中的希腊联军统帅。克吕泰墨斯特拉与人私通，杀死其夫。

④卡斯托尔（Castor）：希腊神话中与波吕丢刻斯（Pollux）均为宙斯的双生子。

是在没能扎根的文明的凄凉冷漠中翱翔——那是欧洲文明，在与犁杖和刀剑的偶像为敌的环境中它无法扎根。我又细细地看起别的画儿来。画面上出现的是一个我不曾有直接经验的澳大利亚。我断定那只白鹤一定是可以“破译”其他画面的密码。它那耀眼的白色足以证明，神话的特征比这本书的主题更为深刻，更少雕琢，更顺其自然。当然，并不是那些图画本身不可靠——毫无疑问，它们是一个人失意时最可信的表现。不可靠的是对这些图画的苛求，一种沙文主义的执着让人相信，非欧洲的精神已经在澳大利亚独树一帜，然而我眼前清清楚楚摆着一个还没有逃脱欧洲传统的例证，只不过是以某一地区为背景罢了。

我合上画册，把它扔在床边的地板上。一阵隐隐的疼痛向横隔膜冲撞，耳朵嗡嗡嗡地响。我躺在床上，脑袋搁在床边，急促地喘息，伸出胳膊，一只手撑在那本画册上面。父亲就是上个星期六心力衰竭的。就在我通过伦敦希思罗机场海关的时候，他被突然发作的心脏病夺去了生命。或许他把这种疾病遗传给了我？这是不是他受过的伤害所要求的报复？在这一两天之内，我的母亲会不会独自站在那片荒野之上，再看那些白鹤？

几分钟之后，疼痛消失了，耳朵里的嗡嗡声也化为乌有。等我的听觉又适应了躯体之外那个世界的声音之后，我意识到一阵音乐正从母亲的房间飘来。那是《平底船船夫》客曲洽舞曲。我在心里描绘她此刻的情形——身穿睡袍，绕着床快快乐乐地跳舞。灯光下，稀疏的红头发好像半透明一样。她在庆贺自己终于摆脱了爱尔兰丈夫和澳大利亚儿子这两个累赘。我闷闷不乐地听断断续续传来的舞步和咚嚓嚓、咚嚓嚓为自己打节拍的声音。我看出，她心中一直完完整整保存着她的幻术。我该明天一早就启程回澳大利亚继续过我的“流放”生活呢，还是就这样待在家里？这本书对我毫无用处，诺兰和他的画很早以前就在英格兰找到了归宿。

第二章 孩子们

下午休息的时候，那个男人和那个女人又来到办公室。像以前一样，他们站在煤气炉前谈话。因为天气已经很热，炉子没有点火，但是男人还是把手向身后的炉子伸过去，就好像需要它释放的热量。女人比他高出几公分，她穿件灰色风衣，黑裤子，一双手插在口袋里，一动不动地站在那儿。她不看他，跟他说话时也不，而是直盯盯地望着尽头那堵墙旁边摆着的乒乓球案子。她只是在开怀大笑的时候才动一动。她大约三十岁，也许还要年轻一点儿。他看起来四十多岁或者刚过五十，但身上还有一股孩子气，“短小精干”像个少年。他站在那儿松松垮垮，耸起一个窄小却匀称的肩膀，那只烤“火”的手不向火炉伸过去的时候，便收回来抱住另外那条手臂的肘子，而这只手手指间夹着一支香烟，放在唇边。他一口接一口地、深深地吸着，从不把那支烟从唇边移开一两毫米。吐出来的烟雾便在掌心散开，把他包裹起来。他也许就愿意隐匿在这烟雾之中。

跟她不一样，他总是小动作不断。那是些显示出他内心深处犹豫不决的动作。两只脚来回倒换着，身体的重心移来移去，有几次他好像拔腿要走，只是在最后一秒钟回心转意，又把手伸向火炉——他的控制点。他是亚洲人，而且我立刻断定是东方人。他身上有一种腼腆和半遮半掩的优雅，这越发坚定了我的看法。他和那个女人构成一个属于他们自己的图形——以那个黑色煤气炉为顶点的可以任意移动的三角形，十分清晰，和其他物体的运动没有关系。

我很清楚为什么自己被那个男人所吸引。那个女人更内向，很难看清她的内心世界，而他似乎能够理解我心中的感觉。和父亲一样，我没有什么亲密的朋友。没有这些关系，我也一直应付得很好。以前，我并没有注意到生活中缺乏这种亲密的友情。可是现在情况发生了变化。从打记事以来，我就相信，只要能够深入到自己的内心深处，总有一天会面对广阔无垠、纷繁复杂、充满深邃的内含和奥秘，并且等我去探索的世界。我相信成年之后的生活目标将是探寻那些地方。可是，我对内心深处那个精神之乡的自信渐渐被流逝的时光磨蚀了。正是我对这个“精神之乡”的自信，我对自己“独一无二”的深信不疑，才使我一度免受父亲的守旧和他的信仰的影响。没有这个“精神之乡”，我就没有一条离他而去的退路，最终很可能和他如出一辙，一无造就。

星期四上午休息的时候，那个男人独自待在煤气炉旁。他没有看我，但是我朝他走过去的时候，感觉到他是在等我。我指了指乒乓球台，说：“玩一盘好吗？”

他仔仔细细打量着我，就好像我是建议他搞什么鬼把戏。“玩！”他用沙哑的声音喊道，“玩他一盘！”他打球的时候还是烟不离嘴，而且一直不动地方。他训练有素，手腕一翻便毫不费力地把球打了过来。我“左奔右突”，极力不让球坏在自个儿手里，即使这样，也只是在他用烟蒂重新点燃另一支香烟的时候才赢了一分。

“这一局应该重打，”我争取主动，表示谦让。他没有接受我的建议。“你这个球打得不错。”他说。我把球拍放在球台上，说：“太热了。”他马上表示同意。我原先就隐隐约约觉得他一定会对我言听计从，会对我的建议装出一副热情的样子，现在越发坚定了这种看法。

他的五官似乎被人扭曲，凝成固定的表情——右脸向上牵动着，作出略带讥讽的表情——一种在明白了事情真相的那一刹便打在脸上的自艾自怜，愤世疾俗的印记。我想起母亲的警告：凄风苦雨会改变你，给你留下一副丑陋的嘴脸，青蛙嘴，金鱼眼。那么这个男人，一定是被这凄风苦雨改变了。我觉得他一定理解那个令人迷惑的世界，而又无法在这个问题上与她达成共识。于是，他在被这世界的力量所感动的同时，也受到了伤害。

他的个头和她一样高，胖瘦也差不多，身上有一种同样古怪的、难以捉摸的东西。“您的助教今天上午哪儿去了？”我问。

他一下子有点儿摸不着头脑。“噢，你是说格特鲁德，”他笑了起来，“我以后就这么叫她，我的助教！”他突然忸怩起来，好像害怕玩笑开得过火。“格特鲁德·斯比斯。她是普拉汉高等教育学院绘画专业高级讲师。”他郑重其事地向我解释，那口气简直像在什么隆重的典礼上一样，“她是画家，真正的画家。是临时来讲学的，因为她喜欢这工作。”

说话的时候，他一直用那只向上吊的右眼冷冷地看着我。声音缺乏自信但不无鼓励，一副尊容却暗含着恶意。面对这样一种矛盾，我无所适从。他一本正经地问了我一个似乎并非偶然想起来的问题："教非英语国家的孩子们学习是不是很难？"他等我回答，似乎期待听到一个明确的答复。

他向我提这些问题时一副迫不及待的样子，显示出他对此一无所知，让人觉得无论做出怎样的回答，他都会奉为金科玉律，并让人觉得他的恭维暗含着一种期望——我会选择英语专家这样一个角色。我也许真会选择这个角色，要不是我看出他在内心深处正静静地等待着我默认。他注意到了我的谨慎，吸了一口烟，告诉我他叫浪子。

上午的课还有十分钟才结束，我想去他的画室看看。突然从荒野刮来一股猛烈的北风，小桉树暗红色的枯枝败叶从屋顶飘落下来，在院子里旋卷。狂风的呼啸中传来一声尖叫。我前面几米远有个小男孩儿在几乎熔化了的柏油路上翻滚。我搞不清他是摔伤了，还是在玩，急忙跑了过去。他立刻跳起来，嘴里反复喊着一句我不知道什么意思的话。对面儿就是浪子告诉我的那几扇哥特式的门。

热浪扑面而来，我觉得周围的一切随时都有可能燃烧起来。塑料袋、牛奶盒和别的垃圾被灼热的气浪旋卷成一股充满恶意的旋风。走到门口，我踟蹰不前，似乎被那灼热的风搞得神魂颠倒。我的手刚刚抓住铁门闩，就卷进热烘烘的塑料和砂土的旋涡。我跨进门槛，赶快把门关上，挡住那股要吞没我的风。

我走进去的不是教室，而是一个库房，一个会场，一个回音很大的阴森森的礼拜堂。这个礼拜堂哥特式的窗户很高，菱形窗格上镶着玻璃，淡淡的光线从窗口照射进来。礼拜堂里面有一股混合着松节油、油画颜料和落在书籍上的尘土的气味。这气味虽然日久年深，但我并不觉得陌生。裸露着的十字交叉的房梁上有什么东西在动。放眼望去原来是一溜平静、安详的鸽子，正卧在那儿，直盯盯地看着下面的动静。有几个孩子踩着桌子从大厅那头轮流跑过来，然后从离舞台最近的那张桌子上一下子跨过两米多远的距离，跳到舞台上。他们落下去的时候，咚咚咚地发出很大的响声，就像敲响一面大鼓。让人吃惊的是，尽管这样闹哄哄，大多数学生还在用功——有的全神贯注地做自己的事，有的和旁边的同学商量着什么。他们正在很大的棕黄色的纸上作画。

浪子独自站在大厅尽头一张桌子旁边看书，手指间夹着一支香烟，放在脸前，一双眼睛笼罩在烟雾里。他斜倚桌子，空着的手五指分开压着书，那样子就好像他正要做什么，无意中停下来瞥了几行，却被书中的内容吸引住了。他的嘴唇翕动着，身体随着文字或者感觉的节奏轻轻摇晃。

我走过来的时候他连头也没抬。我看见他正在读彭斯的Tam o' Shanter。小时候怀着敬畏和迷恋，我曾经无数次听父亲用颤颤巍巍的声音念这首诗。父亲能把这首二十四行的诗倒背如流。因为中听，我没费劲儿便把它一字不差地记在了心里。现在稍稍受到某种启发，父亲背诵这首诗的声音便在我脑海里回荡起来。只要提到苏格兰，特别是提到格拉斯哥人，这首诗的诗句便泉涌般流出。

十五岁的时候，我发现我能把父亲的声音学得惟妙惟肖——浓重的格拉斯哥口音，和讲话时咄咄逼人的气势。发现这个天赋之后，我经常假装父亲骗妈妈。尽管自个儿也觉得这实在不可思议，觉得是在干某种不祥、危险、无法把握的事情。然而，想干这事儿的冲动难以抗拒。该他下班回家的时候，屋子里本来悄然无声，我会把前门弄得山响，走进起居室，大声喊："看在上帝的分上，玛丽，你在家吗？"

妈妈便走到过道门口，用一双清澈明亮的灰眼睛看着我。尽管我对他们俩都心存恐惧，但爸爸和妈妈从来没有因此而惩罚我。他们对我这种恶作剧持超然的、宿命论的态度。似乎认为他们无权指责我的行为。我们好像不是一家人，而是三个住在同一幢房子里的毫无关系的房客。

妈妈发现喊她的不是父亲而是我的时候，便回转身去干她一直干着的事情，这时我便觉得父亲就在我心底，我被他用妖术迷惑了。母亲尽管没有做出什么反应，但我心里明白，她和我一样，被我的把戏搞得心烦意乱。我俩似乎成了和父亲作对的同谋。他从来不劝告我，连温和的说教也不曾给予。她对我的态度似乎表明，如果我愿意干这种事儿就必须自己对它的后果负责。

罗伯特·彭斯的诗歌是父亲对我进行教育的既定方式。在这方面，他享有"先行权"。他以这样一种方式使他的人格在我的身上得以延续并且发扬光大。看到浪子读 Tam 我心里很不舒服，与其说是惊讶还不如说是沮丧。这诗好像只属于我和父亲。浪子选择这首诗当然毫无恶意，但是我却无法把这桩事看成偶然的巧合。我的目光跟着他的手指在那几行诗上移动，父亲的声音开始在大厅里回荡：狂风拼命吹打，田野冷雨沙沙……

学生们不再往舞台上跳了，都停下来直盯盯地看着我们。浪子朝我转过脸来，抬起明察秋毫的右眼瞥了我一下，被尼古丁熏黄的手指指着那首诗，怂恿我往下看。他深深地吸了一口烟，把书推给我。这本书是“人人出版公司”的版本，绿布封面，书脊破了，用胶布条粘着。“看吧！”他吐出一口浓烟。烟雾在我眼前缭绕，学生们凑了过来。他们和浪子的个头差不多，他拿起书放在我的手里，然后退后一步，站到围拢过来的学生当中。

我低着头看那首诗，父亲的声音立刻在我的脑海里回荡起来，洪亮、高傲、蔑视一切权威。在那声音背后，咄咄逼人的气势和诗歌的韵律同步。把不愿意和他一起享受苏格兰人的自由无羁的男人一概斥之为低能儿和白痴。至于女人，他认为压根儿无需对此做出选择。他这种咄咄逼人的气势矛头直指英国人——他们以不可原谅的无礼抛弃了十八世纪最有价值的东西。狂风拼命吹打，田野冷雨沙沙，闪电稍纵即逝，雷霆遍走天涯……

我们着了迷似的聆听死去的父亲朗诵他心目中的朋友和英雄的诗句。他那铿锵有力的声音使得大厅里的空气变得凝重。我能感觉到他凌驾在我之上，巨大的血肉之躯被空气托举着，个子不高，但膀大腰圆，穿着厚厚的花呢和呢绒衣服，一副刚直不阿的样子。

念了几小节之后，我的嗓子被大厅里的浮尘呛得直痒痒，诗句好像卡在嗓子眼儿里，念不出来，眼睛有一种被灼痛的感觉，充满了泪水。学生们掉转身走了。他们已经听够了我的絮叨。我擤了擤鼻子，向天花板的暗影瞥了一眼，有一个从下面看比例缩小了的人影，十分危险地蜷伏在古旧的、黑魆魆的大梁上，靴底锃亮的平头钉闪着微光。那是我的父亲，被倒置了的耶稣。我纳闷母亲怎么能在他大声朗读、钉了平头钉的靴子把地板踩得咔咔直响的时候，还无动于衷地读她自己的书。我一直以为是他而不是妈妈掌管着打开我们那个魔术箱的钥匙，现在看来错了。因为是他随心所欲地召唤那些鬼怪、幽灵，妈妈却避免提起这些玩意儿。我没有弄懂他大声朗读的到底是些什么，也没有看出她是怎样悄悄地保护孩提时代的我不受他的影响。

我打了个喷嚏，又擤了擤鼻子，担心浪子会不会认为我在无声地啜泣。他安顿学生下课之后，又走过来，直盯盯地望着我，急于知道我心里到底想些什么。他的厚嘴唇青紫，牙齿上有一层烟垢，乌黑的短发在泛着青白的头皮上直立着，好像通了电似的。他的眼睛里有一种兴奋的、贪婪的光芒。“好了，走吧。我们一块儿去吃午饭。”

“我没有哭，”我说，“是灰尘迷了眼。”

“是的，是的，是灰尘迷了眼！”他伸开手臂在空中画了一个圈儿，仿佛要替我“安定”那些灰尘。“我不该让他们在舞台上瞎蹦。这个破地方拆掉才对。”他笑了起来。

院子的水泥地刚洒过水，被阳光蒸起蒙蒙的水汽。我跟着他从那水汽之中走过，从后门进了一家酒馆。走廊里弥漫着烤肉的香味和走了气的啤酒的味道。我们走进后面一间很小的休息室。这是一个老式酒馆，从50年代起一直没有翻修过。这间屋子那时候一定是个女宾休息室，桌子上沾着厚厚的棕黄色漆布。女画家格特鲁德·斯比斯独自坐在一张桌子旁边，看见我们进来，朝浪子挥了挥手里那本杂志。屋子里没有别人。浪子介绍我们认识之后，就走开了。她伸出手，跟我的手指碰了碰。我和她微笑着互致问候之后便都陷入沉默。浪子到前面的酒吧拿酒去了。电视里，播音员正上气不接下气地介绍一场体育比赛，有几个男人坐在那儿仰着头聚精会神地观看。格特鲁德又翻起她一直看着的那本杂志。我意识到她有亚洲血统。

浪子在我们每人面前放下一杯葡萄酒，然后紧挨她坐下。“让我瞧瞧。”他从她手里拿过那本杂志。她热切地望着他。他读了起来，嘴唇翕动着，起初听不清念了些什么，后来声音越来越大，直到我们都能听得一清二楚。“格特鲁德·斯比斯 1946 年生于色彩瑰丽的墨尔本郊区圣凯尔达，她是一位澳大利亚画家，对那里的山水人物之精髓有一种天生的敏感。”他啧啧连声，呷了一口酒。“真有你的，”他说，“天生的敏感。这就意味着，你不需努力就能成功。真不知道光凭几幅画儿他们能看出什么名堂。‘她认为自己不但得益于加布里尔·蒙特和德国表现派画家，中国画的传统也使她有所裨益’。”他停了一下又呷了一口酒，点燃一支香烟。

她伸手去拿那本杂志。“一会儿再看。”

他不给。“再看几眼！”他用近乎滑稽、不无夸张充满敬意的腔调读下去。

“浪子！”她警告他。

他顺从地放低声音，嘴唇翕动着。不过我感觉到她的警告很快就会失去作用。他的眼睛闪烁着狡黠的光芒，淘气得像个猴子。

我观察他们，听他们争论发表在那本装帧精美的美术杂志上的文章的价值。感觉到他们接纳了我，并且看出他们之间的友谊。于是便想以某种方式理解他们。我理解他们这种方式，使我编出一个故事梗概，使我不至于从幻梦中清醒，不至于为可怕的现实所苦恼。酒的作用使我生出一种晕晕乎乎的愉悦。在我看来，浪子和格特鲁德或许会占领我空空荡荡的内心世界，这个世界正处于被父亲大声朗诵的幽灵充塞的危险之中。我不假思索，便陶醉在对这个故事的遐想之中了。

过了一会儿，他们把那本杂志放在一边，浪子又喝了几杯红葡萄酒，虽然舌头有点发僵还是跟她争论不休。我捡起那本杂志读那篇文章。

那是一篇挺长的人物述评。题图是格特鲁德的一张黑白照片。她坐在一张椅背是格式横档的漆木椅子里，明媚的阳光洒满小屋。她的身体稍稍前倾，就好像要站起身向正注视着的那个目标走过去。一只白皙的手放在大腿上，被黑色毛裙映衬着极富表现力。裙子的V字形领口开得很大，摄影者将她赤裸的双肩和胸脯表现得像一幅铅笔画一样充满柔和的色彩。她透过照相机的镜头，眺望着想象中的目标。真是一张非常出色的照片，一张充满技巧和智慧的照片。它把她表现为一个举足轻重的人物，一个从深沉的生活之海悄然升起在照相机镜头前面的女人。在她再次坠入目光难及的海底之前，让我们荣幸地一睹芳容。我断定拍照片的人一定是与她过从甚密的熟人，一位朋友。毫无疑问，还是她的崇拜者。他的名字颇为谦恭地印在照片的右下角：恩斯特·库宾。我开始挖空心思地想象她周围那个圈子里的人物。

这篇文章装腔作势，一副学究气，但是压根儿就没有人们在学术著作中期望看到的激情与博大精深。读了让人失望，无法让人产生共鸣，也没有给读者提供分析透彻的研究结果。事实上只不过是为女画家格特鲁德个人画展所做的宣传。这个画展下半年在里克蒙德美术馆展出。不过这篇文章还有一个更为隐蔽的论点，这个论点在某几个段落说得倒也清楚："在她的作品中，不同主题的融合，空间关系在画面上的转换，造成了作者所要刻画的物体的变形和自然形成的分解。"

我并不想对此多加探讨。我明白，作者的本意是将其要旨从作品本身转移到对作品的讨论上来。他认为自己在探讨人物形象方面颇具权威。为了做到这一点，他把自己眼睛看到的东西改造成他的心灵"看到"的观念。让我感兴趣的不是作者或者他的观点，而是他关于这位女画家身世的描述：

> 倘若和格特鲁德·斯比斯谈话，用不了多久，话题就会转到她父亲身上。因为他们太不同寻常了。格特鲁德出生时，她的父亲已经六十九岁。她从来没见过母亲，二十岁以前和父亲形影不离，在她的记忆之中连几个小时也不曾分开过。她谈到她的工作、创作源泉和遇到的困难时，就好像她和父亲今天仍然生活在一起。从她的叙述看，这位父亲性格温和，很有修养。他们之间的亲密关系非同寻常。这种关系显然至今仍是这位年轻的艺术家创作的主要源泉。
>
> 她对我们说，他一辈子独身，做了父亲之后喜不自禁。"我从小就知道，我是他生命的中心。他很老，

我很小。我们总是需要互相照顾。”她从来不提起父亲的死，总是把自己称为“一个没受惩罚的孩子”，就好像这里面有某种奥秘，它所包含的意义我们常人难以理解，她很容易被人们所信任。

我意识到他们正在等我。“格特鲁德要走了。”浪子说。我把杂志还给她。“希望看到您的画展。”我发现她正注视着我，一双黑眼睛就像两潭深不见底的秋水，清澈明亮。她的目光很友好。

她走了之后，浪子欠身端起我那个杯子，他在颤抖。“走以前再喝一杯，斯蒂文。”他身上有一股酒味烟味和汗臭、香水混合的味道。他站起来的时候重重地靠在我的身上，深深地吸了一口气，就好像费了好大力气。

铁皮屋顶在热风的席卷之下颤抖着发出咔达咔达的响声，墙壁也在颤动，枯草又要遭殃了。这样的天气总要放火烧荒。人们好像发了疯，跑出去点燃萋萋衰草。我想象得出天光大变，小桉树林红色的枯枝败叶升起缕缕青烟。我爱闻草木燃烧的味儿。我看到路边一堆堆树叶青烟袅袅，从前也是这样。那时候我们住在肯特郡①。秋天的下午，烧树叶的烟味儿在空中弥漫。在父亲的家庭农场，从栗子树下走过的时候，黑魆魆的树枝在我们的头顶纠缠着。母亲兴之所至骑上她那辆深绿色自行车一溜烟跑了。那时候，她就喜欢把我们扔到一边不管，自己“天马行空，独来独往”。她总是一言不发，扬长而去。我和爸爸

①肯特郡：位于英格兰东南部。

坐在门前看她骑着自行车消失在斜阳或者细雨之中。直到夜幕降临她才风尘仆仆地回来，带着田野、树篱的气息，带着树叶燃烧的烟味儿。有一次她在这种旅行的鼓舞下对我或者对这所房子公然宣称："我是个殖民者。"几年之后，当我站在"阿卡狄亚"号渐渐翘起的船尾跟这艘巨大的轮船一起从比斯坎湾驶向灰蒙蒙的大海时，我对自己重复了这句话。"我是个殖民者。"我说，安慰自己，此举并非没有先例。我一直无法解释为什么要远走高飞。在澳大利亚有我所追求的东西。

"中国人能够理解苏格兰人，"浪子低声说，嗓子有点沙哑。他晃晃悠悠把那杯酒放到我的手边，咳嗽几声向我俯过身来，"我们都有自己的宗族。"

"你是中国人？"

"当然！我是中国人！"我的问题让他惊讶，"你没把我当成菲律宾华人，是吧？以前人们总以为我是菲律宾华人。"他闷闷不乐地盯着脸前的酒。

"没有，我没把你当成菲律宾华人。"

"我不大像中国人，就连那些很清楚中国人和其他民族的区别的人也这么认为。"

"我没有说你不像中国人，我只是问你是不是中国人。我先前不知道嘛。"

他吸了一口烟，又呷了一大口酒。"我们身上总有一种东西，一种作为苏格兰人和中国人所特有的东西。"

"什么东西？"

他眯细一双阴郁的眼睛，用手指间的香烟指着我说："我们无论怎样煞费苦心，也不会失去这些东西。别人不管怎样绞尽脑汁也装不出来。”

“我不是苏格兰人，我的父亲是，他从来没有丢掉那些特点，他也不想丢掉。但我不是苏格兰人，浪子。别把我当成苏格兰人。我压根儿就没去过那儿，我只是有点儿苏格兰口音罢了。”

“不，你没有。”

“什么？”

他弓着背坐在椅子里凝视着我，一会儿吸一口烟，一会儿呷一口酒。“你是哪儿的人？”

“我是澳大利亚人。”

他得意地大笑起来。他赢了。“我们都是澳大利亚人，斯蒂文。我是说你祖籍是哪儿的人？”

“挺晚了，”我说，“该回去了。”

“如果你不是澳大利亚人，你是哪里人呢？”

“我是澳大利亚人，母亲是爱尔兰人，或者曾经是。现在她大概算是英国人了。”

他瞪大了一双眼睛，右眼比左眼大，样子有点古怪。“你的母亲还在世？”

“在英格兰。”

他惊讶地喃喃着：“你的母亲在英格兰？这么说，你刚探望过她？”

“上个月。”

“你的母亲，”他叹了一口气看着眼前那只空杯子，“她一定很想你。你是她的独生子。”

“她根本就不想我。独生子，你这是什么意思？”

“我们都是独生子，斯蒂文。”他似乎因为我不知道这一点而惊讶，“你，我，还有格特鲁特，我们都是独生子女。神话、故事讲的都是双胞胎的事儿。你注意到这一点了吗？你是作家，应该注意到。这个课题你应当感兴趣，斯蒂文。他们对独生子不感兴趣。他们讨厌独一无二的事物。他们希望根据自己的观察推断普遍的原理，而不是被这些事物所左右。独一无二的东西对于他们来说‘无可奉告’。不管什么时候，碰到这种东西，他们都会尴尬地把脸扭开。他们只能把它装到罐子里，藏在一个不见天日的架子上，以防另一个和它相同的东西突然冒出来。但是暗地里他们还是想着那架子上的玩意儿，因为那是可以参加畸形人表演的货色。父母和科学家一样，独生子女让他们大失所望。他们不过是表面上装作高兴罢了。不得不做出一副我们将赐福于他们的样子。然而事实是，独生子女不会使他们更亲近。光有一个孩子不能组成家庭。这一点他们懂。他们知道缺点儿什么，所以总是大惊小怪，拿我们当宝贝似的宠着，希望以此掩盖真相。独生子女的家庭好比一个三角形，彼此总有距离，不会亲密无间。你听说过三角恋爱吗？斯蒂文。”他好像突然想起了什么，看了看手表。“我们要迟到了。”他站了起来，“上课总迟到可不好。”

“放学后跟我走吧，”匆匆忙忙走出酒馆时浪子说，“我给你做上海风味儿的红烧肉。过一会儿天会变凉的。我们去汤姆·林德纳的画廊替他看张画儿，星期五晚上他那儿总有香槟喝。你会喜欢汤姆的。”

大街上比先前还要热，我们不得不转过脸躲避飞沙。天空乌云滚滚，我们就像走到一座铁工厂旁边，空气里弥漫着浓烈的枯草燃烧的气味。

浪子拉着我的袖子，紧紧靠着我。我们俩跌跌撞撞地向前走，他对着我的耳朵喊："父母为什么管独生子女叫娇惯坏了的孩子呢？他们说孩子娇惯坏了。说得不错。娇惯是掠夺的别名。以前，谁都知道掠夺是什么意思。他们知道他们在说什么。现在我们再重复这话的时候，却不知所云。掠夺是依靠武力夺取原本不属于你的东西。娇惯是凭借手段从敌人手里骗取心爱之物。"他突然停下脚步，扯着我的衬衫袖子，朝我眨了眨眼，满脸嘲讽，就像一个早熟的孩子，一个为了实现隐藏在心中的愿望，随时准备跟你争论，并且哄骗、蒙蔽别人的孩子。"独生子属于敌人，斯蒂文。"他直盯盯地望着我，想看看我对这番话会做出怎样的反响。"独生子属于 shinje——死神。"他咯咯咯地笑着拉着我向前走，"独生子是一个充满敌意的入侵者，斯蒂文。"

回到空荡荡的校园，他挥了挥手，和我道别。我抓住他，说："格特鲁德和她的父亲呢？她是独生女，可他们不也很快乐？"

"他们不是三角形的关系，"他说，然后扬长而去，把我一个人孤零零地留在那里。我转过身要走的时候看见楼上一扇窗户前面站着一个人。为了保护窗玻璃不被石子打坏，窗前镶了一个铁架子。一张椭圆形的白皙的脸正冲着我一动不动，被铁架子分成一个一个的小格，好像一幅打了格的肖像画草图。我觉得那一定是浪子，他已经闪电般地爬到了楼上。要不然就是我自己走神，不知不觉中已经过去了好长时间。

第三章 莲与凤

十八年来，冯一直想生个儿子。和第一个妻子结婚时他二十二岁。她给他生了四个健壮的女儿。生第五个孩子时剖腹产，她死了。他忘不了她——杏，她是他唯一真正爱过的女人。第二个妻子又给他生了三个女儿，后来他跟她离了婚，而且很快把她忘到了脑后。冯跟这个妻子离婚没有正当理由，是他的朋友——阴险狡猾的苏格兰人、警察局长艾力斯蒂尔·麦肯基从中做了手脚，才让她蒙羞受辱回到娘家。

冯是上海的一位资本家、银行家和经销世界各国产品的商人。他又娶了第三个妻子。新婚之夜他就对她说："一年之内给我生个儿子，否则就跟你离婚。"他已经没有耐心了，生怕自己生儿育女的本领不能维持太久。

这个妻子很争气，怀胎 10 月，果真给他生下个儿子。可惜那孩子刚刚落地就一命呜乎了。冯看着那个用白布裹着的小小的尸体，深深地思索着，半晌才做结论似的说出一番话来。听到这番话的人都为他那喃喃低语中透露出的满足而惊讶。"这么说还行。"给一大群姑娘当了十八年父亲之后，他已经开始怀疑自己是否能生出个儿子来了。现在看来，还没有到山穷水尽的地步。他也并非不可救药。冯简直被这个新发现给迷住了，全然没有注意到自从走进妻子的房间，这位年纪很轻的少妇对他一直漠然视之。三个月之后，妻子莲又一次怀孕，生下的却是一个死胎。这件事在冯家上下引起一片恐慌。人们曾经满怀疑惑和希望盼望这一天，更让人伤心的是这个死婴又是个男孩儿。

死婴的父亲冯清心——他的名字“西化”之后是C·H·冯——走进妻子的房间，站在床前凝望着他第二个死去的儿子。妻子的仆人默不作声。她不动，也不抬起头看他。冯盯着儿子那张皱皱巴巴的小脸足足看了说三分钟。那孩子小脸灰白，五官还没有长开。冯真想把生命注入那个一动不动的躯体。生命之神似乎正站在门口等待着，只消打一个手势就会走进门来。最后，父亲凝视的目光离开儿子，落到妻子身上。

从打冯走进莲的房间，她就一直看着他。夫妻俩心里都想着死去的男婴，直到现在才相互看了一眼。冯四十岁，是上海第一流的中国商人。他体魄健壮，几乎没有什么办不到的事情。他知道自己现在正处于事业的顶峰。莲十八岁，是杭州老画家黄玉化的独生女。她无权无势，也没有什么财产，社会地位的高低、生活的好坏全靠丈夫。他们这样相互凝望的时候，天忽然下起瓢泼大雨。结实的窗框晃动着，窗玻璃也在微微震颤。暴雨过后，房顶上流下来的雨水声打破了死一样的寂静。

冯盼子心切，可现在不知如何是好。雨水冲刷着窗户下面的铁管，撞击着他的思想、疑虑和焦灼，发出很大的响声。那嘭、嘭、嘭的声音好像是神明给他捎来的一道天书，只是他还没有掌握破译的密码。他轻轻地挥了挥手，让仆人把死婴抱走。然后在莲床边那张织金锦缎、法式安乐椅里小心翼翼地坐下，用一种从未有过的目光看着她。他问自己：“这个女人需要什么呢？”以前他从来没有正儿八经想过这事儿。“她到底需要什么呢？”他问自己，而且觉得不管她提什么要求，他都会作出让步。他第一次注意到，作为一个血统纯正的中国人，她眼睛的颜色与众不同。黑色的瞳仁里有一种紫铜般的光彩。这个发现让他大吃一惊。这个女人难道就是他娶之为妻的那个杭州姑娘吗？看到她坚定的目光颤动了一下，他将自己的目光移开。除了那双眼睛的颜色之外，还有一样东西让他心神不定，那就是她毫无愧色。他看出她一点儿也不怕他，便越发心烦意乱起来。

他意识到自己的身子太向前倾了，屁股坐在椅边，那样子一定十分滑稽。他咳嗽几声，重新坐好，试图用“女人只配受苦”的古训来安慰自己。但是这陈词滥调无法使他满足。显然，这话对莲不适用。他迷惑不解，对这种局面毫无思想准备。他感觉到她有一种凌驾于他之上的气势。这气势到底有多大，他还说不清楚。他又坐了一两分钟，一句话没说站了起来，礼貌周全地点了点头便离开了她的房间。

房门在冯的身后悄悄地关上了。过了一会儿，仆人又走了进来。看见进来的是仆人，莲的脑袋在枕头上转过来向窗外望去。窗帘是粉红色丝线钩成的一朵朵洋蔷薇，映衬着春日湛蓝的天空。“你瞧，我说过，不过是一阵雷雨罢了。”她说。听口气，冯来之前她们一直在谈变化莫测的天气。仆人坐在床边开始给莲梳头，边梳边用温柔甜美的声音唱中国古老的民歌。这歌儿选自诗词歌赋二十四律中的《孕育篇》。开头两句是：

美兮美兮，言语无须；清奇俊丽，有目皆识。

大约半年过去了，什么事情都还没有着落。冯心思重重，没再提离婚的事儿。那是1926年的夏天。7月，蒋介石的军队从广州出发开始北伐。传说日本人给军阀张作霖一千万元，帮助他打国民党的军队。还有美国帮助蒋介石打北方的军阀。和冯做买卖的法国人、英国人、德国人，至少许多人这样认为。那是一个旧的同盟已经无法再信赖再依靠的年代，一个机遇和危险并存的时代。

8月，莲告诉冯，她又有了身孕，希望和他谈一下这件事情。

冯立刻取消了和几位外国银行家的重要会晤，马上约定和她见面。

她穿着一套墨绿色的做工精细的衣服，那是英国裁缝特意为她制作的。她站在一楼客厅高大的窗前等他的时候，眺望着马路对面的公园。保姆们穿着蓝裙子、灰袜子，信心十足地在阳光照耀的小路上走来走去，有的推着轮子很大的婴儿车，有的拉着蹒跚学步的小孩儿，有的跟着推铁圈跑的孩子。每逢星期三下午两点，冯公馆外面到处是小孩儿嬉戏的叫声、笑声。

从侧面看，莲长了一副瓜子脸，典型的中国人的脸形。自鸣钟报时的时候，她回转身从窗前走开。她身材修长，走起路来袅袅婷婷，好像当过舞蹈演员。她在一张直背椅上坐下。她觉得坐在这种包了黑色皮革的橡木硬椅上远比坐在塞满羽毛的椅垫上舒服，行动起来也更灵活、方便。等冯的时候，她一边吸烟一边用手里的美国烟盒敲打面前那张精工制作的小圆桌的桌面。桌面是用象牙镶嵌的意大利风光：马背上的猎手正用标枪猎鹿和熊。她不停地用烟盒敲打桌面，终于从一头正在飞奔的鹿的蹄子上敲下一小片象牙。她想把那片象牙再镶进去，结果扎了手指，便不耐烦地把它扔到了地毯上。过了一会儿，她看了看手表，已经两点过三分了。

若论房间的布置，这个宽敞的客厅和欧洲人的起居室只能说有点相像。尽管房间里摆着不少英式家具，但它不是英国人的起居室。尽管两扇窗户中间有一个装饰华贵的法式玻璃橱柜——镀金底座、工艺精美的镶板，柜子里摆着光彩夺目的塞夫勒[①]咖啡具，但也绝非法国人的客厅。倘若给这个房间冠之以“欧式”，那么在悉尼或者伦敦人眼里就该是“中式”了。这个房间在某种程度上反映了主人的愿望。在一个真正的欧洲人看来，这里面的摆设不伦不类，有点儿可笑。特别是英国人，他们经常觉得中国人“挺逗”。房间的主人极力通过屋里的家具表现出“欧化”的“主题”，但是在他们看来，只能是一种滑稽的、不是故意但很拙劣的模仿。这个房间，甚至整幢房子居然没有一件中国家具，甚至连欧洲人房间里常常可以看到的具有中国风格的工艺品也没有。或许一位观察敏锐的英国客人会把这种拙劣的模仿看作疏忽，但实际上并非如此，而是精心设计的结果。

这个房间以及整幢房子都是按C·H·冯的意思设计的。冯习惯于把他的“国际主义”表现得淋漓尽致、纯而又纯。凡是认识他的人都认为他在这方面太偏执。自命不凡的英国人并不想对他的这种行为作出什么解释。一个他们已经成功地“开发”了一个多世纪的国家，一个从来没有郑重其事地反对过他们的国家，它的国民愿意模仿他们的生活方式是不足为奇的。

冯早就厌恶中国的文化传统，看不起想要保留和维护这种文化的人。尽管许多人认为这不过是权贵们矫揉造作，哗众取宠，向同等地位的人显示自己独具一格，不落俗套罢了。但冯

①塞夫勒（Sevres）：法国城市，以生产陶器而闻名于世。

这样做自有自己的道理。他这样布置并不是为了取悦别人，而是为了自我欣赏。所以，对中外朋友的种种评论置若罔闻。他们经常说，这间豪华的客厅没有北宋的彩陶、明朝的瓷瓶、西周陵墓出土的精巧的青铜器，因而也就无法表现他对中国古代艺术高雅的情趣。冯不是一位鉴赏家，那些试图来这位中国银行家的家里大饱眼福的西方客人常常大失所望。失望之余，他们经常和自己的同胞们揶揄冯对欧洲风格可笑的模仿。他们从来没有想到真正错误估计形势的正是他们，而不是他。冯对自己的天赋颇有把握，相信他可以把自己对于历史的看法解释得一清二楚，从而证明自己的行为并不荒诞，而且使他的洋人朋友们茅塞顿开。

然而，冯对中国传统的厌恶是有限度的。在他的纵容之下，他的两个女儿嫁了德国军官，另外一个女儿嫁了一位依阿华州的传教士。结果，他赢得了在行动上和理论上同样开放自由的美名。对于英国人来说，这就足以证明冯是自由主义的信奉者了。他们的女儿非英国人不嫁，如果有哪位姑娘愿意跨国择婿也不会得到父母的支持。冯的局限性主要表现在对于继承自己事业的儿子的企盼上。他无法想象自己的儿子不是一个血统纯正的中国人。他的三个妻子都是名门望族的千金，不折不扣的汉人。大家对此并不感到惊奇。谁也不会认为C·H·冯自己择偶时严格的标准和嫁女时宽松的态度有什么矛盾。谁都完全理解他的“苦衷”。

他进门的时候，她并没有掐灭手里的香烟。相反，她把那支青烟袅袅的香烟举到唇边，深深地吸了一口，眯细一双眼睛一直数到三才把烟从肺里吐出来。他在她前面的那张桌子旁边站着，她把烟蒂在烟灰缸里掐灭，才抬起头瞥了他一眼。两点过五分。他为自己姗姗来迟而道歉，她也为自己打断他的安排而请求原谅。

“我可以坐下吗？”

她低着头，朝对面那张椅子努了努嘴。冯并不急于坐下，而是小心翼翼、从容不迫地走过去搬起那张椅子，仔细看了看椅面，放回到离桌子有一段距离的地方，才坐了下来。两个人谁也不说话。远处传来孩子们在公园里玩耍的吵闹声。看起来，他如果不先开口，这沉默永远不会有人打破。冯问道：“什么时候生？”他很壮，但个子不高，比她还矮。乌黑油亮的头发长及两耳，白衬衫的硬领紧紧箍着粗壮的脖颈，棕色丝绸领带也束得很紧，在喉咙上打着一个形状像杏仁的结。莲讲起她童年时的经历。他眨着眼睛听，但没有做出任何反应，这一点是她始料不及的。

冯尽管穿一身时髦的西装，但人们还是很容易把他想象成一个在中巴南部海上漂泊多日之后上岸的海盗。他一副蛮横相，上颚突出，紫红的厚嘴唇半张着，露出满嘴参差不齐的黄牙，好像处于惊吓之中。即使是从容不迫的时候，也给人一种处于戒备状态的印象。隔几分钟他就“冲破”牙齿的挤压使劲儿抿一下嘴唇，发出一声吞咽什么东西的声音，巨大的喉结上下滑动着，好像那是他咽下去的一个活物。他长了一双金鱼眼，皱纹从外眼角开始顺着士兵的帽带，或者眼泪剥蚀的印迹，穿过肌肉松弛的面颊，一直延伸到下巴颏。他的鼻子扁平，有点像非洲人。眉头正中有一条很深的皱纹，活像战场上留下的疤痕，给他那副尊容平添了一种迷惑不解的表情。冯似乎是一个喜怒形于色的人，一个诚实、暴虐但易受攻击的海盗，纷繁复杂的生活把他搞得头昏脑胀。跟这样一个人打交道必须保持头脑冷静。从某种意义上讲，认识到这样一点或许是一种安慰——倘若他割断一个人的喉咙，那是因为海盗的禀性所致而非出于个人恩怨。尽管他这副模样给人留下了深刻的印象，但这并非其本质，冯实际上是个很复杂的人。他总是把自己的动机深藏在心底，从来不暴露给别人。

她说话的时候并不看他。她的目光从他身上掠过，有时候似乎是穿透了他的五脏六腑射向窗外，注视着法国梧桐下走来走去和绕着玫瑰花坛转圈儿的保姆。在进入这次会见的主题之前，她并不正眼看他。她停下话头，从窗外收回目光，大胆地望着他那双金鱼眼。“你必须同意我去看望我的父亲，”她毫不妥协地说，然后用劝慰的口气说，“如果没有再次见到他的希望，我的健康就会受到损害。”

冯眨了眨眼睛，最后还是他又一次把凝视的目光从她身上移开。她的勇敢使他震惊。他一直不允许她和父亲来往。这道禁令是他们在锦江路那座哥特式大教堂举行婚礼时，在将近一千名宾客面前强加给她的。在冯看来，这不过是国际社会的成员和中国的新朋旧友根据传统与惯例授予一位丈夫的独断、专横的权力。莲似乎同意了这个条件——冯保证在经济上给她父亲以资助，这样他可以继续在杭州那所大宅子里过舒舒服服的生活。直到此刻为止，冯一直认为莲接受了这笔不公平交易中关于这项“条款”的安排，正如新婚之夜，她默认了十二个月之内给他生个儿子，否则就要蒙受滚回娘家的耻辱。冯不知道该如何处理这桩事情，只好傻乎乎地笑着点了点头，还嘟嘟哝哝说了几句表示同情的话。

这当儿，莲一直直盯盯地望着他。

他以手抚额，仿佛又看见死去的儿子并排躺在一块白单子上，铁青的脸，一模一样。同样的死重复了两次，都是在呱呱坠地的最后一分钟失败了。他搓着手掌呻吟了一声。“如果见了你的父亲，你能给我带回一个儿子吗？”他问，没有说我们。

在冯看来，光凭行为举止很难真正了解一个人。人们不会把潜藏在内心深处的意图轻易暴露给本来就对他十分关注的世界。《金瓶梅》和《红楼梦》中那些以塑造典型性格为目的的人物当然是个例外。他观察过许多人——真实的人而不是文学作品中那些虚构的人物——发现他们在现实生活中从不暴露内心深处那个自我。他们所做的种种姿态并不代表隐藏很深的思想，因此冯并不试图去理解莲，他觉得这没有什么意义。企图窥视另外一个人的思想，只会把自己搞得狼狈不堪。冯绞尽脑汁思索着这件事情，如果莲不满足于回省城那幢破败的宅子看望几乎穷困潦倒的老画家该怎么办？这次让步之后，她会不会得寸进尺？会不会因此而动摇自己的地位？他喘着粗气，想把这一堆乱麻似的问题理出头绪，找出一个答案。这当儿，他清醒地意识到莲正从容不迫地坐在他的面前。她肚子里怀着他那粒珍贵的种籽，主宰着为他接续香火的生命之舟。他半仰在椅子里，做着激烈的思想斗争，一只脚使劲儿蹭着地毯，直到那把 17 世纪的英国橡木椅子的两条后腿发出咯咯巴巴的响声。他猛地咬了一下手指尖。

莲等待着。她早就知道如果回答他的问题，那将一事无成，所以下定决心避而不答。她向远处眺望，一条英国军舰由吴淞口逆流而上，充满危险的灰色炮筒直指这座城市——她更觉得直指她的心窝。烟囱里冒出的黑烟把灰蒙蒙的天空涂抹得更加阴暗。保姆们都从公园里走出来。该是孩子们吃牛奶、饼干，睡下午觉的时候了。上海和她的想象大不相同。她继承了父亲的怀疑论。对所有外国人的动机都要问一个为什么。

冯觉得手指一阵钻心的痛，仔细看时发现一滴殷红的血从油亮的指甲下面渗了出来。他吮了吮。“你最近收到他的信了吗？”椅子的两条前腿落下，怦然有声。他俯身向前，直盯盯地望着她。

她把脑袋从窗口转过来，拿起那盒香烟，抽出一支，点燃之前在手指间来回捻动着。

“他身体好吗？”冯穷追不舍。他不愿意承认中国还有像她父亲这样的遗老。这些国画家总是企图复活皇帝的僵尸。这种荒诞不经的行为是一种耻辱。想起他们冯就恶心。他对他们总是怀有一种想要使用暴力的冲动。能在这个古老的家族充当一个复仇者的角色是他梦寐以求的事情。想到中国正在消除五千年的迷信，他感到慰藉。

“我相信他的身体一定不好。”莲终于说。她不露声色，除了对他的焦急显出几分满意。她不接受限制她与父亲通信的禁令。何况她总能千方百计打听到亲人的身体状况。

经过一番深思熟虑，冯说：“见到你父亲之后，请向他转达我的问候。”

她微微一笑，向他表示了谢意。

她肚子里的孩子浮现在他的眼前，宛若一个易碎的水泡在充满危险的空中晃来晃去。

第四章 冬日来客

浪子的冲动已经平息，坐在我的身边一言不发，似乎有点难为情。他预料的凉爽两个小时前已经降临——从南边的大洋吹来一股凉风。如果吃完午饭就睡觉，一觉醒来你简直不敢相信还在先前那个国家。我们仿佛在常下阵雨的春天的傍晚，来到另外一个气候宜人的半球，驾驶着汽车奔驰在巴黎的林荫大道上，我们又一次忘记正在诺兰笔下描绘的灼热、贫瘠的蛮荒之地苦度日月，而是安身立命于南太平洋的一个欧洲。热风和燃烧的荒草曾经让我们惊恐不安，逼迫我们看到生活的真实，可那只是瞬息之间的事情。

大街上，人行道两边挂着波斯地毯，灯光照耀的橱窗里摆着意大利皮鞋、法国香水、德国摩托车。每一个店铺里都摆着欧洲——一个好久以前便不复存在的欧洲——的古董。那些古董的风格全是我们所追求的。古董、画和许许多多具有中国风格的艺术品摆得琳琅满目。那些玩意儿我们样样需要，又样样都不需要。浪子推开门，我跟了进去。那是一扇玻璃门，很牢固的黄铜铰链，比我的视线稍低一点有几个手写的金字：林德纳。门窗都挂着厚实的窗帘，从外面看不见里面的情形。如果知道这是个什么地方，便会明白林德纳的含义；如果不知道，可就很难猜出它的意思。

蜂鸣器响了两次，画廊那头的三个人——两个男人并肩而立，一个女人坐在一张桌子后面——都朝我们这边张望。画廊的墙壁和天花板都是白色，地板用涂了漆的波罗的海松木铺成。给人印象最深的是明亮的灯光。浪子从光滑的地板上走过，我跟在后面。母亲经常怀着冒险的心理和崇高的目的，就像一个爱报仇雪恨的凯尔特人，骑着自行车从俯瞰海斯汀斯的山上飞驰而下，脚不蹬踏板，手不捏车闸，迎着扑面的山风，嗅着大海的咸味。其他独居的女人都很欢迎她，邀请她去家里喝茶。她们的感情对她是一种鼓励。欣赏了她们的科尔波特瓷器，或者南特高瓷器——如果是有钱人家的话——之后，她继续上路。她把外套垫在屁股下面，挥挥戴手套的手，告别了那些女人，网球鞋使劲蹬着踏板，一弓身又飞驰而去。

浪子离我两步之遥的时候，两个男人中年纪较轻的一个向我们走了过来。我有足够的时间打量他。他看起来超不过三十岁，中等身材，但是走起路来背稍微有点驼。也许是故意做出一副老成持重的样子，要么就是为了显得与众不同，独具一格。他穿一件灰蓝色衬衫，袖子挽了几圈，系一个松松垮垮、绿色和金色相间的蝴蝶结领带。一副分量挺重的眼镜挂在一条链子上面，在脖子上晃晃悠悠。最引人注目的是他那浓密的棕红色唇髭。走到离浪子几米远的时候，他伸出胳膊，微笑着说："浪子，我的老伙计！"他的问候之中包含着倦怠、歉意、表示感激的愿望，甚至欠账之感。就好像在一个泥泞的夜晚请来医生，病人却没有大病，只不过是得了忧郁症罢了。他走过来，搂住浪子的肩膀，两个人回转身从我身边走开。等我意识到浪子并不打算把我介绍给他的朋友时，我感到非常惊讶，甚至有几分屈辱。他那副样子好像压根儿就没我这个人似的。我想，他或许早把我忘到九霄云外了。

画廊两侧挂满了钢笔画，我被向导丢在一片“不毛之地”之后，注意力被一幅画给吸引住了。我向那幅画走过去的时候，颇有点不解其意。起初我以为画的是埃尔斯圣石[①]，走近以后才意识到是女人的裸体。我从远处看以为是风雨剥蚀的山石，实际上是一位无名模特高耸的屁股和双乳之间黑魆魆的沟壑。她的头、手和脚都没有出现在画面之上。画家是霍雷斯·布朗兹凯。我盯着这幅画研究了小会儿才意识到从画框的玻璃上看得见浪子。他站在桌子旁边那几个人中间，正比比画画和把他领过去的那个人——（我估计他就是那位林德纳）谈论什么。另外那个男人——个头比较高、年纪也比较大——身穿一套黑制服、和我一样站得稍远一点，正在观察他们。他似乎十分注意地倾听一场用他听不太懂的语言交谈的谈话。我从比朗兹凯黑色线条还要深沉的镜面上看着，直到他们走出镜框，才不得不回转身从正面观察他们的一行一动。

那个年纪大一点的人走到靠后墙放着的一个书橱旁边，打开一个纸包，里面是一幅没镶框子的油画。他把画靠一堆书放好，退后几步。他和林德纳，还有那位女士都没有看那幅画，而是把目光投到了浪子的身上。浪子朝那幅画走了过去，淡蓝色的工装裤在画廊明亮的灯光照射之下呈紫色。裤料薄得发亮，好像要磨透了似的，遮掩不住他那窄小的屁股和瘦骨嶙峋的腿。

①埃尔斯圣石（Prev. Ayers Rock）：世界上最大的独块巨石，高出地面348米，周长9000米。土著人称之为Uluru，是他们的寻梦之地。

他左面的裤腿上有几条粉笔画的印迹，似乎是被一位学生恶作剧画上去的。

浪子盯着那幅画看了一两分钟之后，又往前走了几步，在离画几厘米远的地方蹲了下来。那是标准的“蹲”，双脚着地，两手抱膝，屁股快挨着了地板。缕缕青烟从他嘴角那支香烟升起，在鬃毛一样坚硬的头发间缭绕，猛一看就像正在拢一堆做饭的火。他让我想起曾经生活在资源渐渐耗尽的内地的库里斯人。不过这种联想也许并不准确。他或许更像一个中国农民，蹲在洪水暴涨的河岸，耐心地等待洪水退去之后回家。这景象对于我十分熟悉。仿佛深藏在脑海中的一个画面。看见浪子，我仿佛看见了自己。许多年以前就这样蹲在河边等待涉水过河的机会。

浪子从地板上抓起那幅画站了起来。他伸长胳膊把画举在脸前，用夹着香烟的焦黄的手指戳了一下，烟灰落在稍稍倾斜的画面上，被厚重的油画颜料分开，像毛毛虫一样，簌簌落下。他把画漫不经心地递给林德纳的同伴，差点儿掉在地板上。“是他，是多贝尔的。除了他谁能画出这样的画？”他毫不掩饰自己的轻蔑。那人半信半疑，他又从他手里一把拿过那幅画，用手指不停地点打着。“这儿！那儿，瞧！颜料渣儿都要掉下来了。用不着非得有签名，是他的画儿。”他从那个高个子男人身边走开，不再谈论这个话题。他的目光在空空荡荡的画廊扫来扫去，有一刹落在我的身上，然后又像不认识似的向别处移去。

那天晚上，离开林德纳的画廊之前，浪子买了一幅画。是一幅十二三岁的裸女的全身画像。那姑娘有一半亚洲血统。画的调子很冷，平平淡淡，没有什么特别之处。汤姆·林德纳从他的存画中拿出这张给浪子看的时候，浪子已经喝得晕晕乎乎。那会儿，我们都喝多了。浪子醉得最厉害。他没有付钱，汤姆·林德纳硬要卖给他，便做成了这笔买卖。我从大街上朝那三个人最后瞥了一眼。窗帘大开，他们正站在画廊灯光明亮的橱窗后面，女士居中，每人手里拿一杯香槟，看我们跌跌撞撞把那幅少女画像放到汽车后排座上。汽车启动的时候，他们招了招手，三个人就像舞台上谢幕的演员，自我感觉极其良好。

他住在俯瞰小城的一座小山上，濒临从里士满[①]流来的那条河。那是一座已经破烂不堪的砖房。他说是他的曾祖父 1876 年建造的。我一直待到黎明，待到他在起居室煤气炉前的地毯上进入梦乡。这间屋子拥挤着古旧的家具、字画、空酒瓶、旧报纸，就像我们和格特鲁德·斯比斯吃午饭的那家酒馆的接待室一样，散发着一股霉味儿。我关掉煤气炉，给他身上盖了一件外套，踮着脚尖走进晨光之中。虽然我已经把他平平安安安顿在自个儿的家里，但是就这样离开，心里还是有几分内疚，总觉得应该陪着他直到他醒来才对，不该扬长而去。

门厅里正对前门立着一面很大的可以移动的镜子，镶着用红木雕刻得非常精美的框子。我回转身推开前门，从镜子里面看见自己走进隐蔽在这幢房子后面的花园。我态度坚决地从那花园走开，意识到在浪子的“领地”我未免“走得太远了”。离开浪子的时候我不由得生出这样一个念头：我也变成“镜中

①里士满（Richmond）：城市名，位于澳大利亚墨尔本东部，为墨尔本市主要工业区之一。

花，水中月”了。我关上门，又退回到门廊。门楣上有一个圆盘，镶嵌在黄褐色的砖石和暗红色的陶土中间。我停下脚步仔细观察。圆盘上面刻着一对翩翩起舞的凤凰，在这两只神秘的大鸟下方刻着两个字：“复兴”，似乎是这个家族的箴言，八束葡萄叶装饰圆盘，形成漂亮的图案。

我走过挂满露珠的草坪，开着车穿过空空荡荡的大街。睡梦中他看起来更像个孩子——娇小、脆弱、心灰意懒，两只掌心相对的手压在面颊下面，双腿向窄窄的胸脯蜷缩着。就好像曾经有哪位权威人士教给他按这种孩子应采取的传统姿势睡觉，而他一直没有违背这一教导。

第二天晚上，我拿着他借给我的一本书上了床。我非常累，想在临睡前读上几页，下次见面时好有话可说。这是一本老式硬皮精装书，是过去那种装帧精美的版本。不过现在已经破旧。金黄色布封面上方印着一个没有烫金的图案。我把这本书靠大腿立着放在脸前，心里纳闷是不是还会有精力读它，突然意识到这个图案和刻在浪子前门门楣之上的那个图案一模一样。我披衣而起，把书侧过来对着灯光仔细察看，发现两只对称的凤凰。这两只鸟似乎是在交配或者是相互争斗之前举行的某种跳舞仪式。我数了一下，图案外缘是八束葡萄叶子，下面没有什么格言也没有什么信仰的铭文。我打开那本书，散发出一股不算难闻的霉味。那是混合着烟、酒和浪子那幢房子特有的潮气的味道。扉页上印着这样几个大字：冬天里的客人。下面是副标题：北半球的生活。然后是作者的名字：维多利亚·冯。第二页是引自莎士比亚的《凤凰和斑鸠》中的诗句：

美、善、奇、雅出于单纯，
化成灰烬方见真，
凤凰涅槃得新生。

看起来，这便是对图案下面没有印上去的铭文“复兴”的解释，和浪子那幢房子的建造者——浪子的曾祖父不同的是，这位维多利亚·冯不曾希望她心目中的那只凤凰在火焰中再生。我正想看最后一页，无意中看到印在扉页下面的出版商的名字。原来是出版我的著作的那家出版公司。只是地址不同，在伦敦河滨马路。这本书的出版时间是1912年，如此说来，我的出版商的祖业那时候坐落在河滨马路。这种巧合使我非常兴奋，立刻翻开第一页读了起来。

他每隔半年回一次家，每次回来都好像通过一条暗道从一个陌生的宅第回到我住的那幢房子。他走了之后，我花好多时间想象那条暗道，常常觉得已经找到它的入口。好多年，我就靠这种胡思乱想使心中的忧伤钝化为一种尚可忍受的思念。白日梦里，我仿佛来到他的身边，在那块奇异的土地互诉衷肠，而那块土地与那条秘密通道只有一墙之隔。我和他在一起，就像中国神话中的凤与凰——大地蒙受神灵恩泽时降临人间的使者——在赐给我们容身之地的乐土，以一种极其完美的和谐舞蹈，表示我们心中的感激。孩提时代，有好长一段时间在我看来，岗坪园的日常生活和想象中的世界相比不过是凡夫俗子愚蠢的行为，是一个不值得我同情的无聊之徒的世界。母亲和姐姐们的话，不管出自怎样的善心和好意，我都充耳不闻。直到她们终于一个个不情愿地抛弃了我，不再把我看作是她们的女儿和姊妹，而是一个陌生的怪物。

他每次回来和上次相比都有很大的不同，我自己想必也如此。可以说，我们每次相见都是新人，都经历了人生之旅的磨炼。我常常觉得父亲在我想象之中的那块乐土与我相伴。可是当真正的父亲回来之后，想象中的他便立刻“退避三舍”。而父亲总是事先不通知一声就突然回来。

十一岁那年，有一天天气很冷——大约 1889 年的冬天——我正在练习舒伯特的 C 大调梦幻曲——怎么能忘记呢？这首曲子是根据他动人的歌儿 Der Wanderer 改编的——完全沉湎于这首乐曲的意境之中，努力掌握不熟悉的指法，突然觉得旁边有人。我停了下来，在小凳子上回转身，看见他正站在门口。我们俩相互凝视着。刹那间，我觉得他是最纯洁、最可爱的人。我们没有拥抱，我们从来没有拥抱过，只是在惊叹之中凝视着对方那张思念已久的面孔。我们都沉湎于这首梦幻曲的华美之中。它的音韵在屋子里缭绕，就像一个全人类都必须承受的巨大的悲哀的幽灵。

“不要停下来。”父亲用轻柔的声音请求我。

“已经弹完了，父亲。”我赶紧从凳子上下来，想从离父亲最远的那个门溜走。

他朝我喊："等一下，维多利亚，我给你带来一样礼物。"

我没有停下脚步，而是跑回到我的房间，锁好门，站在镜子面前，向想象中的那个姊妹庄严宣布："凤凰回来了！"直到吃晚饭时才又见到父亲，正式场合的相见使我少了许多拘束和紧张。因为每个人都要表演一番，结果便掩盖了我心中的激动。否则我一定很难克制这种冲动。我相信，此时此刻，他和我的心情完全一样。他送给我的礼物正在我的位子上等着我。打开盒子的时候，大伙儿都瞧着我。父亲给八个姐姐带回从杭州买的十分漂亮的丝绸，给妈妈带回西藏产的地毯。

盒子里垫着已经干枯了的银白色的茅草，那草触在手指上十分柔软，就像小兔子的皮毛，和雅拉河[①]边以及豪森[②]牧场的青草全然不同，只能是天国的神草。我从茅草中取出一匹闪烁着翠绿和金黄色的陶制的骏马。这匹马比例精确，栩栩如生，脑袋微侧，嘴巴半张，似乎对骑手的意愿十分敏感。它备着波斯马鞍，马衣上点缀着绿色盘花结和玫瑰花结。这匹矫健、高大的骏马只能是神话故事中的"天马"。我骄傲地看着它，觉得这匹神马能带我到父亲经常造访的那块遥远的土地。这是一匹专门为我的想象而制作的骏马。

①雅拉河（Yarra River）：澳大利亚流经墨尔本及其郊区的一条河。
②豪森（Haw thorn）：墨尔本的郊区。

我小心翼翼地把马放回到那个铺满茅草的盒子里，放到一边。对于这件礼物的含义，我和父亲心照不宣，用不着非用目光表示心中的感激。我明白，从今往后我要跟他云游世界了。

母亲忍不住插嘴道："我知道，维多利亚很感谢你呢！"她总是以这样的方式让我明白，为了我的利益，她不会承认父亲对我拥有任何优先权。我抬起眼睛十分轻蔑地盯了她一眼——那是一种死人对活人才会有的轻蔑。你太不了解这一点了，不明白我的目光会传达怎样一种感情。我记得她脸涨得通红。她是一个贤妻良母，生下了8个孝顺体贴的女儿，不愁衣食，体魄健壮。她是个爱尔兰人，会突然间大发雷霆，绝不留情。但我不怕她。为什么要怕她呢？我有自己的秘密。我微笑着等她让我离开房间，罚我不吃晚饭就上床睡觉。我知道父亲不会干涉。母亲是这个世界的女皇，是岗坪园的女主人，她的"领地"南起公路，北到小河，东起凉亭，西到那溜土生土长的树木。仅此而已，超出这个范围便是我的天地。也是他的。我压根儿就不在乎眼前这个世界，也不在乎它的奖惩。我嘲笑她们。凯瑟琳嫁给镇长之后，搬到布赖顿那幢大房子去住。我替她难过。在我看来，她被关进一座永难逃脱的监狱。

从收到这件礼物到那可怕的一天，许多年过去了。那一天，我才知道，不但妈妈和姐妹们的存在，就连我自己的存在，父亲在上海的中国妻子和儿子都一无所知。那天，一切才都水落石出——对于他在北半球的“正室”，压根儿就没我这样一个人。虽然我还不能断定，他年轻的时候是故意这样做的。但我相信，许多年以来是某种他所无法左右的力量剥夺了我们对于他的合法性。有些行为不能要求个人负责。古老的力量就像河流流过大地一样，从我们的心头流过，改变了我们以为会万古不变的事物的面目，移动了我们以为会永远静止不动的东西，磨蚀了我们在最古怪的梦幻中也不会触动的信念。我们不仅仅是自己想象中的那种人，而且是更加复杂的社会的人。我知道，作为父亲，他爱我，但他首先是从中国来的一个男人。

1908 年 5 月 27 日，秋[①]高气爽，温暖的阳光照耀着我的肩膀，父亲正处于弥留之际。我的同父异母哥哥——一个不折不扣的中国人从上海专程赶来陪伴他。从窗户外面看得见他的身影。他站在父亲的椅子后面，等着接他的班。他是一个务实的人。我相信澳大利亚对他来说简直不值一提……我真想停下笔到树林里，到河岸和公路中间尚存的丛林地散散步……哥哥的身影已经从窗前消失。我的父亲，冯氏家族的第一代已经撒手西天，只留下我，还有我的马和我的想入非非。我三十岁了。为这次旅行已经准备多年，现在，跨上马背，死亡之神的准备也不会比我更充分了。

---

①秋：五月为地处南半球的澳大利亚的秋天。

床头的灯依然亮着。那本书在我的手边，我拿起它，想起进入梦乡之前，已经读完了这本302页的书。我闭上眼睛，仿佛又看见她骑着那匹金黄和翠绿相间的神马，一溜小跑穿过阳光照耀的丛林，走进梦幻的世界。她就这样勇敢地踏上征途，奔向她想象之中的那块土地。十分清楚，孤独将不可避免。她的黑发在身后飘拂，神马在夏日明媚的阳光下激起金色的蹄花。尘土在桉树的枝叶间缭绕，久久不肯散去。望着远去的背影，我幻化成她。这也许是一个人身在其中时超越自己的办法。和那个人竞争的时候，是那样脆弱，就好像他们碰到了危险和困难一样。希望、焦虑和恐惧交织在一起，在你的脑海里跳荡。旅途中，与我们相对的是一个黑色的标志，高举着这个标志，她宣布她的作品于平凡之中蕴含着美、真、奇、简洁与高雅。

第五章 不寻常的孩子

老国画家黄玉化坐在省城杭州老宅书房里的写字台前，重读他唯一的孩子莲的来信。黄穿一件黑皮袍子，领子很高，紧紧地箍着皮肤松弛的脖颈。这件袍子足有五十年的历史，双肩的毛已经磨光，但是还可以抵御突然降临的严寒——假如那是冬季，而且不太凛冽的话。一位从吉尔吉斯来的哈萨克商人卖给他父亲十二张叙利亚熊崽皮做成了这件珍贵的皮袍。黄的光头上戴一顶黑缎子瓜皮帽。帽子前面缀着一个金徽章，像一只警惕的眼睛内闪发光。灯光照耀之下，他的脸在瓜皮帽和黑皮袍之间，闪闪发光，他皮肤白皙，面目清癯，上唇两边银须飘洒，就像巨石分开的流水。

黄的嘴唇翕动着，一边读信，一边不停地点头，把握着莲思想的韵律。自从两年前女儿远嫁他乡，他越发怕冷怕潮。今晚风清气爽，温度适中，用不着穿这件皮袍子，不过什么事情都可能发生。比如，寒潮会突然降临。所以他宁愿忍受闷热也不想在寒流突袭时束手无策。十九岁那年——莲今年也十九——父亲把这件袍子送给了他。他又读一遍女儿的来信。这次似乎读得更仔细，更认真。

亲爱的父亲：

冯向您问候，并且希望您早日恢复健康。您能相信这一切都是真的吗？您觉得您是在读爱女的来信还是在做梦？或者我和您的梦想变成了现实？我不想让您为此左猜右测焦虑不安了。我高兴地告诉您，下星期五我就能回到杭州。一切都会像从前那样！是的，我们又要团圆了。但是还得耐心等待一个星期。真让人受不了。您收到这封信的时候，这种等待已经少了一天。亲爱的父亲，您可真幸运，比女儿少受一天煎熬。什么也不要担心，不要打破您正常的生活规律。不要为我着急，一切都会安排好的。我坐火车，他的俄国朋友开车走公路，提前到火车站接我。我匆匆写信给您。亲爱的父亲，我回娘家并非贵客，千万不要为接待C·H·冯的妻子而做什么特别的安排。他并不想知道您如何招待我。他宁愿压根儿就没这回事儿。

不要兴师动众地迎接我。对故旧亲朋都要保密，只告诉于洪孟。权当女儿是逛了一趟灵隐寺。我将像过去一样，走进家门。

黄的背后，梨木书架上堆满了书。屋子里除了写字台和书架之外没有什么家具。地板用大小不等、形状各异的铅灰色的石板铺成。由于日久年深，许多代人的磨蚀，光滑如镜，起伏似波。已经褪色的红绿相间的窗户敞开着。门廊下漆成红色的柱子在落日的余晖中放射着金属般的光彩。门廊那边是黄先生的花园，因为无人照料一片萧瑟。黄把那封信小心翼翼地叠起来，装进皮包里面的一个口袋。红日西沉，一朵流云横陈在龙门山上。这是屹立在湖西的一座林木葱茏的大山。从他的宅第最远一隅的屋脊上放眼望去，看得见大山伟岸的身躯。女儿就要从庭院的那个角落袅袅婷婷回到他的身边。灵隐寺坐落在这座大山的巉岩巨石之上，隐没在苍松翠柏之间。他眺望着，直到余晖从彤云的边缘消失，才掏出那封信仔细研究起来，目光在“父亲”二字上久久徘徊，泪水顺着直挺的鼻子流下，一直流到面颊和鼻翼之间的夹角。这时，不召自来的仆人于洪孟走进来把一盏灯轻轻放在写字台上。灯光照耀之下，黄的鼻尖上仿佛挂着一粒珍珠。他的目光在信笺上游弋，口中念念有词。山石、枯藤、晶莹欲滴的露珠。他要从女儿充满表现力的笔迹中寻找她的踪影，探索她的思路。女儿的书法是他一笔一画教会的。尽管他高兴地看到她还是使用毛笔，但这封信写得匆忙，只有个别笔画，尚可看出那是他们共同研习的结果。

他念叨着她的名字，被自己的声音吓了一跳。他并没打算说出声来。那声音在空荡荡的屋子里萦绕盘桓。他仿佛觉得女儿正走进门，绸裙窸窸窣窣。他神情恍惚，向四周张望着，只有灯光照耀着石头地板，不由得心里生出一阵恐惧。

门旁立着一扇蓝色屏风，于洪孟坐在屏风后面慢慢揉着膝关节。老画家的痛苦就是他的痛苦，老画家的烦闷就是他的烦闷，他没有侍候过别的主人。自从莲来信，他一直等待着分享老主人的欢乐，对老人这副伤痛的样子已经很不耐烦了。老画家的眼泪使他大声呻吟起来。他们曾经在一起啜泣过多少次呀！难道他们永远就该这样伤心地落泪吗？他从袍子里面掏出一个小盒，这个盒子是用野生灌木的根雕刻的，是莲送他装烟叶防止烟叶变潮的。他打开盒盖，把小盒放到鼻孔下面闻黑乎乎的烟末的香气。听到主人的喊声他连忙站起来，把这件宝物装回到贴身的口袋里。从书房走过的时候，他的膝关节嘎巴嘎巴地响着，就好像走在一座竹桥上面。他经常想象莲在上海会是一副什么样子。那是冒险家的乐园，是人间地狱。对上海的疾苦天上的凤凰漠然视之。那是洋鬼子统治的地方，他们对孔孟之道或者别的道德观念一窍不通。

于洪孟给老学究送水沏茶的时候，又一次在心里问自己：莲的出生为他和他的主人铺平了通往天堂之路——他们原本就是从那天堂来到人间的——现在，他们的孩子能不受魔鬼的玷污，清清白白回到杭州吗？她回来之后，他们的日子会不会比现在忍受思念之苦还要糟糕？她不在身边的时候，至少可以拥有对她的美好记忆，拥有他们的美梦。现在他鼓起勇气，用一种现实主义的态度问自己：她能不能使冯蒙受如此大的屈辱，而最终逃脱他的报复呢？他呻吟着吐了一口唾沫，极力甩开这种种想法，把注意力集中到他打算抽的那支香烟上面。

尽管黄严格禁止，但是拗不过莲的纠缠，十年前他还是让她吸了一口烟。那时候她才九岁。往事的回忆使他脸上露出一点喜色。她站在船头，就像一个舞蹈演员深深地吻着远去的情人一样，粉红色的唇叼住香烟，深深地吸了一口咽进肚里。然后闭上一双眼睛，微笑着轻轻摇晃。天生的一个烟鬼和舞蹈家。这一幕他至今想起来还有点神魂颠倒。“啊，我亲爱的朋友于！”她高兴地叫了起来，因为参与了一项密谋，她的一双眼睛闪着快乐的光彩。“答应我，以后还得让我抽，不过要瞒过我亲爱的老爹！”她说得可真轻巧。于洪孟听了手足无措，但莲死乞白赖地缠着他，他只好答应。从那以后，直到她远嫁上海的银行家C·H·冯，她一直和他分享他那点珍贵的烟叶。她从吸第一口起，便喜欢上这种嗜好，他则沉湎于她那充满孩子气的狂喜之中。眼下，他早已不再从自己青年时代的“卓著功勋”中汲取欢乐了。然而此刻，十年前的承诺又使他对生活充满了信心。也许她会给他带来一纸匣美国骆驼牌香烟作为礼物。“冒险家的乐园”也许还有其自身的优点。而且，可以肯定地说，这位做了别的姑娘连做梦也不敢做的事情的莲，这位敢于无视连男人也望而却步不得不谨慎从事的困难的莲，一定可以与上海那些洋鬼子相匹敌，甚至连冯也不是她的对手。因为于洪孟认为，莲的内心深处确实有一股任何男人也不敢小视的勇猛的力量。如果莲被看作自己的对手，谁能睡得踏实呢？他走到黄的书桌跟前，跪下来磕了一个头，心情好了许多。

黄望着他的花园，渐浓的暮色笼罩了无人照料的花草。眼前的景色已经失去了绚丽的色彩。门廊下，刚才还熠熠生辉的木头柱子黯然失色，斑岩圆柱也变得灰暗，只有冬天开花的梅树在闪烁着金属光泽的天幕的映衬之下，生机勃勃。湖中小岛上，一只苍鹭尖叫着呼唤它的伴侣。黄吓了一跳。这一声鸟鸣似乎是一个不祥的兆头，是从阴间发出的警告。是不是有一个幽灵悄悄走过他的花园？他眯起一双眼睛在暮色中吃力地搜寻着。从他头顶没有月亮的辽远的天空传来另一只苍鹭的回应。真不知道莲是用什么借口哄住冯允许她回家探望老父的。最近一个时期，每每想起莲出生之前自己的生活状况，黄便心潮难平。她就像一颗彗星进入苍穹那样进入他的生活。一个不知来自何方，怀着什么目的、预示重大事件即将发生的仙人将她神秘的光芒射向他周围熟悉的景物，并且使它们变得面目皆非。那是一种使人不辨东西、迷失方向的力量。她把他从沉睡中唤醒。她的出生照亮了他生活的道路，这是他始料不及的。她使他在时间面前变得那样脆弱。他内心深处那种古老的抗拒力在她的面前不复存在。她领着他走进一座拥有无限欢乐的花园。

他注视着茫茫夜色。现在她就要从冯——那只孤单的凤凰，那座该死的城市回来了。黄从来没有去过上海，他只能凭想象在心里描绘那个充满恐怖的冒险家的乐园。杭州那边，一列夜间行驶的货车汽笛长鸣，驶过钱塘江大桥。他转过身让于关好窗户，自个儿手忙脚乱地从书架下面的柜子里找东西。柜子里放着许多形状不同、质地各异的盒子。这些盒子有的是用竹子做的，有的是用各种珍奇树种的木头做的，也有的是用真漆制作而成，还有几个则是精工雕刻或者上面画着精美的图画。甚至有一个铁铸的盒子。这个盒子黝黑的表面有一幅用网眼工艺雕刻的山水画，金丝镶嵌的游人走过大山之间的峡谷，潇洒飘逸，很像画家宋徽宗[1]老年时作画的风格。盒子里装的都是黄珍藏的茶叶。他把盒子逐个打开，每开一个就从里面取出一小撮茶叶，在手指间捻一捻，放到鼻子下面闻一闻。他要从这香气之中寻找一种特别的记忆，但是没有找到。莲离家之前，每个盒子上面都系着一条缎带，上面写着茶叶的品种、产地、采摘的时间和当时的温度。莲走之后，缎带掉了，他也懒得再捆扎。现在那些带子都扔在书架上，粘满茶叶末。自从女儿出嫁，他什么都干不到心上，没多久，这种情绪便在别人身上起了作用。仆人们有的坐在院子里玩牌，有的站在二门下面和邻居的仆人闲聊，还有的眯着眼睛抽烟。他一概视而不见。近来，他们居然连床也懒得起，只有主人从身边走过的时候，才装装样子。于曾经责骂过那些人，但是毫无用处。他往放了茶叶的杯子里倒了一杯开水，望着袅袅升起的水汽，在椅子上坐下，捋捋胡须，眯细眼睛，慢慢地呷了一口。这茶是他随手取的，色泽清亮，有一股淡淡的清香，可以断定是产在当地。这正对他的味口，黄觉得这是一个好兆头。

他只结过一次婚，并且心里明白，不管这场婚姻幸福与否，和他年龄相仿的人都由此而断定他是个怪人。他五十岁才娶妻，那女人长得什么模样他现在已经记不得了。他结婚只是为了满足南方那几位亲戚的要求。家里供他念书，接受高等教育，他似乎只有给他们生个儿子接续香火，才算还清这笔欠账。妻子生孩子时死了，他没再续弦，欠账没能还清。直到莲出嫁，自

①宋徽宗（1082—1135）：即赵佶，北宋皇帝、书画家。在位时广收古物和书画，网罗画家，扩充翰林图画院。擅书法，自称“瘦金书”，绘画重视写生，以精工逼真著称，工花鸟，相传用生漆点鸟睛，尤为生动。

己又每况愈下，这件事才开始让他寝食不安。风烛残年，他不知道如何解释这笔尚未偿还的债务。

莲出生以前，他从来就没有想过这个孩子跟他有什么关系。然而，为莲的母亲举行了葬礼之后，夜色里听见她可怜巴巴的哭声，他认识到再也不能无视她的存在了。他深信，孩子的哭声是对他而不是对任何别人的恳求。他听从了她的呼唤，而且很快就被她占据了心灵，不再一门心思读书作画，不再以 12 世纪末 13 世纪初宋朝大画家侠魁为鉴，追求至善至美的风格。他情不自禁地跑去告诉保姆怎样照顾刚出生的婴儿。保姆对他这种前所未有的干涉非常生气，黄便打发了她，又雇了一个笨手笨脚的女人，自己还花好多时间亲自照顾孩子。没多久，孩子只要有一个小时不在眼前，他就觉得没法儿忍受。而且就那么一会儿他也总惦着她，生怕发生什么意外。还怕她跟那个呆头呆脑的保姆待在一块儿更觉意气相投。孩子断奶之后，不管白天黑夜他和女儿都形影不离。因为他生怕孩子不在自己身边的时候，会有什么可怕的灾难降临到她的头上。他虽然和于洪孟无所不谈，但有一点总是守口如瓶——黄认为他没有权利拥有这个女孩儿，完全是命运错误的安排才使她置于自己的保护之下。他战战兢兢，生怕命运之神发现这个错误，把孩子从他身边夺走。这当儿，内心深处一直埋藏着连他自己都不愿意硬着头皮多看一眼的隐秘，那就是他没有还清对家人的欠账，没有完成对老祖宗的义务。随着时间的流逝，他和莲越来越离群索居了。

她整整哭了一个星期。他不知道该怎样安慰她。一个温暖的春夜，他把她紧紧抱在胸前，在花园里走来走去，直到女儿终于不再哭泣。他松了一口气，精疲力竭，站在那儿一动不动，望着那张朝他扬起的小脸。她笑了，好像有一个技艺高超的工匠，在她的牙床上镶了两颗米粒大小的东西，在月光的照耀下闪闪发亮。那是她刚刚长出来的小牙。他深受感动，惊讶地凝望着她，她用一双神情严肃的眼睛看着他，仿佛明白他心里每一个想法。他突然觉得，现在必须打破一直束缚自己的种种戒律，他把嘴贴在女儿的耳朵上，轻声说："我的探索已经结束，我不再追求了。"他吻着她的头发，胡子弄痒了她细嫩的脸蛋儿，小家伙打了个喷嚏。他幸福地呻吟了一声。

随着岁月的流逝，黄确信莲不是一个普通的女孩儿。他把全部时间和精力花在对女儿的教育上，和先前的学生完全失去了联系，也很少看望朋友和画界同仁。渐渐地，大伙儿把他看作一个过时的人物，杭州的学者们只有在回忆往事的时候，才提起曾经是他们当中一员的黄玉化的名字。他清楚地知道这一点，有时候想起这些心里非常难受，但是他已经无法改变这种局面。抛弃了他们那种生活方式，他的生活目的涂上了神秘的色彩，只有他和于洪孟才知道这目的的实质。心里恍惚不安的时候，黄就嗅嗅女儿的满头秀发。当然，恬静安适之时，他也常这样。那香气属于另外一个世界，在他想象之中的阳光明媚的花园飘逸，充满了田园牧歌式的温馨与宁静。现在他经常写诗作画，这种心情便成了他诗画的主题。而这些作品也只是给女儿和于洪孟看看。

有一天晚上，像平常那样，他和于洪孟凝视着睡梦中的女儿。于洪孟轻声说："我们是两只老公鸡，找到一只小金鸡。"第二天，黄就画了一幅画：两只很大的黑公鸡和一只小金鸡。

他在画上写了这样几个字：金鸡报晓。

他急不可耐，在女儿还不会走路的时候，就把自己热爱的艺术展示在她的面前。没过多久，她就能使用文房四宝——笔、墨、纸、砚。她的进步之快令老父惊讶，短短几年就显示出很强的功力，而这种功力似乎出于本能，不是刻意追求的结果。黄则只是在不懈地探索之后，灵感突发，才掌握了这门古老的技艺。莲十二岁的时候，作品已经可以和父亲的力作相媲美。看着女儿写字作画，他痛苦万分，经常在心里问：为什么那些有天赋的人轻而易举掌握的技艺，自己苦苦追求一生才能明白其中的道理？头几年，作为女儿的老师，黄每天都和莲一起学习书画，两个人相安无事，日子似乎会永远这样平平静静地过下去。然而这只是幻想。莲十三岁那年，发生了一件事情，这件事改变了他们的生活。毫无疑问，这场危机潜伏已久，只是过后回想起来他才看清这些蛛丝马迹。

他开始松懈下来，不再一天到晚为主宰命运的力量而忧心忡忡。她的作品已经可以和他见到过的古今许多好的作品相匹敌。她的画具有力度、优雅和独特的神韵，似乎是一个充满矛盾的融合了狂放不羁和谨慎从事的统一体，是造物主通过这个姑娘的手和眼表现他自己的思想和技艺。那是一个冬日，窗外腊梅怒放，“魔鬼”终于登场。莲像平常一样伏在他书房的画案上作画。太阳从敞开的窗扉照射进来，空气凛冽。屋子里飘着浓浓的墨香。她已经画完好多幅画儿，随手扔在地板上，扔得到处都是。黄坐在旁边看着她。

突然她不再画画儿，饱蘸墨汁的毛笔停在半空久久不肯落笔。黄慢慢地站起来，心想她为什么“踟蹰不前”？他凑过去，想弄明白女儿的意图。他看见于洪孟正看着他们。这是怎么回事儿？她的内心深处正在经历什么样的斗争？她眼前那幅画狂放、大胆、充满想象力，画面上的形象包蕴着一种充满自信的丑陋，被相互矛盾的力量揪扯着，无所适从。面对着这样一种力的完美，她还能再增加点什么呢？黄在心里问自己。突然，莲一声不吭，把饱蘸浓墨的画笔戳在纸上抹了一笔。黄一把抢过那幅被毁了的画，惊恐地望着她……

茶杯在他的手里渐渐变凉。他把杯子慢慢地放在桌子上。他觉得喉咙发干，又斟满一杯微温的香茶慢慢地呷着。那幅画真是杰作，他对此毫不怀疑。泪水顺着他的面颊流下，他问她："你为什么要这样，我的女儿？你为什么要毁了你最好的画儿？"

她听了哈哈大笑，瞳仁闪着青铜色的光彩。她跑到窗口，越窗而过，在门廊下回转身，面对着他，尖叫："因为这头蠢驴需要一条尾巴！"她沿着走廊从一个窗口跑到另外一个窗口，朝父亲一遍又一遍地喊着这句谁也不解其意的话。

他非常难过，又大惑不解，让于把她的画统统烧掉。听到父亲的命令，她不再叫喊，一动不动地站在那儿，怔怔地看着。于洪孟把地板上的画一张张捡起来，把插在陶罐里已经裱好的画轴也都拿了出来，她还是一动不动地站着，一张漂亮的鹅蛋脸冷峻、悲哀，镶在红绿两色的窗框里就像她自己的一幅肖像画。她身后的花园里深红色的花在黑魆魆的没有叶子的树枝上开得正盛。

好几天，好几个星期，那魔怪般的笑声一直在黄的耳边回荡。直到他无法把那笑声和他自己心底渐渐升起的嘲弄和怀疑的声浪区分开来。以前他和莲就像父亲和儿子一样在一起吃饭，现在却在各自的房间里用餐，黄又成了孤孤零零一个人。他每天都向于打听女儿的情况，但于没有什么好讲的，只是说莲不想见父亲。黄不知如何是好，也没有人可以指点他。因为了解内情的人谁都对他和女儿这种异乎寻常的关系持否定的态度。那些日子，黄心里一片惆怅，连平生最喜欢的诗歌也无法给他以慰藉。渐渐地，他明白自己犯了一个多么大的错误——他把女儿当儿子养了，他甚至不让她缠脚，似乎她命中注定要为自己光宗耀祖而不是为她将要嫁给的那个男人接续香火。

他觉得非常需要和什么人说说心里话，想起应该去看看老朋友范平承，此人是个很了不起的学者，是先前他们那个书画社的头。春天到了，还没有迹象显示莲心头的创伤已经平复。黄鼓起勇气坐了一顶轿子去看那位老学究。范平承住在西湖边一幢漂亮的宅子里。阳光明媚，黄撩起帘子，看见车水马龙的大街上人们行色匆匆。这么多年没有联系，现在又要和老朋友见面，心中难免忐忑不安，但是轿外风光依旧，这种心情很快便一扫而光。他甚至急不可耐，真想马上跨进范平承家的门槛。是啊，为什么不能被先前那些亲密无间的文友重新接纳呢？然而，见面之后，范平承礼仪周全，十分客气，还颇多溢美之词。黄觉得自己仿佛受了侮辱，立刻意识到又犯了一个错误，没说什么相互都感兴趣的话便告辞了。

黄知道老朋友之所以这样冷落他，都是因为杭州城有那么多关于他的流言蜚语。他意气消沉，所以只有死路一条。他到附近的庙里住了一两个星期。从打女儿出世，他还一直没有到这里造访过。想象之中，那一定是一个远离尘世的所在，他一定能从虔诚的佛教徒身上看到心灵的安宁。然而黄又一次陷入失望。他很快就发现所谓六净之地的安宁不过是一种表面现象。安宁的背后，还是一个曾经给了他无限苦难的充满矛盾与斗争的世界。黄从庙里回来之后，越发心灰意冷，一天到晚躺在床上，什么事情也不做，连于端给他的饭也不吃。

于十分严肃地向莲通报了这一情况：“老画家黄玉化正等死呢。你父亲那些哭哭啼啼的亲戚们很快就会把你包围起来，跟你争这份财产。”莲意识到现在只有她才能挽回这种局面。她已经懂得，任何事物都有两个方面，任何人都无法作为个体单独存在。于是她走进父亲的书房，研好墨，抑制着自己创作的个性，完全按照宋代大画家宋徽宗的风格，画了一幅山水画，然后提起笔在边款上面潇潇洒洒地写了这样几句话：大师泼墨之道，吾皆知也。照葫芦画瓢，沾沾自喜岂不愚乎？盖了自己的章之后，她又写了这样一句格言似的话：女子皆可作画。这是她不断总结自己多年学画的经验而得出的颇有讽刺意味的结论。然后她穿上最漂亮的绿缎子长袍，戴上最喜欢的珠宝头饰，走进父亲的卧室，呈给他那幅画之前，恭恭敬敬地叩了一个头。

从那以后，她在仆人当中建立起绝对的权威，成了黄家无可争议的女主人。没有一个人，甚至于洪孟也不再在她面前提她绘画的天才。大家都认为她已经“就范”。于洪孟心里却不这样认为。在他看来，像她这样的天才一定是不灭的精灵，不在这个方面表现她的才华就一定要寻找另外一个突破口。

莲是个严厉的女主人。行使主人的特权时毫无怜悯之心。她管理家政甚至有几分残酷，似乎因为自己从小忍受了那么多痛苦，就希望别人也受点儿罪。日子就这样在艰难中又过去了几年，直到那位上海银行家C·H·冯因为商务之事来到省城，在锁浪桥下碰到国画家黄玉化的女儿。

第六章 画像

她围着头巾，或者可以说是一条宽宽的发带——像我的母亲有时候在家里那样——除此之外，全身赤裸。那条头巾是那幅画中唯一的一片亮色，剩下的便是站在深棕色帷幔前面给人以冷意的肌肤。她皮肤白皙，长得秀丽精明。不过她实际上还是个孩子，和她瘦弱的身躯相比，脑袋显得太大，也少了几分天真。她左手放在腰际，手里拿着一条浴巾，右手——实际上是右胳膊，背在身后，向前腆着干扁的胸脯和肚子。她直盯盯地望着画家的眼睛，审视的目光里有几分嘲讽。那脸上的表情使我想起战争年代报纸上刊登的伦敦街头的妇女。她已经认定从男人那儿不会再得到什么了。

我意识到维多利亚头上裹着的既非头巾，又非发带，而是一条浴巾。一条包裹湿头发的浴巾。看清了这一点，这幅画的构图所要表现的主题便"跃然纸上"。她肯定是刚刚洗完澡回自己的房间。本来披着一条大一点的浴巾，后来取下来，放在腰际。她在楼梯平台上碰见了画家。而这邂逅是她预料之中的事情，因为她知道他在那儿，在为母亲布置楼上的房间和过道。

肯定早在一年前，他刚来这儿的时候，她就偷偷打上了他的主意。起初，她只是在他画速写的时候，站在他面前空旷的田野，占据他画面上的一个角落。但她坚持不懈，直到他选取景物的目光一次又一次地落在她的身上。随着时间的流逝，她不断调整自己的位置，终于占据了他的整个画面，成为他唯一的表现对象，而且毫无疑问，成了他生活的全部内容。在这张画上可以显示出她的目的已经完全达到。对他不可能再有更高的期望。他们的关系复杂得令人难以置信。对于他来说那是一种微妙的，掩盖着的欲望。这对她的八个姐姐是一种耻辱，对她的母亲是一种折磨。他把她的肌肤表现得灰暗、阴冷，没有在画儿上签名。她的轻蔑是冲他的绝望而来的。

1908 年，作为一个三十岁的女人，维多利亚或许会记下，她十一岁时的心境：

站在树木稀疏的森林边上看画家在前面的草坪上作画的那位姑娘珍藏着一个日记本。夜里，她一个人待在顶楼上面自己房间里的时候，就把心里的想法和关于北半球的新发现记到本子里。她怀着一种爱慕和只有自己才能体会到的快乐，仔细地、从容不迫地记下那个英国画家。她的观察十分准确，而且小心谨慎不让自己充当一个过分主动的角色。她意识到那人对她的吸引很可能使她变得想入非非，并且清清楚楚地知道这危险确实存在。她发现，一个人尽管可以胡思乱想，但决不能失去理智。她不知道她的探究会发现什么，也不知道这个故事会有什么样的结局。她怀着以自我为中心审视自己，并且使之具体化的愿望，在心底书写着。她逐渐深入，巧妙探索，被自己引诱，嘲弄那位画家的力量强烈地吸引，又感到几分害怕。下面是她日记的片断：

他刚来那天，吃过晚饭，我从阳台上望去，看见母亲和他在花园里散步。那天，他除了里格罗斯先生和斯莱德美术学院什么也不谈，就好像这都是他自己的发明，他也不仅仅是那些美术大师门下一位才气不足的学生。那天晚上，一轮枯黄的月亮照耀着缓缓流淌的雅拉河河水。母亲和他没有走进凉亭，而是在那雕梁画栋下面踟蹰不前，随着夜色渐浓脚步也有些不稳。母亲如数家珍般地介绍她的“领地”。在空旷的夜空中，声音清亮，甚至有几分悲凉。她比比画画，伸开右臂，从河岸到残存的丛林画个半圆。“我想让你把所有这一切都画下来，”她对他说，“夜景最好。不过我想最好先把我们说过的屋子里面的摆设画下来。”他们又绕着凉亭转了一圈儿，就像水手绕着一座神秘的岛屿航行。他们没有进放船的棚子——如果是真正的水手肯定会进去——就好像那儿压根儿就没有这么个棚子。但是，我看见他们从那儿走开的时候，他回头朝棚子瞥了一眼，垂柳在河面上荡起层层涟漪，空船使人生出带一个女人扬帆远航的念头。

那个小姑娘就是我。她还站在高高的阳台上，眺望河对岸里克蒙德的烟囱升起的缕缕青烟。城里的穷人在那儿居住，做工。在她下面的草坪上，母亲的长裙和画家的皮鞋像勾勒地图似的在露珠晶莹的绿草上留下行行印迹。她想着他，在月光下开始编织自己的故事。

他在昏暗的、没人居住的屋里作画时，那姿势无疑十分优美。但她坚持让他画外面的风景。他终于在一幅很大的油画上为她画了几笔。这幅画准备挂在餐厅东墙上。画面开阔，中间是那座凉亭，斗拱飞檐，完全是东方的风格，精心设计的凉亭顶直指苍穹。亭子那边是一株株又细又高的当地的树木，画家目光敏锐的眼睛一定被另外一双眺望着一片荒野的眼睛所引领，画面上出现了那条弯弯曲曲的河流。就在河水融入天色的地方，他用朱红点了几笔——一个孤独的身影，站在森林的边缘。

他极力让她明白，他之所以把她画在这幅画上是为了满足她要引起他注意的愿望，为了迎合雇主的女儿。然而真实原因更凄惨，更浪漫。他之所以把她画在画上是以一种最为隐秘的方法减轻自己失败的痛苦，而逃避这种痛苦正是他来这儿的目的。他在斯莱德美术学院学习期间很受冷落，为了理解和掌握绘画的奥妙与技巧，导师要求他刻苦学习。他的同学们却不然。他们似乎个个才华横溢，文学和艺术不过是唾手可得，自然天成的技艺；一条经过艰苦努力才能到达光辉顶点的道路，似乎不需努力便畅通无阻。他没有什么特别的门路，费尽九牛二虎之力才搞到尤格尼·范·杰拉德的一封介绍信。此人是一位画家，过去有一定影响，曾任维多利亚国立美术馆馆长，兼美术馆附属美术学校校长，1881 年退休回到英格兰。

他知道，他不像他的指导老师那样是个敢于冒险的探索者，而是一个逃亡者。他知道，不会再看到亲爱的英格兰了。在冯家的宅第，他找到一种乡情，一种友爱。那个孤独的小姑娘总是用一双神秘的东方人才会有的眼睛凝望着他，就好像世界上只有她才理解他的困难和失望，就好像她和他一起从北半球逃亡而来。

那幅草坪、凉亭的风景画画完之后，那个朱红的人影填补上去之后，画家开始给她画像。他反复揣摸，多次修改，小心翼翼地在画面上表现她的性情和气质。渐渐地，她成了他最愿意表现的对象，直到他终于画出了一幅她弹钢琴的画，这幅画赢得了她母亲的朋友们由衷的赞赏。为了画这幅画，她在钢琴前面坐了好长时间，这当儿她生出请他画一幅全身像的念头，并且定下成为他的作品唯一主题的志向。她像藤萝缠绕河边的桉树一样，依附于他。在他为她作画的时候，她就和他一起编织关于北半球的故事。除此而外还有什么呢？和他结束了这层关系之后还会有别的什么呢？孩子毕竟是孩子。她不关心故事的结局，只关心故事的过程。她还要骑着她那匹金黄与翠绿相间的天马到中国去漫游呢！

已经凌晨两点，她还在写，直到一阵夜风从西南吹来一朵乌云，遮住渐渐沉没的月亮，眼前的日记本消失在黑暗之中。

浪子从林德纳的画廊带回维多利亚那幅画像之后，一直把它放在客厅珍品橱前面。他打断我的思路，很不耐烦地要我去看他画的画。据我所知，这是他挂在家里唯一一张自己的作品。“这幅画儿不怎么样，”他说，用手里的酒杯指了指全身赤裸的维多利亚，“别浪费你的时间了。”我开玩笑地说他是嫉妒。

事实上，我一直在想浪子这幢房子很可能就是维多利亚那幢。我是从她写的那本《冬天里的客人》得出这个结论的。再加上浪子对他父母的叙述突然使我生出一个重新设计那两位长者的念头。这是一个无法确定的设想，不仅对他，对我自己也一样。2月份的时候，我把这幢房子的破败归咎于浪子趣味高雅，对这等小事不屑一顾，或者手头拮据无钱修缮。到了秋天，我便完全改变了自己的看法。我觉得这是几十年来维多利亚故意不想修缮这幢房子的结果，是她对母亲过去的“领地”有疏忽，或者是因为她一生都沉湎于对另外那个世界的遐想，而无暇顾及这种“凡人小事”。我越来越觉得浪子是由于偶然的原因最近才成了这幢本来属于维多利亚的房子的主人。

沿岗坪园驱车前行，一眼就能看见这幢房子。这一地区刚刚开始兴建的时候，这座房子可以称得上富丽堂皇，可惜日久年深，早已失去往日的风采。修修补补的痕迹和设计者的趣味不仅表现在室内——挂了不少那位英国二流画家的作品——更表现在它的外观：维多利亚女王时代的“门脸”上面高耸着哥特式拱顶。幸亏花草树木和游廊、墙壁上到处爬着的藤蔓或多或少遮盖了这种强烈的反差。由于维多利亚的疏忽，紫色的九重葛[①]长得十分繁茂，几乎统治了整个庭院，反倒把来东澳大利亚旅游的观光客颇为欣赏的铁线莲和香气袭人的茉莉花挤到一楼门廊旁边一个小小的角落。花园和庭院，母亲和女儿相互竞争所产生的影响，就像两个精疲力竭的摔跤手，保持暂时的平衡。在这种情形之下，浪子便不可能产生决定性的影响。

浪子听我责备他嫉妒那位英国画家的作品，十分生气地转过身，走到煤气加热器旁边。他没有点火，只是直盯盯地望着挂在壁炉上面的那幅画，也许心烦意乱，不知道该说什么才好。

屋子里还有十二三幅素描和油画。除了维多利亚那幅画像

①九重葛：南美产的一种生长小花的热带灌木。

之外，还有三幅少女的画像。有一幅画的是一位坐在钢琴旁边的女孩儿的背影。这幅画色彩艳丽，装饰味儿很浓，毫无疑问出自那位英国画家之手。

两扇窗户中间挂了一幅少女的头像，戴一顶插着花的帽子，颇有赛克特[①]的风格。浪子声称这是赛克特的朋友南·哈德逊的作品，他认为，赛克特和惠司勒[②]、德加[③]一样，是他那个时代最伟大的画家之一。他认为对赛克特的作品的忽视恰好证明第一次世界大战以来，西方艺术向错误的方向滑得有多远。他极力为自己这个观点辩解，从中看出他对那个阶段美术界的情况相当熟悉。尽管他长于辞令，说话拐弯抹角，但我还是很快就听出他为赛克特辩解，实际上是为自己作为一个画家被人忽略而鸣不平。这番“含沙射影”的辩论实际上把他自己和赛克特等同起来。我由此看到，重新塑造他的父母的形象的目的实际上是为他自己——一个名不见经传的澳大利亚华人画家浪子“树碑立传”。

从某种意义上讲，如果我对维多利亚和她的那位画家比对浪子更感兴趣，那是他自己的过错。是他劝我应当好好读一读《冬天里的客人》这本书，而这本书又一下子吸引了我。现在他拒绝和我讨论这本书，而且总是尽量避免在我面前提起维多利亚和那个英国画家。似乎倘若我过多地介入维多利亚的事儿，

---

①赛克特（Sickert，1860—1942）：英国画家。

②惠司勒（Whistler，1834—1903）：美国油画家和版画家。其作品油画有《母亲》《白衣少女》，铜版画有《威尼斯风景》等。

③德加（Degas，1834—1917）：法国画家。表现人物动态的绘画大师，擅长画室内群像。早年多作历史画和肖像画，后倾向于印象派。作品有《芭蕾舞排练场》《巴黎歌剧院乐队》和《洗衣妇》等。

就不会把他和他所崇拜的瓦尔特·赛克特相提并论，而是把他和那个可悲的英国“流亡者”归为同类。维多利亚一直忍耐着，没有流露对他的失望，直到完成她那幅画像，才表现出一点嘲弄。说来好笑，浪子就是怕我看穿这一点。

壁炉上方挂着第二幅年轻妇人的画像。这幅画由于位置显著，在屋子里众多的图画之中颇有点“鹤立鸡群”居高临下的气势。这幅画是浪子二十五岁时画的。那时他正和画上的姑娘恋爱，或者是一心想和西方世界这样一位尤物为伴。这是一个漂亮的英国姑娘，风姿绰约，就其画风而言，与乔治·兰伯特[①]早期作品的风格相似。如果这幅画是画在1910年而不是1950年代，美术界或许会对这位年轻的澳大利亚华人画家发生兴趣。然而现在我看不出有什么高明之处。听说是浪子自己的作品之后，我很不以为然，只不过没有表现出来罢了。

他朝那幅画吐了一口烟。“你知道我为什么要把她挂在这儿吗？她是我的妻子。”他笑得咳嗽起来，弯下腰，把酒泼在炉膛里，“在一起过了一年。”他补充说，语气十分轻松，还故意模仿纨绔子弟的样子，似乎他们曾经过着阔绰的日子，拥有豪华的轿车和赛马。过了一会儿他才恢复常态，走过来挽起我的胳膊，抓着我的肘子拉我朝前走，就像鼓动一个瞎子去一个未曾去过的地方。他的手指非常有劲儿。“我要让你看点儿你一定会感兴趣的东西，斯蒂文。”他把我领进了餐厅。

餐厅里放着一张很大的红木桌子，桌子四周摆着十八张高

①乔治·兰伯特（George、Lambert）：澳大利亚画家，经常画上流社会的有钱人穿着漂亮的衣服，骑着高头大马的肖像画。

靠背、皮革面椅子。那天晚上，维多利亚是坐在哪张椅子上打开父亲的礼品盒的呢？一家人围坐在这张桌子四周吃饭，送给母亲的西藏地毯搭在一把椅子上，还有送给另外几个女儿的五彩缤纷的杭州丝绸。大家都看着维多利亚。她最后一个打开礼物。那位画家也在座吗？是坐在她的身边吗？这天晚上，我很难想象出当时的情形。要描绘得栩栩如生，还得回忆那本书的内容。

餐厅拉着窗帘，空气里有一股霉味儿。巨大的桌面上堆满了没有装在框子里的油画、水彩画、素描、书、目录册以及和澳大利亚美术有关的其他东西，足有半米高。实际上是浪子从三十年前在巴拉腊特美术学校念书起一直不问青红皂白收集的宝物。

“瞧，”他说，“真让我惭愧。”实际上他在夸耀。他为此而骄傲。这是他的“战利品”，一个“匪徒”一生的积蓄。是从拍卖行、废品店、私人收藏以及像林德纳那种高档次的画廊购买而来、积攒而成的“艺术宝库”。这些“财宝”唯一的共同之处是具有澳大利亚属性。

浪子摸摸这儿，弄弄那儿，把书里要掉出来的纸片重新夹好，再拿起一幅油画，赞叹几句。他挽着我的胳膊，转过脸直盯盯地望着我，好像要找出可以入画的某种特征，呼出来的热气拂着我的面颊，那只总是冷冰冰的右眼冷漠地看着我。“她的东西在下面。”他等待着，希望看到我为这个信息所动。然后放开我的胳膊，不无夸张地把手放到我们面前的那堆东西上面，“就在这下面，斯蒂文，在我的东西下面。”

我们默默在那儿盯着那张桌子，就好像等待着什么东西从那下面钻出来。“瞧！”他大声说，见我一言不发很有点得意洋洋，“我把我的东西放在她的上面了，我搬进来的时候只是想临时放放，打算过后抽时间再清理。她可真是留下一个烂摊子。”他把一本突出在外面的《约耳目录》[①]往里推了推。这是那个年代出版的一本用卡钉钉着的目录册。“瞧，都在这儿放着！我动都没动。”他从我身边走开，沿着桌子漫无目的地察看上面放着的东西。他小心翼翼就好像面对一个研究地质断层的考古学家，只要知道一块化石是从哪一层发现的，就能搞清它的内涵与奥秘，所以生怕眼前这堆杂乱无章的东西挪动了地方。

“于是，我就一直往上摞。我曾经想过，哪天假装自己的身体垮了，用不着出去奔波就有时间整理这些东西了。”他淘气地瞥了我一眼，“你觉得这个主意怎么样？”他继续察看着，嘴里嘟嘟哝哝，不知道说些什么。

他在桌子那头停下，那座“宝库”像碉堡似的隔在我们中间。“我们俩一块儿整理吧，斯蒂文。两个人更快些。我们从上面开始，一直干到最下面一层。”他等待着，眼巴巴地看着我。“她是半个华人，”他说，“你不会理解她，有些事情你也琢磨不透。你不得不翻一遍对你来说或许毫无意义的东西。”

客厅里电话铃响了。他望着我，并不马上去接，只管让那铃声响下去。

---

①《约耳目录》：“约耳”是墨尔本著名的美术品拍实店，他们经常出版被拍卖的作品的目录，并附有精美的插页。

官方的档案里没有她的名字，我并不指望在 FENG（冯）字下面找到她的词条：维多利亚（1878~1968）。毕业于牛津大学……我从来没有把这件事情想得这样简单。但是我在读内蒂·帕尔墨那本获奖专著《现代澳大利亚文学》时，后面的作者索引给了我一线希望，这本书出版于 1924 年，按出版者的话，“旨在激发国人对我们自己文学的兴趣”。《冬日里的客人》出版于 1912 年，从时间上看，正好包括在这部评论 1900 至 1923 年出版的文学作品的论著之中。但是无论这本书还是其他版本的《澳大利亚文学史》都不曾提到维多利亚和她的著作，我又跑到文物商店，他们也没有听说过她，但是对《冬日里的客人》表现出了浓厚的兴趣。从弗格森长达 7 卷的书目提要和国立图书馆浩如烟海的目录索引都找不到一点儿线索。

我把手放在脸前那一摞摇摇晃晃的书上，稍一用力就可以把它们推倒。我能感觉到她就在这儿，以一种文件的形式藏在我的手下，等待我去“发掘”。我试验性地前后摇晃那些书，桌子吱吱嘎嘎响着，下面好像有什么东西掉了下去，我弯下腰想看个究竟。桌子下面塞满了东西。木箱子、纸盒子中间有个粘满颜料的画架，还有一摞摞报纸、杂志。一个很大的陶罐里塞满了画画用的画笔。我跪下来想看得更清楚一点。浪子在门口喊道：“这就对了，斯蒂文。你的兴趣已经上来了。”

他走进来，把一杯酒放在地毯上，然后在我身边坐下。“这里面还有我母亲的一大笔钱呢！”他从椅子腿中间望进去，把手伸到一个纸箱子里面。“瞧！”他说，递给我一大捆似乎是崭新的纸币似的东西，“上海的债券。我有成千上万张。这玩意儿曾经是一大笔财富，现在却是一堆废纸。”

他从画架的“羁绊”中揪那张椅子。“是格特鲁德打来的电话。她从拍卖行搞到点儿东西，是我祖父的。你要是想知道维多利亚，早点儿来就好了。”

他还在揪扯那张椅子。1878~1968，她几乎熬完了60年代。我觉得甚至无法想像她会读到肯尼迪总统被暗杀的消息。在我的心目中，她是本世纪初期一位三十几岁的妇女，坐在书桌前撰写自己作为一个孩子在19世纪末年的经历。这个女人和她笔下的孩子一直在我眼前萦绕盘桓，她们和我一样没有历史的存在，只不过弥合了一条裂缝。

他终于揪出那把椅子，把它推到一边。“我要让你看点儿东西，斯蒂文。看点儿你感兴趣的东西。”他点燃一支香烟，吸了一口，吐出一团发黄的浓烟，就好像他是一个中国巫师，这不过是他的开台锣鼓。他狡黠地望着我，一双眼睛闪闪发亮，从桌子下面小心翼翼地拖出一个利普顿公司的茶叶箱子。这个正方形的樟木箱子年代已经十分久远。离底部几厘米画着一条黑线，就像探险者海图上弯弯曲曲的滨线。“维多利亚对我不感兴趣。你早点儿来就好了，可以劝劝格特鲁德的父亲。”他把箱子放在我和他中间，“瞧瞧这个，斯蒂文。”他打开盖子。

我认为会看到维多利亚那匹唐三彩天马，但是箱子里放的居然是一具头颅骨。那具头骨面朝上，清理得很白，很干净，眉棱骨很高，牙齿平整漂亮。“多赛特”，他怀着一种敬畏说，“我们喝杯酒吧。”

第七章 母亲

莲下了汽车，站在马路当中。下午三点，天气很热，几乎路断行人。她深深地吸了一口泥土的芳香，那是她所熟悉的杭州夏天的气味。汽车司机站在她旁边有点不知所措。她告诉他这儿已经没他的事儿了，他可以走了。她知道他在想冯的嘱咐，不敢把她和女仆扔在这儿不管。于是又用英语说了一遍："听见了吗？你可以走了。"他钻进汽车，没开多远又停了下来。她不想让人打扰，朝司机挥了挥手，让他快点儿走开。司机是庞塔斯[①]人，拗不过女主人，只好再次发动汽车，可是刚开几步又停了下来。她看见这个俄国佬在司机座位上转过身子看她，十分厌恶地朝他摆了摆手。她刚下火车，衣服皱皱巴巴，腋窝下面一片汗湿。她弯腰从路边捡起一块核桃大小的石子，使劲扔了过去，石子打在汽车后部的车窗上，发出一声脆响。庞塔斯人猛踩油门，汽车往前窜了一下就灭了火。女仆哧哧哧地笑出声来。莲又捡起一块石子，俄国佬再踩油门，汽车飞驰而去，车轮扬起一片沙尘。莲扔下手里的石子，点燃一支香烟。她让女仆把行李放到靠墙的阴凉地，自己还在太阳下面站着，宽边草帽为她遮挡灼热的阳光。

眼前是黄家老宅那堵长长的后墙，和老宅的后门。她告诉过父亲，就从这个门回家，就像刚刚游完灵隐寺一样。这个门只有两米高，一米多宽。此刻，她对自己为什么偏偏要从这个门回家——确切地说是回父亲的家——也觉得不可理解。这个

---

①庞塔斯（Pontic）：庞塔斯原为小亚细亚的一个国家，位于黑海之南。

门专供仆人或者小孩出入。不知道为什么，她突然注意起这扇门的结构，尽管她从小就对它了如指掌。这扇门的门板是用斧子劈砍出来的，很粗糙，镶在笨重的长方形门框里，上方正中有个从里面开关的小洞，守门人可以看到门外的来客。她无法想象为什么要把这扇门做成这个样子。她喜欢刨根问底。她认为这是上海人观察生活的方法。现在在自己身上发现这种性格，她很生气。站在自家门前反而成了生人。这扇门原来用油漆刷成鲜亮的朱红色，由于日久年深现在已经变成深褐色。门楣上面有一道飞檐，遮出一片阴凉。下雨的时候，街头小贩有时候蹲在檐下避雨，吸一袋烟等待天晴。夜里，乞丐可以在这儿睡觉，无人打搅。在上海谋划探亲，梦想回家，并且觉得永远无法实现的时候，她便想起这扇小门，通向老宅的这个门洞。那似乎成了她生活唯一的目标。现在，站在灼热的阳光下面，她心里想：我已经不再是孩子了，我是肚里怀着孩子的妇人。她开始怀疑自己是不是错误地判断了这一切。

贮藏室有一扇窗户，俯瞰后院。小时候，随父亲学习书画之后，她经常坐在窗口一个稻草垫子上看那扇小红门。有时候下雨，她就站在屋檐下，一边看雨丝抽打小院灰色的石板，一边让思想自由驰骋。穿过茫茫雨雾，穿过后墙那扇通向另外一个世界的小门，眺望烟波浩渺的西湖，峰峦叠翠的高山和隐藏在森林里的庙宇。那时候，上海对于她还不存在。在像今天这样炎热的夏日，于洪孟和她打开这扇小门，把切成小块的西瓜送给又热又渴的过路人。傍晚，她常常和于洪孟从这扇小门溜出去，到西湖抽烟。每逢踏上这妙不可言的旅程，她便女扮男装。

她已经不再去想那个俄国佬和他的汽车了。事实上，她根本就不把他放在眼里。她把烟蒂扔到马路上，用鞋底踩灭，然后走到门口，用手掌敲门。空空洞洞的声音在院子里回荡，好像撞击她胸腔里那块敏感的肌肉。几秒钟之后，门上的小洞打开，看门人的儿媳妇向外面张望，因为阳光太强，眯细了一双眼睛。

莲突然意识到，身上的西装使她成了老宅的不速之客。女仆因为懒惰，无所事事，连目光都显得呆滞。“为什么今天没洒点儿水压压尘土？”莲用很轻的声音问。

女仆眨巴着一双眼睛。

“马上在路上洒点儿水，当心我用鞭子抽你。你打算让女主人在太阳下面站一整天吗？”女仆终于认出眼前的贵妇是何许人也，目光里露出惊恐的神色。她赶快打开门，站到一边，小鸡啄米似的叩头，求莲饶恕她的疏忽。莲睬也不睬，跨过门槛，径直走进后院。她简直无法想象，这一块块青苔斑斑的石板竟是童年时代那道门廊。

眼前是砖墙围起来的狭窄、肮脏的后院。这个院子很像上海小饭馆后面那种天井。到处乱扔着白菜帮子，破柴烂草，小路上星星点点尽是鸭子粪。一只破罐子扔在地上，破碎的瓷片中间已经长出一株株野草。她又点燃一支香烟，吸了一口，胃里一阵痉挛。她意识到女仆和看门人的儿媳妇正站在她身后等着拿行李。冯如果亲眼看见她的“领地”被“蚕食”到如此地步，看见这幢老宅的贫穷，一定会露出得意的微笑。他自己是一方富豪，过着王侯般的生活。她仿佛看见他趾高气扬坐在租界地那幢豪华的别墅里。自己相形见绌，无力自卫。她想象得出他那充满讥诮的干巴巴的声音：这就是你那个我必须敬畏的魔宫？

看来她这次荣归故里不会像她想象的那样充满诗意。这不过是一个疯女人的狂想。

她三步并作两步匆匆跨过小院，走到贮藏室门口。空气里弥漫着一股家禽粪便日积月累发酵而生出的酸臭。不知道踩到了什么脏东西，她打了个趔趄，心咚咚咚地跳着，直到走进洒满阳光的长方形菊园才镇定下来。这里应该是安全之所在，因为这是她精心照料过的花园。每逢墨菊盛开，她都用一根根竹棍支撑着硕大、华贵的花朵。可是现在，花坛一片龟裂，无人培土浇水。突然，她看见墙根蹲着一个晒太阳的乞丐，正挑拣放在两个膝盖上的一堆垃圾。除了腰间缠块破布，他浑身赤裸，秃头在阳光下一闪一闪。

乞丐满脸惊恐，直盯盯地望着她，似乎要用什么定身法把她定在那儿。他脖子上有一条难看的伤疤，一直延伸到一个本来应当是锁骨的深洞，就好像有人砍过他的脑袋。他一动不动，只有长长的手指像螃蟹的爪子一样，把那堆垃圾扒拉到一块肮脏的破布里。包好之后，他慢慢站了起来，虽然一直没有挺直腰板，动作却出人意料的敏捷，只几步就窜到贮藏室尽那头的拱门。

一股热风从周围的屋顶吹进庭院，搅起尘土、杂草、鸭毛，形成一股旋风。她觉得这股风是特意来嘲笑她的魔鬼。刚才就是这个魔鬼把她少年时代不畏霜雪的菊花变成邪恶的黑不溜秋的乞丐。

她下定决心，再也不放弃自己在这个家庭中的权势和地位。她原本就不该这样秘而不宣，从后门偷偷溜回娘家，活像一个被丈夫抛弃而羞于见人的小寡妇。她应该坐着身穿制服的俄国佬开着的轿车，堂而皇之地从正门回家。还要让所有的仆人在门前列队欢迎，让他们在烈日之下至少等一个小时。应当张灯结彩，爆竹齐鸣，庆贺她衣锦还乡。在鸭毛、尘土、柴草飞扬的一刹，她十分清楚地意识到，不管自己心里怀着怎样的目的，都应该以全省闻名、人人敬重的上海银行家C·H·冯尊贵的夫人的身份回杭州省亲。想起自己在这桩事情上的判断力居然如此之差，她真有点不寒而栗。如果再犯这样一个战术上的错误，她的计划就会落空。

就是此刻，这种可能性也依然存在。满目萧瑟、无人照料的庭院让她怀疑父亲是不是没有收到她的信。或者是不是父亲和于洪孟到黄山避暑去了？也许她那封信还没有打开，正在空空荡荡的屋子里等待他们。有一刹，她突发奇想——不如收回这封还没有人打开的信先回上海，然后一切从头开始。她回转身看了一眼一手提一个箱子站在身后的看门人的儿媳妇，问：“老爷在家吗？”

那女人没有答话，目光越过莲的肩膀，向院子那头张望。莲回转身，看见于手搭凉棚站在对面的门廊。她松了一口气，摘下帽子，张开双臂。“是我！”她喊道，“是我，于！”

老头犹豫了一下，然后拖着步子向她走来。

她跑过去紧紧地拥抱着他。“哦，亲爱的于！见到你真高兴！”

他呵呵呵地笑着，费了好大劲才喘过一口气来。“我以为你变成洋鬼子了。”他气喘吁吁地说。

她放开他，仔细端详着这位与她分享过那么多快乐的老人。

两个人的手紧紧握在一起。“他怎么样？”

“你的父亲见了你，一定高兴得要命！”他说。

“他收到我的信了吗？”

于伸出被尼古丁熏得发黄的手指向她的花园指了指，微笑着说：“正因为你的信来得太晚，花园里才什么也没种。”说这话的时候，他的神情好像是灵机一动，找到一个为这两年的疏忽辩解的理由。“直到昨天，我们才知道你要回来。”他告诉女仆和看门人的儿媳妇把女主人的行李送到房间，然后挽着她的胳膊走到门廊下面的阴凉地，双手捧起她的面颊细细端详着，似乎要找出什么秘密。他的鼻子哼哼着，发出表示赞许的响声。

她握着于洪孟一双老手，说：“我给你带回一千支香烟。”

“让我难为情了。”他快活地说。

她闭上一双眼睛，把于的手举到脸前，嗅了嗅，说：“还是一股烟味儿。现在我知道我是真的回家了。”

“他没病。”于快活地说。

她皱着眉头，问：“那么，出什么事了？”

于有点敬畏地摇摇头。“我可没敢指望你能送我一千支香烟。一百支就足够了。”

“五条骆驼烟，你今晚能带我到西湖划船吗？”

他犹豫不决。

“你以为我再也不会打扮成小伙子了吗？好吧，咱们走着瞧。”

“得了，我带你去好了。”

他一本正经地说，语气中有一丝悲凉。她想起他们最后一次去西湖荡舟的情景，那是她和冯临见面前的事情。她决定马上把自己怀孕的消息告诉他。

“于！”她说。

他吃了一惊。

“我快生孩子了。”杭州的亲戚朋友谁也不知道她曾经生过两个死胎。

他没有马上作出反应。这是一桩非常复杂的事情。非常复杂。他能说什么呢？“你能跟我们在一起待多长时间？”

“告诉我，这个消息让你高兴。”她不无责备地摇晃着他的肩膀，“告诉我，你不会因此而离开我，于。”

他哼哼着，紧紧握住她的手，闷闷不乐地低下头，看着青砖铺成的甬道。冯，那个不是洋人的洋人，只来过这儿一次就把莲带走了。带到魔鬼横行的地狱，死亡统治的城市。当时大家都非常惊讶。这个冯到底是不是中国人，很难说清。

“别让我失望。我这次回家费了九牛二虎之力。”

他望着她的一双眼睛。“我从来不像你那样勇气十足。”

“如果你总说这种话，我可就彻底孤独了。”

他怎么能相信，她肚里怀着冯的孩子？人们都说，冯没有祖宗。那么，这个没有老祖宗的孩子会是什么样子？他看了一眼她的肚子。还不到能够看出来的时候。“你高兴吗？”

“高兴！”不过听起来她好像在说别的什么事情。

“那么，我也高兴。”

“先别和任何人说。”

“你像一个将军，小姐。你在进行一场我们大家都不想理解的战争。因为我们害怕理解。”他看见她满脸倦容，心里十分内疚。话说得已经够多了。他挽起她的胳膊向她的房间走去。他知道如何照顾她，如何使她变得坚强。想到又可以给饥肠辘辘的莲做饭，他高兴得简直不能自已。又有大显身手的机会了，于洪孟可是杭州城最好的厨师！

灼热的暑气终于散尽。傍晚，黄面对花园独自一人坐在书房。他已经游离于眼前的现实，沉湎于往事的回忆，那是充满愉悦而又不无危险的心路历程，是各种形象的自由组合。这时一股凉风从敞开的窗户吹了进来。他嗅出一股熟悉的揉碎了的宫人草的香气，立刻警觉起来。接着他听见绸裙蹭在门上发出的窸窸窣窣的响声。他回转身，她站在书房门口，身穿绿色莲花长裙，发髻上面插着一个漂亮的镶着红花的玉簪。她迈着细碎的步子向父亲走去。老画家挣扎着从椅子上站起。

十分钟之后，于洪孟端来各式美味的点心，一小壶酒和沏茶的热水。

她感到肚子里一阵震颤。她静静地等待着，看这种震颤会不会再发生。其实这并不是什么东西在动，而是神经的颤抖，是胎儿发出的信息。她把两只手放在肚子上轻轻地按了按。明天要让于洪孟去找个风水先生，然后再请个老太太问问她肚子里的孩子是男是女。

她是从一场还没有做完的纷乱的梦境中突然醒来的。她以为自己还在上海，惊讶地望着墙壁上婆娑的树影。那是惨淡的月光和冬天才开花的梅树的杰作。是寂静、苍鹭，还是肚子里的孩子唤醒了她？锈迹斑斑的床栏杆让她想起许多往事。到底想起了什么？就像井底沉没着银币，平静的心海下面会不会埋藏着什么？蚊帐在窗口吹来的微风中轻轻颤动。这风掠过湖面，送来月桂树的清香。这张她从小就用惯了的床似乎变得又窄又硬。她提防着什么，到底是什么，又难以言传。也许是她的对手隐藏在深处的某种禀性。于洪孟曾经说她有大将之风。她琢磨老头的评价。她披衣而起，走出门廊，想抽支烟。可是刚吸了一口，胃又翻腾起来。万籁俱寂，夜空空荡荡。她不喜欢这种寂寥，又回到床上，放下蚊帐。微风不再吹拂，空气又变得浑浊、潮湿。她辗转反侧，难以成眠，只几分钟就折腾得浑身疼痛，好像已经忘记怎样躺才能舒舒服服。她打了个盹，便又睁开眼睛。寂静之中她嗅出西湖的水汽，估计天快亮了。他们正是在这样一个时刻相遇的……

两条从相反方向开来的小船猛地撞到一起。当初船上的人对这种可能性都视而不见。船头相撞之后，两条船“擦肩而过”，船舷上缘碰在一起，在拱形石桥的桥洞里发出隆隆隆的响声，就像战鼓急促的鼓点从湖面上滚过。他是从后湖回来去前面欣赏湖光水色的，她是到后湖寻访牡丹园。小船相撞的一刹，船上的灯笼剧烈地摇晃起来，跳荡的红光照耀着湖水浸湿的桥墩。

他个子很高，是个丑怪残暴之人、或者无恶不作的神灵，埋伏在桥洞下面专等吞食游客或者捕捉他们为奴。船尾站着一个更加可怕的魔怪。他皮肤煞白，毛发很重，两只手握着撑船的竹竿。此人便是那位开轿车的俄国佬。他惊讶地望着丑陋的主人。他们那条船在桥洞狭小的空间十分危险地跳荡着，摇晃着，浪花拍打着桥墩，发出一阵阵脆响。冯探过身子，双手抓住她那条船的船舷上缘，脸凑到她的面前。她毫不畏惧。

冯直盯盯地望着她秀丽的面容。他黄眼睛，高前额，凹鼻梁，就好像许多世纪以前和另外一个魔怪血战，脑袋被斧子砍成两半。后来，这两半重新长到一块儿的时候，没能做到天衣无缝。他肯定因此而怒不可遏。在她的想象之中，他一定赌咒发誓，如果不能打败别的魔怪，就要折磨人类。毫无疑问，他认为人比他的同类更容易对付。莲十分惊讶地、并且十分高兴地发现她居然一点儿都不怕他。

大红灯笼晃荡着，灯火照耀之下，他那张脸好像溅满刚刚被他吞食的那些牺牲者的鲜血。她仿佛看见后湖是一片啖食人肉的惨景，牡丹丛中到处乱扔着尸体的残骸。不过最可笑的还是他那一嘴獠牙。就好像给他安牙的人在匆忙之中，将一把牙齿胡乱塞到他的嘴里。那些高低不平，前后交错的牙齿因为镶了金在灯光下闪闪发光。他的一双手紧紧抓着莲那条船的船舷上缘，两条船好像锁在了一起。莲那条船的船尾撞着桥墩，极力往桥洞那面挤，似乎这是她与人类世界唯一的联系。冯的眼睛像锥子一样盯着她，仿佛要穿透她的伪装，看到她的灵魂。

她没有丝毫畏惧，对冯报以同样的凝视。她宁愿为保护自己的尊严而死。她欣喜地发现一股力量在胸中涌动。她镇定如常，随时准备应付突然事变。这种感觉她在画那幅杰作时曾经体验过。一种欣喜、一种暴烈，将她托举到难以超越的现实之上，或者将她揪扯到这现实之下。上也好，下也罢，其实并没有什么区别。怀着这样一种自信，她明白自己可以和这个魔怪作一番抗争，而不会从他身边逃走。她愿意和他以死相拼，也愿意与他一生为敌。对于她来说，并无区别。她好像知道会有这样一天，只是直到此刻才终于面对了这一现实。

站在船头，她似乎是早已将生死置之度外的勇士，与此同时又是一个居高临下，对这两条船和船上的人漠然视之的旁观者。她和冯是两个被人从梦境中唤醒的怪物，彼此之间有很大的差异，和别人也不大相同。也许仅仅因为这一点，他们会建立一种特殊的关系。特别是此时此刻，邂逅于两个湖泊之间的石桥之下，“前不着村，后不着店”，处于似是而非的境地。

他开口说话了，浓重的上海口音打破了他是神鬼、魔怪的幻觉。“谁家的姑娘半夜三更只带个老头就敢游湖？”

“放开我的船，要不然我让艄工揍你了！”

他并没有松开手，而是对他的同伴说：“这个女扮男装的姑娘怎么能得到父亲的同意夜半游湖呢？她会出生在一个什么样的家庭呢？杭州城是自命清高、严守祖训的文人雅士、富豪商贾居住之地，怎么会有行为如此古怪的人家？”

“我不会警告你第二次！”她说。

他放开船舷，笑了起来。“我不是心存歹意。如果吓着了你，请多多原谅。”

“我没吓着！”

他举起一只手撑住低矮的石桥，稳住脚下的小船。就好像真是一个顶天立地的神。“我来这儿快一个星期了。你无法想象这个地方让我多么厌倦。你们这儿的人除了待在屋子里喝茶，闲聊，干些蠢而又蠢的傻事，什么也不做。”他微笑着，发紫的厚嘴唇在阔下巴上耷拉着。

她什么也没说。

“我已经见过你们这儿的父母官了，”他说，言语之间流露出对这位官员的轻蔑，“我想，你或许认识他？令尊和他一起品过茶？他想向我借一大笔钱。我也许会借给他。你说我该借给他吗？”他笑了起来。“瞧你这身打扮，不是个老古板。我是从上海来的，跟我说话不必拘束。我可以告诉你，上海比这儿有趣，杭州真是糟糕透了，依然被陈规陋习束缚着。你该知道，在上海，如果一位姑娘愿意穿男孩儿的服装，或者干别的她自己想干的事情，人们不会说三道四。人们都很开放，有几位先生甚至开放得让你大吃一惊。”

又来了一条要过桥的船。莲告诉于洪孟划船过桥。

冯望着他们的背影，喊道：“你不会这样轻而易举从我身边溜走的。”她听见他哈哈大笑，还和他的同伴用英语说了几句什么。第二天，他就来拜访老画家黄玉化先生。白天，没有红灯笼的舞台效果，他更加丑陋。他穿了一件精工绣制的长袍，看起来不但滑稽可笑，而且十分阴险。就像一头精心打扮准备参加什么仪式的野兽。昨夜为他摇橹的船工成了身穿制服的汽车司机。这家伙五官模糊不清，活像一块欧洲人吃的白面包。

冯来访期间，莲一直躲在暗处观察他们。冯很粗鲁，对父亲那套“繁文缛节”表现出公然的蔑视。她站在卧室半开的窗前向花园那边父亲的书房窥视。冯膀大腰圆，俨然一位闯入父亲书房的不速之客。不过她怕的不是冯，而是怕失去体验一个壮丽无比、惊心动魄的场面的机会。她知道自己一定要通过某种方式，从生活中猎取这样一种不同凡响的东西。他的声音从花园那边飘了过来。“我想娶令爱为妻，但是我不能为了等待你的答复而泡在杭州不走。我明天就得回上海。我已经向别人打听过你的情况，知道你目前的处境和对女儿婚事的看法。黄先生，在这座城市难道还有比我更有实力的人给你做女婿吗？

你自个儿清楚，不会有比我更合适的人了。从此以后，你不会再为衣食发愁，更不会缺钱花。”她听见父亲说，被冯如此看重，实在是三生有幸。说完就找女儿商量这件事情。

“他简直发疯了，”黄说，有点儿不知所措，“该怎么办呢？”她看出父亲真的吓坏了。黄可怜巴巴地问女儿：“我要不要打发他走呢？”她向窗户那边张望着。冯在父亲的书房里一动不动地站着，直盯盯地望着花园。他不像平常那种等得不耐烦的人踱来踱去，也不像到了一个新地方的陌生人那样东张西望。她觉得他才配得上“男人”这个称号。就像一匹骏马才可以称之为马一样。他像军阀一样富有，而且毫无疑问，像军阀一样习惯于发号施令。他那身精工绣制的长袍倘若穿在别人身上，一定显得高贵、优雅；穿在他的身上却滑稽可笑。她哧哧地笑了起来。她看出那袍子很让他恼火，甚至有点手足无措。在她的想象之中，这个半神半人的家伙一定会对那些看见他穿这套衣服的人进行报复。正如他一定会毁灭每一个看见他那副长相的人，因为看见他那副尊容就看见他力量的限度，不再对他心存畏惧。她说：“告诉他，从今天算起，下个月的今天来听回话。”

黄呻吟了一声。

“告诉他，”她说，两眼仍然瞅着窗户，“一个月头上我们给他答复。”她站起来，回转身望着父亲。“去吧，父亲大人。把我们的决定告诉那位上海银行家。”黄站在那儿一动不动。“听我说，”她开始解释，挽起父亲的胳膊慢慢向门口走去，“如果我们不给他点儿希望，就把他打发走，这样一个人物肯定会加害于我们。”黄吓得要命。“这么说，我们已经落入他的陷阱。”

“从另一方面看，”她继续说，“如果他轻而易举得逞，就不会把我们放在眼里，迟早也会收拾我们。所以我们必须牵着他的鼻子走。这个人如果没有约束，可太危险了。”

“可是一个月以后他来听回话的时候我们又该怎样回答呢？”

她又挽起他的胳膊，说：“如果你按我说的去办，我们至少还有一个月的时间来考虑这件事情。”

黄并没有马上接受女儿的意见，甩开她的胳膊，痛苦地说：“他要是不接受我们的条件呢？他要是嫌一个月的时间太长，不想等待怎么办呢？”

她想了想，说：“告诉他，让他等一个月，自有我们的道理。至于是什么道理，现在不能奉告。”

“到底是什么道理呢？”

她笑了。“爸爸，其实没有什么道理。我想，他是不会刨根问底的。”

黄神情恍惚，想不出反对女儿这个计划的理由，只好向门外走去。

莲透过窗户，看父亲和冯谈这件事情。两个男人相互之间离得很远。她看见冯朝她这边愤怒地张望着，连忙朝后退了几步。不知怎地，想起苏轼的诗句：一叶舟轻。双桨鸿惊。水天清，影湛波平。

遵照她的命令，于、黄和全体仆人苦干几天打扫房间、庭院、花园，恢复了老宅原先的面貌。临回上海前的那个晚上，仆人们已经按照她的指示为老画家买来他爱喝的各种茶叶。她在茶叶罐上贴好红绸子标签。刚刚研好的墨在书房里散发出一股书香门第特有的气味。她让父亲念各种茶叶的名称，她亲笔书写。写那标签的时候，她发现，研墨也好，运笔也罢，她都轻车熟路，挥洒自如。她对此不以为意。她甚至极力克制自己，不要做出讽刺意味十足的评论。她觉得这活儿特别乏味，令人生厌。

“好了，爸爸！”她把最后一罐放到橱柜里，后退几步，欣赏自己的“杰作”。“现在您又成鉴赏名茶的专家了。”语气间不无讥讽，她希望父亲没有听出这种嘲弄。

其实她对自己这种行为并不欣赏，但又改不了。夜里，肚子里的孩子折腾得她难以成眠。她疲惫不堪，看什么也不顺眼，仆人稍有不周，她就大发雷霆，觉得他们处处和自己作对。毫无疑问，起初，仆人对她的重新统治颇为不满，头一两个星期有令不行的现象屡屡发生。不过，考虑到积重难返，能纠正到如此地步也就不错了。她对自己“治理整顿”初期干的一件事并不懊悔。有一位仆人和他的妻子背地里议论：嫁出去的姑娘应该在丈夫家老老实实待着。看门人的儿媳妇向莲告密。莲不问青红皂白就把那夫妇俩打了一顿赶出门外。她用的是“杀一儆百”的手段。从那以后，仆人们都规规矩矩，谁也不敢乱说乱动。被赶走的夫妇俩在后门附近转悠了好几天，吃喝全靠老宅里的仆人们接济。大伙儿还鼓励他们等待老爷小姐开恩。“她很快就会发善心的！”一个星期之后，黄被迫接见了仆人们选出来的代表，同意重新安置那对夫妇，并且代表大家向女儿求情。

看门人的儿媳妇向她报告老画家已经答应大伙儿的请求之后，她马上去找父亲，说：“你太不明智了，爸爸。”然后，她亲自出马去找那对夫妇。夫妇俩正洗床单，一见怒气冲天的小姐吓得魂不附体。她告诉那两个可怜人，如果再在她父亲的宅第附近看见他们，就要抓起来送到煤矿服苦役。莲的凶残让黄震惊。“他们从小就在我这儿干活儿，”他向女儿求情，“他们没钱，也不可能在别的地方找到工作。离开这儿，他们只能街头流浪。我敢担保，他们不会再惹你生气，不会忘记这次教训。”

“我要教训的不是他们，父亲，”她耐心地解释，似乎不是对声名卓著的学者黄玉化，而是对一个不谙世事的老太太说这番话，“我要教训的是那些还要继续在我们这儿干活儿的仆人。”

她拒绝和父亲再讨论这件事情。她正受着煎熬。她的身体已经不再属于她，也不再拥有什么欢乐。她被一种无形的力量主宰着，非要把周围的一切都搞得有条不紊，非要建立起一种传统，建立起一道抵御不合规格之事物的堤坝。要为自己保全一席之地。不能抽烟，喝不上咖啡，享受不到她已经养成习惯的西方文明，都使她苦不堪言。也许是妊娠反应，烟和咖啡都让她恶心。她经常夜不能寐。床太硬，睡上去很不舒服。没出世的孩子活像黏土做成的球，她一躺下，就在肚子里头滚来滚去。最糟糕的是，她的思想似乎不再属于自己。她常常歇斯底里大发作，有时候自己也惊讶不已。她越努力让自己做出一副和蔼可亲、宽宏大量的样子，心里越感到气恼。

她试图向于洪孟倾诉这一切。他坐在那儿，瞅着她那张床的床腿，一边抽“骆驼烟”，一边听她诉说，不时点点头。“好像有两个自我，”她说，“我和我的姐妹。”她笑了起来。“当然了，我压根儿就没有什么姐妹。她老于世故，全盘西化。她喜欢的东西，我感到厌恶。我忠实于自己从小就熟悉的这一切。毫无疑问，我爱父亲，爱你，爱这个家，也爱我们的生活方式。然而，事情并不这么简单。所有这一切都让我生气，这简直难以置信。我无法控制自己。”她看见于洪孟大惑不解，便不再做任何努力，“你走吧，我累了。”于退了出去。

她觉得连气也喘不过来。她意识到，一个男人和一个女人无论关系多么密切，人的本性也会为他们相互之间的完全理解造成障碍。她有生以来第一次思考这样一个问题：一个连自己的母亲是谁都不曾知道的人难道就不会对别的事情也一无所知吗？在上海她已经注意到——在这儿也看到了这一点——女人，即使不是朋友，甚至是对手，没有男人在场的时候，也可以相互理解。这种理解可以超越敌对情绪、社会地位以及对各自所敬重的男人的责任。这种理解包容着更深刻、更普遍，甚至无法避免的东西。她从来没有见过女人当着男人的面达到这种交流。看起来这里面有一种奥秘。如果男人了解了这种奥秘，女人相互之间的理解就会变得危险。她不知道，本性是不是使自己失去了感知另外一个女人的能力？父亲把她当男孩儿带大是不是损坏了她作为女人的天性？

这种想法使她神情沮丧。她比任何时候都更需要有一支香烟、一杯咖啡清理自己纷乱的思想。

这是她在杭州家里待的最后一个傍晚。她问看门人的儿媳妇：“你们是不是都盼望我快点儿回上海？我走了，你们就能尽情地说笑聊天了。”问题问得这样坦率，那女人不知道该如何回答。莲瞥了一眼父亲，老头正在品茶。他们坐在八仙桌两边，面对刚整理好的花园，眺望渐渐褪尽的晚霞。她还没有把自己的打算告诉他，原因是尚无周密的计划。如果不能预先把许多细节想到的话，老头问起来，就无言以对。事实上，她的计划正在进行之中。一切刚刚开始，她不得不小心谨慎。

“范平承不是也有个很漂亮的花园吗？”这个问题颇有点恶作剧的味道，话一出口她便有点后悔，同时又感到满足。从打回到家里，她一直想找一个适当的时机把自己怀孕的事告诉父亲。现在已经没有时间再等了，不管是否相宜，都得向老父亲说明这件事情。那些为她判断肚里的孩子的性别的老太太各持己见，有的说男，有的说女。她们反过来又把这种看法上的不一致归咎于她。她自个儿心里明白，老太太们的责备不无道理。因为她叙述的情况常常前后矛盾，据此做出的推测和解释自然难以一致。

黄老先生听到“范平承”的名字，抬起头，捋捋胡子，叹了一口气，伸出手去端桌上的茶杯。他又想起上次拜访他时所受的屈辱。

她探过身子，在父亲还没有端起茶杯之前抓起他的手。他看着她。暮色已浓，很难看清他一双眼睛的神情。“我怀孕了。”她说。他的手在她的手掌之下一动不动。她听见蓝屏风那边，于洪孟的膝关节嘎巴嘎巴地响着。“预产期在冬天。”她说。

黄老先生喃喃地说：“冯如愿了。”

他让于洪孟把灯端来，从女儿手掌下面抽出手，倒了一杯热茶。他嘟哝着，一边摇头一边叹气。于把灯放在桌子上，瞥了莲一眼。莲看出父亲因为女儿把这事儿告诉他很高兴。黄忙着修剪灯芯。“冯和别人不同，”他说，声音很轻，她几乎没有听见，“他这种人如洪水猛兽，像我们这样的人家，不是他的对手。”他把灯罩放好，枯黄的灯光照着他清瘦的面庞，在背后已是一片漆黑的花园的映衬之下，好像一个面具。他的胡子轻轻颤动。“他们受命于天，凡凡夫俗子是无法阻挡他们实现自己的愿望的。政府的官员、军阀、洋人都巴结他们，怕他们，跟他们交朋友。像冯这种人，很难打垮，女儿。一旦被他看中，你就难逃他的手心，只能按照他的意愿行事，直到他不再需要我们。”他伏在桌子上，一副要哭的样子，“这是天意，莲。只有当命运抛弃他们的时候，我们才能逃脱他们的罗网。”

他虽然指名道姓和她谈话，但她心里明白，这其实是他的“内心独白”。她看出，所谓“姜是老的辣”不过是胆小怕事，不过是面对自己的衰弱，无措手足。她郑重其事地向父亲道谢，站起来轻轻地拥抱他一下，并请父亲原谅她提前告退——身体疲倦，而且要为明天的旅行做准备。他的皮肤冰冷、湿润。离开书房时，于洪孟从蓝屏风后面站起来，咧着嘴朝她笑了笑。他举起一包“骆驼烟”，轻声说：“上海！”就好像这是他们的战斗口号。在硝烟滚滚的战场，他们将并肩战斗，打败他们的共同敌人。“上海！”他又轻轻地喊了一声。她刚走到走廊，听见父亲在书房大声说：“你的勇气对于他来说一文不值。只有生个儿子，他才能心满意足。”

上海，1927 年 10 月 10 日，阴云密布。这一天离莲的预产期还有 4 个星期。已经过了平常的起床时间，她还闭着眼睛躺在床上。女仆把麦片粥、烤面包片（去掉了外面那层硬壳）、果汁放到床头柜上，但她一口也没有吃。女仆再回来的时候，莲告诉她打电话请斯比斯大夫。

奥古斯特·伊瑞尼卡斯·威廉·斯比斯是租界地为数不少的德国居民中最有名望也是唯一的一位妇产科医生。按照中国人的说法，他和冯沾亲。冯的第一个妻子杏生的大女儿嫁给了斯比斯的二表弟。他的这位表弟是一位德国军官，也是从汉堡来的。搞医是父亲为奥古斯特·斯比斯选择的职业，他自己本来想当剧作家。他今年五十岁。关于他为什么来上海，为什么愿意在上海长住，他对同一个人做出过前后矛盾的多种解释。随着时间的流逝，他的这些解释听起来更像是借口。熟悉斯比斯的人都认为一定是由于某种不宜公开的原因，这位妇产科医生才滞留上海。很可能是为了桃色事件，或者赌场上输了钱，被父亲逐出家门。然而他是个极好的医生，大伙儿都喜欢他，尽可能让他在上海待得心满意足，从来不打听他过去的事情，不让他尴尬。

奥古斯特·斯比斯不属于任何一家商行，他自己也说不清为什么流落到上海，为什么愿意在这儿久留。每当问及此事，他总是编瞎话，而且一次比一次离奇。许多年过去了，不难想象汉堡一定发生了很大的变化。他管汉堡叫“我父辈的城市”。谈起这座城市他总是滔滔不绝，而且不止一次提到要重归故里。可是朋友们注意到，轮船从黄浦江出海，穿过万顷波涛，再由易比河[①]进入德国港口的时候，斯比斯医生从来不张罗着为自己订一个舱位。如果租界地新来的人问他干吗不回家，他总是乐呵呵地说：“不着急，去汉堡的船多得是。真的，汉堡和上

①易比河（Elbe）：由捷克斯洛伐克西部往西北流经德国，注入北海的河。

海之间的贸易十分活跃，商船不少，定期航班也很多。什么时候想走，打一声招呼就行。”斯比斯医生给人留下这样一种印象，似乎他随时都会离开上海。可是整整二十年过去了，他还是徘徊于十里洋场。

他站在莲的床头，一边看表，一边捏着她的手腕给她把脉，计算心脏跳动的次数。他看了大约十五秒。他个子不高，金黄色的唇髭，末端向上卷曲。鲜红的领带，用一枚镶着两粒南非钻石的金领带夹固定在胸前。一条眉毛比另外一条稍高一点儿。他看病的时候，动作娴熟，仔细认真。清澈明亮的琥珀色眼睛里含着笑意，似乎急于和病人分享他的感觉——活着多好啊！由此可见，他并没有放弃有朝一日写剧本的打算。他的父亲奥古斯特·尤里西斯·卡罗沙·斯比斯医生已经八十三岁，住在汉堡，仍然以妇产科医生的身份开业行医。他坚决反对家里人去干和演戏这种三教九流有关的任何职业。奥古斯特自己则认为，如果他写的戏不能搬上汉堡的舞台，就没有必要费心劳神去搞什么创作。因为他知道，只有了解汉堡社会的人才能看懂他的戏。不过读者如果由此得出结论，认为他在上海待得不痛快，或者盼望父亲快点儿死了，他好回汉堡写戏，那就大错特错了。事实上，他在上海很快活，父亲去世的噩耗也总会让他悲痛欲绝。奥古斯特的剧本——他的知识分子朋友们或许会说那是柏拉图式的玩意儿——眼下还处于对另外那个世界的想象之中，和他目前在远东行医的“郎中生涯”并无矛盾。他不像别的剧作家那样，经常在纸头上写写画画。这不是他的嗜好。他的嗜好是侍弄天竺葵。不过，每当人类的本性和生存的目的使他心灰意冷的时候，构思中的剧本对他也是极大的安慰。

就像放下一件宋代精美的瓷器——在这方面医生是一位可尊敬的收藏家——一样，他把莲的手腕小心翼翼地放回到蓝色床单上，把怀表装进背心口袋里。他一言不发站在窗前，眺望着滚滚滔滔的黄浦江。

莲看了他一会儿，说："斯比斯大夫，我的脉搏是不是有点儿问题？"

他的注意力还没有离开那条滚滚东去的大河。不过听到莲的声音，他下意识地拍了拍背心口袋。这是多年养成的习惯，总怕怀表不翼而飞。奥古斯特怀着对人类创造力的敬畏，眺望每天都有成千上万吨的货物运往世界各地的海港，带着一种迷惑不解的神情摇着头，对自己同类神奇的力量表示赞赏。然后，他低头看莲，脸上立刻露出热情洋溢的微笑。"没有的事儿，冯太太，"他快活地说，"你是全上海最健康的年轻妇女！毫无疑问。"他在心里又加了一句："还是最漂亮的。"如果手头有香槟，他一定会为她的健康和美貌举杯祝贺。

莲等他的注意力回到自己身上，才平静地说："我身上不舒服，斯比斯大夫。你最好赶快给我诊断一下到底怎么回事儿。"

他微微一笑。他已经习惯了她的尖刻。当然，并不喜欢她这种性格。她生下第二个死胎之后，冯硬要斯比斯来给莲看病。她毫不掩饰地对他说，她讨厌德国人。她甚至可以在他的面前脱口而出："欧洲佬，洋鬼子。"他接受了她的轻蔑，甚至心里为此暗暗高兴。他认为这是莲对他亲昵的表现，对别人她不会这样肆无忌惮。他觉得他是莲从众多的"洋鬼子"里挑出来的一位值得交往的朋友。她显然相信他不会因为自己缺乏礼貌而像别人那样大惊小怪。她相信他不会认为自己受了侮辱，民族的尊严受到伤害。他不会把这种区区小事上升到中国人和欧洲人自尊心、荣誉感较量的高度看待。

作为一位知名学者的女儿，而且自己就是一位技艺高超的国画家，莲对斯比斯大夫有一种特殊的吸引力。因为奥古斯特·斯比斯对中国历史和中国文化十分迷恋。他一直满怀热望，希望有朝一日到杭州访问老画家。他从中国朋友的言谈和俱乐部成员的议论中得知，黄玉化老先生从来不在家里接见外国人。作为一个收藏家和学者，斯比斯大夫做梦也想到黄先生的“圣殿”瞻仰他收藏的稀世珍宝。比见识这些稀世珍宝更强烈的愿望则是，这位古董鉴赏家渴望身临其境，亲自体验一下那种未曾触动的古老文化的氛围，哪怕只一小会儿。在他的想象之中，历史一定给老画家的宅第注入深邃、博大的中国文化之精华。想到这儿，奥古斯特又想起小时候，父亲带他到意大利的时候，访问过一座修道院的图书馆。那个图书馆像一个昏暗的石洞，散发着令人窒息的霉味儿。黄玉化的老宅使他产生精神上的追求，他渴望有朝一日去朝拜那座殿堂。奥古斯特经常想，莲身上那种闪光的、非凡的、难以形容的品质是不是这种古风的化身？

皮肤表面一阵刺痛，她意识到自己对他还没有十分的把握。她拿定主意，如果他要做进一步身体检查的话，绝不同意。他在药箱子里摸索着，找什么东西。她知道，他是丈夫唯一的朋友——警察局长阿利斯坦尔·麦肯基的朋友。两年前，她刚来上海，人们就告诉她，斯比斯、麦肯基还有其他不同国籍的西方人，都享有治外法权。她对此大惑不解。在她看来，他们不是现实生活中的人，而应该划分到另一个范畴之中。离开杭州之前，她从来没有想到会有什么治外法权。至少在人类社会不应当有这种玩意儿。她丈夫的一位美国客人耐着性子向她解释，所谓“治外法权”字面上的意思仅仅是，这些人在租界地只受他们本国法律的约束，而不受所在国法律的制裁，莲觉得无论这项“法权”，还是那人解释时的口气都传达着一种对中国人的侮辱。她想知道，这是不是意味着，这些人虽然远离故土，但还可以像在家一样作威作福？她这种对“治外法权”无法理解的态度惹恼了冯。但她并不因为冯不高兴就不提出自己的疑问。引起她深思的是这个概念的实质，而不是它法律上的定义。她的这种态度自然也超出丈夫那几位美国朋友的理解力。

她看奥古斯特·斯比斯翻着药箱子找东西的时候，觉得他很不真实。她似乎不能像理解常人一样理解他。要想充分理解他，就得请他另立与常人不同的标准。在她看来，他和别的西方人在获得“治外法权”的时候并不是什么也没有损失，而是丧失了人类最宝贵的品格。在她看来，他们的迁移与由阳世到阴间的搬迁相差无几。他们已经变成阴阳界的居民。在那里，神、鬼、祖宗的幽灵，还有尚未登记在册的无数的魔怪、半人半鬼的兽类在一片混沌中漫游。他们半死不活。或者说已经部分地死亡，这就是她现在对洋鬼子的看法。他们一副副没有血色的苍白的面孔使得这种分类更加准确。他们正受一种死亡之苦，一种生命的游离。他们的生存结构足以阻碍他们回家与亲人团聚，但是还不足以把他们送进坟墓。她现在被他们看成一个属于他们那个圈子里的“荣誉欧洲人”，但是这并不影响她对他们的看法。她认为没有一个中国人会为他们这种生存状态而快乐。在一起聚会的时候，听到他们猜测斯比斯大夫为什么不乘船回家时，她觉得很可笑。因为他们好像在做猜字谜的游戏，事先已经约定，还有这种荣归故里的可能。在莲的眼里，这种可能性则已荡然无存。这些享受治外法权的人们如果再回到汉堡或伦敦，就得重新像人一样行事。这显然是无法做得到的。因为在他们移居中国并且接受治外法权期间已经丢掉了与老祖宗的道德规范相连接的最宝贵的环节。在上海，他们本不是神，却可以像神一样行事。他们可以不受法律的惩罚，不尽社会的责任，不受文明的约束。这些在“不属于任何人的土地”上享有特权的殖民主义者认为当地人和他们的规则不合他们的口味，与他们无关，所以他们不承担任何义务。她感到困惑不解。在她看来，所谓“治外法权”既是一种令人羡慕的自由，又是超出她想象范围的可怕的灾祸。她清楚地看到，他们这个种族无法在“租界地”这样一个想象出来的地方长期居住。她看出他们这个种族注定要在这里灭绝。这一切让她烦躁、困惑。俯瞰他们的命运，怀着遗憾和嘲弄，她把他们看作一群被死神遗忘的孩子在假想的中国的边缘半死不活地生存着。

在他们当中，只有斯比斯是个例外。由于大夫坚持让她看西医，她和他的关系比较亲密。这似乎给了她一个试验的机会。试验的结果之一是，不能以轻蔑的态度对待这个人。她发现斯比斯并不十分在乎自己的尊严。她把这一点理解为他脱离了家庭的监视和宗族的约束。她深信，如果他的父亲在场，斯比斯不会容忍她的侮慢和嘲弄。

“张嘴！”他把冰凉的体温计塞到她嘴里，“没问题，冯太太，相信我。我对疾病的症状太熟悉了。你一点儿也看不出有什么毛病。相反，作为一个年轻人，你的身体相当棒！夫人，症状很重要。干我这行要想成功，必须有破译这种‘密码’的本事。”

她拿出体温计，说：“如果这个孩子再流产，冯可唯你是问。”

他从她手里轻轻接过体温计，又塞到她的嘴里。“我不信。据我的观察，你丈夫算得上一个有头脑的人。”

她又取出体温计，看见斯比斯很宽容地微笑着。“我的丈夫是中国人，斯比斯大夫。”她平静地说，“不论他想给别人留下什么样的印象，他把我交给你，是希望我给他顺顺利利生下一个胖儿子。所以，如果我告诉你身体不适，需要好好诊断一下，你却一个劲儿说我身体很棒，可就不明智了。”不等斯比斯大夫动手，她自个儿便把体温计塞到嘴里。斯比斯大夫的微笑渐渐地消失。她高兴地看到他又陷入沉思，向窗外眺望。

她听说，斯比斯大夫给为了躲避战乱逃到租界地的中国难民免费看病。她搞不清斯比斯为什么有此善举。他想得到什么报偿？他取出体温计，察看她的体温，然后若有所思地把那个小小的玻璃管儿放回他的药箱里。“看出什么毛病了吗？大夫。”

他拿不定主意，注视着她的一双眼睛。“也许我应该安排你到天主教医院观察一天，做几项化验。”他捋着金黄色的唇髭，“用不了多长时间，最多一两天就够了。”

她笑了起来。“就在这儿诊断，大夫。当着仆人的面儿。没有商量的余地。你还不了解我吗？”她直盯盯地望着他那双目光犹豫的眼睛。

他又捋了捋唇髭。“哦，”他一边喃喃，一边捻着黄胡子，“哦——”他还在喃喃，似乎这拖长的声音可以使他和自己的目标更加接近。

她想哧哧哧地笑。他好像漂浮在离地面一两英寸处，正等待确信地面平衡之后，再回落到大地之上。阳光照耀着他金黄色的头发。“我发现你挺喜欢窗外的景色，大夫。”语气中没有丝毫的嘲弄，而是希望听到他对生活发表自己的看法——如果他敢于这样做的话；听到一个老年人充满智慧的说教——如果他愿意“奉献”的话。听到她的声音，他才“脚踏实地”，回到现实之中。

“世界从你的窗前走过，夫人。”他满怀热情地说。

“您请坐吧。”她说，好像他已经通过她的考试。她指了指放在床边那张圆圆的法式安乐椅。“你知道杭州吗？”他坐下之后，她问道。“那是我的出生之地。那儿的空气特别有益于健康。”她脸上挂着微笑，斯比斯大夫十分注意地听着，“傍晚我们常常在西湖平静的水面上荡舟，一边看明月冉冉升起，一边和朋友们吟诗作赋。在这样的环境娱乐，比吃什么灵丹妙药都有益于身体健康。你们当医生的也这样认为吗？”

“当然，冯太太，当然这样认为！”

“听到你这样说，我很高兴。上海的空气对于我来说实在太污浊了。”

“我理解你。”

“希望你能理解。”她眺望窗外辽远的天空，感觉到他正等她继续说下去。一块块乌云带着邪恶在翻滚，“你那些著名的天竺葵怎么样？看起来，它们在上海不会枯萎。”

他们轻声笑了起来。

“也许你可以开一点滋补药，”她建议，“你需要花点时间才能说服我丈夫满足我的要求。眼下局势让他心神不定，倒也确实需要做点安排。”

他拿出一迭处方，掏出自来水笔在上面龙飞凤舞一番。“你愿意要粉剂还是药水？冯太太。”

他们对视着。最近几天一直从郊外传来隐隐约约的枪炮声，今天早晨，这声音越来越近。他们谁也没有就此发表评论。她没有朋友，也没有参加湖上泛舟、吟诗作赋的聚会，但是她曾经女扮男装，和于洪孟一边抽烟一边屈膝长谈。这个洋人对中国能了解些什么呀，她心里想。“药水，”她说，“我想，我更愿意服用药水。谢谢。”

第八章 花园里的插曲

深秋，我们把活动范围向浪子的后花园扩展了一下。这是我坚持的结果，我觉得需要扩张我的“领土”。这座花园是维多利亚写《冬日里的客人》的地方。她伏在凉亭里的一张桌子上写作。我知道的仅此而已。我从杂草丛生的厨房后门到草坪正中开出一条小路。那儿土质不好，而且很干，整个秋天也没长出什么东西。不过有一个土堆，倒是登高远望的好地方。花园就从这块高地伸展开来，起初地势平缓，离雅拉河越近，坡度越大。我从背靠走廊后墙的披屋里找出两张破旧的藤椅和一张桌子，摆在土堆正中。他不情愿地来看我这番布置，像平常那样，站在太阳下面，弓着腰，吞云吐雾，一双眼睛眨巴着，似乎有点迷惑不解。“这是我们的‘基地’。”我说。他不高兴地哼了哼鼻子，不过没有走开。

这里视野开阔，天地相连，除了我们身后的房屋和凉亭之外没有阻挡视线的建筑。事实上，凉亭本身还在其次，真正兀然耸立的是一株枝叶婆娑的白杨树，我母亲很喜欢这种树。这株树像一个巨大的华盖，笼罩在凉亭之上，只有亭顶一个铁制的装饰物依稀可见。

这是学校5月份假期第一个星期的周末，也是我们第三次来到“基地”。我们坐在藤椅上看书。这一天阳光和煦，连一丝风也没有。早晨还有雾，到中午吃饭的时候雾气已经散尽，明媚的阳光照耀着美丽的花园。格特鲁德把她父亲的日记拿给我读，我现在带来的是其中的一卷。但是我发现很难集中精力专心致志地读下去。浪子似乎没有被这温暖、寂静、令人昏昏欲睡的环境所影响，身板笔直坐在桌子旁边，我眯缝着一双眼睛观察他——冯家第四代传人。他正在读我的草稿：“莲和凤”、“不寻常的孩子”和“母亲”。我本不打算让他现在就看，可他非看不可。我们已经就整个故事的发展多次争论，现在这份稿子恐怕有许多地方还经不住推敲。我敢保证，他不会满意我写的这些东西，而且很可能误解我的意图。其实，连我自己也不明白干吗要写这本书。我明白的只有一点，这份手稿可以进一步证明我是作家，而且第一次见到他，直觉就告诉我，我需要他的友谊。

阳光温暖，金灿灿地照在我的眼皮上……

食客凭直觉就可以分辨出他们的主人。这种分辨完全出于本能。他们不遗余力地搜寻主人的财物，从中汲取维持生命的营养，完成生存的目的。这是他们早已确定的、别无选择的人生之旅。倘若对进取的信号无动于衷，他们和他们的同类就会毁灭。在这种事情上，谁也不会强调动机、目标，或者准确的概念。你赖以生存的财富的多寡，全靠深入的程度。如果没能真正深入，就不会是你原先想象的或者本来应该的样子。因此，结果常常不是掠取对象的传记，也不是掠取过程的记录，而是出人意料的别的什么玩意儿。

你盲目地向前摸索，不需对事实，只需对直觉负责；不需对客观真实，只需对主观、对感觉的真实负责。

穿过这条遍布谎言、曲解、虚假形象的道路，你所做的艰苦努力才能超越现实，为自己和同类创造出另外一种生活。这就是我们唯一的目的，这就是为什么我们日复一日地向纵深挖掘。

在这种思想的指导之下，我不是一字不差地照搬维多利亚说过的话，或者重新组合她用过的词句，而是把散见于她著作中的思想和情节集中到一起，使之成为一个崭新的东西。几个月来，我一直和她同心协力编制《冯氏族谱》。这是一部经过挖掘整理撰写而成的“编年史”。她那部《冬日里的客人》是撰写这部“编年史”的灵感之所在。她的书是我做这项工作的蓝本，有了这本书我才能以权威的架势，处理浪子那一堆材料。我跟着她走进那片桉树林。渴望阳光的树木伸长脖颈直指苍穹。大河和公路之间还残存着一片片原始的灌木丛。那是她逃避家人，独自遐想的地方。我经常走到那儿，再回转身向那幢房子望去。这便是餐厅里挂着的那幅油画上的小红点的出没之地。就这样，我在她最初“入画”之地踯躅徘徊；在她观察那位草坪上作画的画家的地方留连忘返。她的独处之地现在是我们的“基地”，沐浴着秋天和煦的阳光，我和浪子在这里小憩。对于一位从英格兰来的年轻画家，一位受雇于人按照写实传统描绘山水风光的画家，这实在是一个理想的场所。我的父亲对他的作品一定会赞不绝口。但是由于她对他怀有一种真诚的爱慕，这个环境便因为太宽阔而不够理想。于是她最终改变了他最为熟悉的创作材料，而代之以自己的形体。

维多利亚已经幻化成山水风景。她决定了我现在探寻的途径，指引我把注意力集中到那些有价值的人物身上。他在她的叙述中已经无关紧要。除了为她画的那幅肖像，只在身后留下一个寄居者幽灵般的身影。她已经不再在他身上浪费笔墨，而是开始更加壮丽的征程。这一次不是借助于一个男人，而是跨上她那匹神骏——天马。他虽然留下一幅幅风景画，但我们现在真正居住其间的是她留下的岗坪园，而不是他画的那些风景画。

后面的纱门响了一下，我回转身，看见格特鲁德沿着我开的那条小路走了过来。她朝我扬了扬手里拿着的一样东西——是瓶酒，嘴里还嚷嚷着什么。“我能当个拦路抢劫的强盗了。”她把头发塞在一块月白色大手帕里。那手帕像一块布，紧紧地箍在脑袋上。她穿一件宽松的旧体恤衫，牛仔裤，一望而知刚从工作室出来。“这地方挺开阔，”她说。她走过来，望着我和浪子，“我一直从厨房窗口看你们。”她手里拿着已经拔掉塞子的酒瓶和三个酒杯。“别动，”我站起来给她让坐的时候，她连忙说。“我坐在草地上。我喜欢这样。”她把酒杯放到浪子面前，然后倒酒。我膝盖上放着她父亲的日记。她指了指打开的日记本问："你觉得怎么样？"

"刚开始看。"她一副心不在焉的样子，想必是长时间紧张工作的结果。

"从屋里看，你们穿着雪白的衬衫，未免太古板了。我要是带照相机来就好了。"她递给我一杯酒。琥珀色的美酒——和她父亲的眼睛一个颜色。我闻到一股水果味儿，就好像繁茂的树木间藏着一株花儿盛开的果树。这香味有一股欧洲秋天的芬芳。我突然想起肯特郡的一座果园。果子落在杂草中慢慢地腐烂，散发出甜丝丝的气味，招来一群群黄蜂……

浪子只打了个招呼便头也不抬继续看手里的稿子。他小心翼翼地翻了一页，另外一只手在空中摸索。格特鲁德塞给他一杯酒，浪子举起来送到唇边贪婪地喝了一口，似乎很渴。格特鲁德站在他身后，从他肩膀上面望过去，看我写的稿子。

我忐忑不安，不知道他们对我尚未完成的著作会做出什么反应，发表什么意见。我似乎更怕格特鲁德的批评。我和浪子已经有好几天没见她了。她忙忙碌碌，一直为个人画展做准备。以前我从来没有见过她穿工作服时的样子。她那条牛仔裤左边大腿上有一片黑，一定是蹭了手指上碳笔的黑灰。我想象着她站在画架前面，全身心地作画，左手手指下意识地揉搓着裤子。她看了一两分钟，转过身扬了扬眉毛，说："不错。"我看出她是小心翼翼说出一句等于没说的空话，小心翼翼地丢开这件事情。她从浪子身边走开，在土堆上面最高的一块草坪上坐下。"真是奇异的一天。"她说，似乎能够出来欣赏这良辰美景，既让她大吃一惊，又让她感激涕零。她面对太阳，闭上一双眼睛。

我看她，心里明白她知道我正看她。我想，她已经变得对我非常重要。她和她的作品。这些作品我虽然不曾见过，但想象得到。我早就想对她说，我总觉得她和维多利亚之间有点相似。浪子认为我是胡思乱想。在他的眼里，她们俩压根儿就没有什么共同之处。我有一种感觉，这种比较或许会惹她生气。油画上的维多利亚精神压抑，缺乏热情。她们之间的相似是一种很复杂的东西，只可意会不可言传。此外，维多利亚矫揉造作，不无挑衅的裸体大概也不是格特鲁德所欣赏的。

现在，她坐在我面前这座土丘之上，头发塞在大手帕里，好像故意模仿头裹浴巾的维多利亚。这种相似简直使人意乱神迷。我想引起浪子的注意，以后好说服他。为了找个话题，我问："那套中国画进展如何？完成了吗？"话刚出口就后悔不该问这种愚蠢至极的问题。

她坐在地上一动不动，只是不高兴地哼了哼鼻子。"我不想谈工作，斯蒂文，你不介意吧。"她转过脸望着我，嘴角挂着一丝微笑，"请原谅，你该知道此刻我脑子里想的不是工作。"她举起酒杯，对着太阳。"漂亮吗？这是德国式的浪漫，或者浪漫的德国。你愿意怎样想就怎样想。"她眯着眼睛看酒杯里微微颤动的阳光。那阳光透过酒杯，带着琥珀的光彩反射到她的脸上轻轻跳荡。她和维多利亚的相似之处瞬间荡然无存。她还是她——格特鲁德。

她呷了一口酒，轻声念道："Das küsste mich auf deutsch und sprach auf deutsch（Man glaubt es kaum，Wie gut esklang）das Wort：'Ich liebe dich！'Es war ein Traum. 并不是谁都喜欢这些诗句。有的人认为甜得过分了。"她又往酒杯里面看了看。

我仿佛又看见我们这个土丘杂草丛生，一片荒芜。我呷了一口酒。这酒不甜，只是有一股水果的芳香。“相当好，”我说，“翻译一下好吗？”

她犹豫着轻轻笑了起来。“用德语说一声‘我爱你’，那声音把我的面颊亲吻(无法相信多么悦耳动听),那只是一场梦。”

浪子又翻了一页我的手稿。我们被下午的阳光与寂静紧紧地包裹着。河边的柳树林里传来鞭鸟[①]的鸣叫，一公里以外的大桥上传来汽车开过的沉闷的隆隆声，使这寂静更加深沉。

“这是海涅写的，”她终于说，“是我父亲最喜欢的一首诗。他经常背诵。开头是这样的：‘从前我有美丽的家园。橡树高耸入云，紫罗兰繁花似锦，那只是一场梦。’那是亲吻着他的祖国。这首诗的题目是Inder Fremde。流放。不过想起悠悠往事，父亲并没有什么不高兴的。就是‘流放’的日子里，他也仍然心在故土。现在，这首诗成了我们的传家宝。来源于我们故国的传家宝。来源于德国文化的传家宝，尽管我和父亲对这种文化都没有多少直接经验，我就更不用说了。我从来没有去过德国，也不想去，但是我一直深深地热爱那片土地！”她满怀激情地说。“我热爱那里的一切！我不会对德国吹毛求疵。我敢断定它和我的想象大不相同。”她笑了起来，然后改变了话题，“刚才我一直在厨房里看你们二位。你们俩坐在那儿好长时间一动不动。我差点儿不想过来了。我本打算不让你们知道我来过就一走了之。你们俩看起来……看起来宛若一首田园牧歌。那么虚幻，就像一张做广告用的电影单幅照片。那种当你作为旁观者时获得的长久的印象。当你不属于某个事物的一

①鞭鸟（Whip bird）：澳大利亚丛林中的一种鸟，鸣声如响鞭，故得此名。

部分的时候。明白我的意思吗？我是说，在你袖手旁观、身临其境之前获得的印象。我说得对吗？我刚来的时候就有这样一种感觉。我并没有估计到前门大开。这道门从来不开，难道不对吗？我以为一定会打扰你们二位跑过来给我开门。在我的想象之中，你们俩一定正在光线昏暗的餐厅里忙着干活儿，只有我才能把你们拖到明媚的阳光下面，呼吸一口新鲜空气。我喊你们，没人答应。这幢房子似乎已经被人遗弃。你们已经得到警告，扬长而去。我从前门走了进去，被大厅镜子里自己的影子吓了一跳。那一刹，我觉得有人正向我迎面走来，问我有何贵干？我朝前面那个房间瞥了一眼，寂然无声，似乎许多年没有人在那儿住过。那张画像靠橱柜立着。我走进厨房，觉得自己是一个私闯民宅的窃贼。埃及的掘墓贼一定有这种感觉。后来，我走到窗口，看见你们二位原来在这儿。我的意思是，先前我一直纳闷，能不能把你们俩引诱出来，没想到你们在这儿，坐在这个小土堆上晒太阳！以前我从来没有注意到这儿还有个小土堆。周围的环境发生了变化，就像到了另外一个地方。那么出人意料，让我迷惑不解。还有这两张藤椅，从哪儿搞来的？你们都穿着老款式的白衬衫，卷着袖子，就像脱掉上装，取下领带，摘了草帽的一百年前的人物，在太阳下面读书，打瞌睡，而别人都在另外一个世界忙忙碌碌，东奔西走。你们似乎是我压根儿就不认识的陌生人。一座古老花园里的两位朋友。就像鲁珀特·邦尼①作品中的人物。”

她喝完杯中酒。“我站在厨房窗口看你们俩。知道我当时

①鲁珀特·邦尼（Rupert Bunny，1864–1947）：澳大利亚著名的印象派画家。

是怎样想的吗？我想，如果我现在不走过去，他们在我的记忆中将永远保持这个样子。如果我不能再与他们相见，如果他们真的得到什么人的警告要离开这里，我将把这个画面永远深藏到心底。没有他们，地球还要旋转；没有他们，我还要做自己的事情。斯蒂文和浪子，一座古老花园里的两个朋友。仅此而已。然后，有朝一日，我或许会用自己的画笔描绘他们。尽管不会很快，要过许多年，甚至永远不会把他们搬上画面。”

她沉默了一会儿，解开包在头上的大手帕，让头发披散下来。“哦，这样好多了，”她边说边在草地上躺下，心满意足地舒了一口气。她凝望着天空，把高脚杯的柄夹在手指间玩。杯子向前慢慢倒下，一缕阳光反射过来，晃着她的眼睛。她好像服了麻药或者着了魔。她在脑海里构思一幅图画。浪子那种铜版画。画面的主人公是费里森·罗普斯[①]笔下半人半神、给人以美感的女人。她躺在草地上，宛若一首田园牧歌，半闭着眼睛做色彩瑰丽的梦，等待一位情人的到来。她已经来了，未完成这个构图。形成三角关系，加入到这两个男人的行列。她一本正经地说——那口气很像我的母亲——冲淡了我一直完善着的她的形象。“我知道这是怎么回事儿。我刚刚意识到，澳大利亚的天空天真无邪。”她转了一下身子，两个肘子撑着地，神情专注地望着我，“我非来不可。一分钟也不能再等待。我正在工作，干到半截突然想，假如我无处可去，无人可以讨教，那可怎么办呢？”

---

①费里森·罗普斯（Felicien Rops）：法国画家，多以富于性感的妇女为创作对象。曾为著名的诗歌集《恶之花》（Fleur du Mal）插图。

我想起和他们初次相见的情形。他们俩站在没有生煤气火的办公室里。“是的，”我说。她又仰面朝天躺好。“不管怎么说，我喜欢这儿的气候。喜欢干燥的秋天。你呢？”她把空酒杯向我伸过来。我站起来，身影落在她的身上。我拿起桌上的酒，重新给她斟满。

“我的母亲，”我说，“曾经对我说，某些东西改变了她的生活。”我在格特鲁德身边跪下，递给她那杯酒。她一只肘子撑着地欠起身子。“什么东西能改变一个人的生活？”她说。“这是什么意思？难道真有人说他们的生活被外界什么东西所改变吗？这桩事改变了我的生活。我并不认为什么东西能改变我的生活。一个人改变与否关键在于自己。你得变成一个完全不同的人，对吗？也许我太保守。你认为我保守吗？坐下。”她指了指身边的草地，“把你母亲的经历告诉我，好吗？”

我在她旁边坐下。“那天我躺在床上，也许是真病，也许是装病，已经记不清了。对于我说的话他们从不怀疑。所以，我不记得是实有其事，还是自个儿编了瞎话。反正对父母来说都一样。他们并不特别在意这种事儿。她走过来坐到我的床边，没有问我感觉如何，而是向窗外眺望着，告诉我她是个殖民者。我还是头一次听到这个字眼儿。她说，她和那些地位同样不高的人开拓了英格兰，我应当为此而骄傲。就好像我之所以生病或者装病，是因为老祖宗没有留下什么值得骄傲的东西。起初，他们是难民。

“我幸免于此。”她说，伟大的历史学家阿克顿[1]先生绝

①阿克顿（Lord Acton，1834~1902）：英国历史学家。

对猜不到一个多么偶然的机会改变了她的命运。离开爱尔兰之后，她到处找工作，后来在伦敦西区一家饭店找到一个差事——她称之为‘位置’——清理卧室的女仆。那家饭店叫格鲁斯维纳。算不上特别豪华，但也不错。那是第一次世界大战期间，她还是个年轻姑娘。有一天，饭店外面突然人声大作。他们向窗外望去，看见一群人朝天空指指画画。几百英尺上空有一个德国人的齐柏林式飞艇[1]。大伙儿头一次见这玩意儿，谁也不知道它是个什么东西。它在天空静止不动，像一个巨大的黑色蛆虫，要孵出什么可怕的东西一样。它悬在人们头顶，黑色的影子落在地上，仿佛一个大家以为早已死去的巨人送来可怕的信息。（我意识到我已经开始编故事了。是特洛伊木马[2]最现代化的翻版。是壮丽之死的发端。就好像每一样人们司空见惯的东西都要回归到未成熟期，按照我们大家都不熟悉的模式重新结构一番。）”

格特鲁德轻声笑了起来。“你开始瞎编了。”

“没有，我没有瞎编。真的，我母亲说话就这种口气，她就是这样讲的。她跟我聊天的时候也像一位应邀而来的演说家。在她面前我常常无言以对。”

“说下去！”格特鲁德催促我。

“有的人对飞艇嘲笑一番，回俱乐部继续喝白兰地去了。有的人轻声啜泣着乘公共汽车回家看他们的孩子去了。还有的

①齐柏林式飞艇（Zeppelin）：一种圆筒形硬式气球，装以框架，内设许多气囊及推进驾驶之机器，因为 Ferdinand von Zeppelin 所首创，故名。

②特洛伊木马（Trojan Horse）：特洛伊之战时，希腊人所做之大木马，希腊人藏于木马之中，进入特洛伊城。

人视而不见，像平常一样该干什么还干什么。后来，有些勇敢的人再仰望天空时，发现飞艇已经渺无踪影。他们立刻意识到飞艇不翼而飞比高悬于头顶更加凶险，更非吉兆。没有看见飞艇的人，甚至不少看见过的人，都众口一词地说，压根儿就没有过什么飞艇，不过是英格兰的敌人散布谣言，瓦解军心。人们不再议论这事儿了，生怕被别人说成站在敌人一边。但是它在每个人的心里都留下一片阴影。我母亲说，对于英国人，天空和以前再也不同了。英国人有史以来从不偷偷摸摸地瞥头顶那块辽远的蓝天。她说，齐柏林飞艇使英国的天空失去了往日的纯洁与清白。但是就从那天起，她的自信心大增。那年她十七岁，她从英国人对飞艇作出的千差万别的反响，隐隐约约感觉到这个民族并非攻无不克，战无不胜，而是一个已经走到穷途末路的脆弱的民族。她由此看到，来自大英帝国穷乡僻壤、被剥夺了许多权利的异民族和伦敦郊区的乡下人迟早会在整个社会生活中占优势。也许她这辈子看不到这一天，但是她已经看到这个美好时刻正迎面走来。现在她懂得，她和盎格鲁族英国人是完全平等的。当然这是从历史的高度加以分析的结果。就个人而言，她从来不认为自己比别人差。不过这件事情具有决定她命运的意义。颇具讽刺意味的是，一旦看清英国人是一个注定衰败的民族，她便爱上了他们。她从来没有试图模仿他们。作为一个生活在英格兰的殖民者，她满怀同情地观察他们，收集他们的工艺品——瓷牧羊人、瓷牧羊女，以及诸如此类的东西。但是她并不模仿他们的行为举止。她从来没有“本土化”。她一直保留着年轻时代的洞察力。正是这种洞察力使她能够在帮助他们的同时，为他们的消亡而哀悼。”

浪子转过身，身影挡住阳光。他把手稿放在我的膝盖上，用冷峻的目光看着我。“你好像一直在那儿似的。”他说。

这也许是对我的手稿的赞赏，但是他的语气和神情都包含着一种不满和嫉妒，话一出口便成了谴责。格特鲁德坐起来。

“你看起来不太高兴，浪子。”

他笑了起来，带着一种理解、苦涩和不安拿起桌上的酒瓶，眯细眼睛朝里面看了看，走过来把酒都倒进我和格特鲁德的杯子里，只给自己留下几滴。他的手有点儿颤抖，心灵深处那个魔鬼陷入困窘，无法站起来对我大加嘲弄，只能转着圈儿咬自己的尾巴。

浪子背对我们站在土堆边儿上，眺望枝叶婆娑的白杨树。他刚才说：“你好像一直在那儿似的。”此话怎讲？所谓“那儿”显然不是指上海或者杭州。因为1926年他自己也不在那儿。我想，他可能是指自己的思想，不管他是否意识到这一点。他那种不无嫉妒的肯定会不会是由于我的描述和他对那个年代的想象不谋而合？那是他出生以前的事情。我把别人零零碎碎的回忆拼凑起来写下这些东西。不是中国小说，而是一本关于中国的澳大利亚小说。就像格特鲁德关于德国的澳大利亚小说一样。他站在那儿，用脚尖踢着那个空酒瓶。我知道，他并不是因为和我们分享了那瓶酒而懊恼，他一定是因为有了我这本小说而无法再营造自己的梦幻而气恼。他怎么能抹煞掉我塑造的那些人物形象呢？这些形象和他心目中的人物几乎完全一样，他不得不对他们表示认可。然而，这并非他自己的创造，是对他的创造的歪曲。他该怎样驱除这些“入侵者”呢？或者想到这一点已经为时太晚？他是不是接受我对他的过去所做的这种诠释呢？母亲认为我们属于那个既是难民又是殖民者的群体。那么是不是每一个人迟早都必须变成这个群体中的一员呢？维多利亚会同意我的观点。我需要对我的所做所为加以辩解吗？

浪子似乎非常疲倦，从草地上捡起酒瓶子，说："我要回去了。"

浪子手里提着空酒瓶，沿着我开的那条小路向那幢房子走去。格特鲁德走过来站在我身边，挽住我的胳膊，目送他的背影。"他是我唯一的亲属。"她说。

我意识到她把我看作一个绝对可靠的同盟者，很为之感动。2月份那个酷热的日子，我们刚刚认识，他就对我说："我们都是独生子女"。现在想起这句话，我不由得紧紧挽住她的胳膊，她也紧紧地挽着我。过了一会儿，她说："我们干什么好呢？"我不知道她指的是什么。我们手挽手站在土堆上，像一对夫妇。太阳已经沉没到那株大树背后，空气中有一股凉意。河面上升起薄雾，宛若一袭轻纱。

第九章 往事的回忆

奥古斯特·斯比斯大夫的日记。

他的女儿格特鲁德·斯比斯由德文翻译。

墨尔本，1966年。

1927年12月18日，上午4时。杭州，国画家黄玉化府第。

我兴高采烈而又精疲力竭，此刻仿佛仍在梦中。我给上海的冯打了个电话，刚刚回到我的房间。他没怎么说话，甚至无动于衷。这种态度是我始料不及的。我告诉他，她至少要卧床休息一个星期。她已经疲惫不堪，弄不好会得产褥热。他是因为过分激动一时无语，还是压根儿就没有感情，不得而知。电话线路像平常一样非常糟糕。他好像只是嘟哝了几声。我想，他还是同意我的忠告。我理解他的意思是愿意等待我们平安回来，不要再弄出什么毛病。为了这一天，他已经等待了二十年。

我满怀激动记下今天发生的事情。两个小时前，也就是早晨七点，经过二十七个钟头的艰苦努力，冯太太生下一个儿子。我不久前离开他们的时候，母子俩都熟睡着。凌晨一点多，那是人意志力的最低点，也是老人和病人最容易命归黄泉的时候。我相信她已经精疲力竭，已经没有希望保证母子平安了。尽管我清楚地知道，冯会记恨我一辈子，但我还是毫不犹豫地决定，为了救他的妻子，宁可舍弃孩子的性命。我眼巴巴地看着冯太太的生命之火一点一点地熄灭。在没有助手、没有必要的设备，她的身体又极度虚弱的情况下，剖腹产已经不可能了。万般无奈，我只好为这令人憎恶的、刽子手的勾当做准备。她的房间很冷，灯光明灭不定。我来之前就有两个老太婆替她接生。现在她们都站在油灯的暗影里看我准备手术器械。我以超然的态度看待这样一个事实——我对冯没有丝毫的畏惧。拿起手术刀的时候，我考虑的不是我自己，而是那个可怜的孩子。他的躯干和四肢耷拉在外面，脑袋卡在母亲像男人的骨骼一样狭窄的骨盆里。我走到床边准备手术的时候，冯太太一定意识到我的目的。她吃力地睁开眼睛对我说话。我不知道她靠什么力量从极度的衰竭中清醒过来，反正从医学的角度无法解释这一现象。就好像她访问了藏在灵魂深处的一个神秘的祭坛，她的意志因此而得到更新。她那双眼睛骤然间变得异常明亮，热切地望着我，说："不要杀死我的孩子。我们绝不能放弃，斯比斯大夫。"她的从容镇静使我惭愧，也使我深受感动。

1927 年 12 月 19 日，午夜。

遍地霜花，但我还是大敞着窗户。天空晴朗，月光如水，世界上设计得最规范、最美丽的花园就在眼前。"上有天堂，下有苏杭"，我确实到了天堂。我一贯认为，胎位正常，头先出来的孩子，生活对于他犹如一套新衣服，美丽而舒适。这样一个快乐幸福的孩子将步步高升，世界张开双臂热情地欢迎他。而臀位生下的孩子，为了降生人世盲目挣扎，在骨盆肌肉的挤压下艰难地通过扩张了的子宫颈，两脚朝下，进入一个充满奥秘的、洞穴般的世界。这样生下的孩子立刻踏上一条充满威胁的道路，每一个人生的转折都将伴随着凶险。能在这令人惊惧的人生之路幸存下来的人一定会有这样一种感觉——生命之初便走错了方向。那么，是不是每一个这样生下来的孩子都终生怀抱着不可动摇的信念——他还从未到达命中注定要到达的那个目的地。他会不会认为另外一个目的地，一个比他现在生存其间更为真实的世界正等待着他，只要能找到唯一正确的途径，便可以终于找到他人生的归宿。

我自己就是这样降临人世的，深信一生坎坷的原因就在于此，而且每天都怀着一种恐惶面对生活的真实。我经常找理由安慰自己："知足者常乐，奥古斯特。你已经长大成人，而且是一个受人尊敬的医生，不应该再为这种疑虑所苦。心神不定是年轻人的事情。你是怎样来到人世的并不重要。头先出也好，屁股先出也罢，对于一生的发展没有丝毫影响。重要的是你已经来到人世。人类只有一个世界，你就生活在这个世界里，别无选择，你应该快快乐乐享受余生才对。”

但是，内心深处回荡着另外一个声音。这个声音是生活经验的反应。它比那些骗人的道理更具说服力。因为空洞无物的道理只是劝导我们丢开心中的渴望，毫无怨言地接受生活中的重重障碍。这个声音则是本能的、不肯沉默的呼喊。“你要完蛋了，奥古斯特，”那个声音悲伤地喃喃着，“马上行动起来去寻找那个真实世界的入门之处吧！否则你将枉活一生。”回首往事，我一直遵从的正是这个声音不肯满足的喃喃。有时候，我认为是顺应潮流才走了这步棋。实际上，还是对这本能的呼喊做出的反应驱使我寻寻觅觅，一直从地球那边跑到地球这边。至于寻找什么，连我自己也不知道。我尽管生在汉堡，而且深受父母的喜爱，但是从小就知道，我不属于汉堡。这个念头给我的生活蒙上一层阴影。如果我和亲爱的父亲坐着雪橇穿过森林，一种怅然若失之感就会油然而生。仿佛眼前的景色不再属于我，而是另外一个时代，另外一个孩子的经历。

我被急急忙忙叫到冯太太的房间之前，已经在学者黄玉化这幢漂亮的典型的中国式住宅里小住了几天。时间虽短，一种眷恋之情已在心中萌动。此刻，我做好准备去面对任何不可思议的事物。命运之神把我领到这里，似乎就是为了这次会面。走进她的房间，我立刻看出这次痛苦的分娩已经持续了好长时间。显然，那两个老太婆本不想让我参与此事。只是因为一场灾难就在眼前，才迫不得已把我叫来，而且用心十分明显，万一出了问题，责任将由我承担。

屋子里光线很暗。我告诉他们，我还需要一盏灯。灯光照到她的身上，我看见婴儿的屁股露在母亲两腿中间，好像当头挨了一棒。这种感觉以前也有过——做特别复杂的人体解剖时，我常常走神，教解剖学的老教授会给我一个突然袭击。“看这儿，斯比斯！”他警告我，“当心点儿，不要出错！如果你想一辈子有所作为，就必须成功地闯过这一关。动手吧！”

婴儿的一条腿已经露在外面，另一条腿缠绕在身体上还卡在骨盆里，会阴已经撕裂。这种艰难的局面显然已经持续了一段时间。起初我还没有意识到冯太太骨盆的结构和男人的骨盆几乎完全一样，便按照通常使用的办法帮助她继续分娩。我做出这样的决定是不是因为出于比医学可以提供的经验更加缜密的考虑？想起父亲的描述，我意识到此刻我在马可·波罗所说的“天堂之城”碰到的情况和五十年前我在汉堡降临人世时遇到的麻烦一模一样。好像一只不停的钟为我奏响生命的乐章，好像经过半个世纪的风雨，在和汉堡相对的地球这边，我终于恰逢其时，恰逢其地，开始了新的生活。自从来到中国，我心中一直涌动着缕缕柔情。以前我常常对此迷惑不解，现在却茅塞顿开，豁然开朗。好像有一个天使飞进这个屋子，闪光的翅膀从我眼前划过，幻化出我自己降临人世的景象。我的心里充满了对冯太太和那个婴儿的巨大的同情，一种从未体验过的温情从心中升起，好像我自己正经历着这两个人所面临的危险。我明白，我终于面对了自己。

然而我是医生，无论是否因为这种幻觉而目眩，都不能站在这儿袖手旁观。我们又一起折腾了好几个小时，我使出浑身解数，运用了积累一生的经验，试图从紧锁着的骨盆中弄出那个孩子，可是一点儿用处也没有。孩子的脑袋还牢牢地卡在她的身体里。就在这时，我做出那个为了救母亲的性命，必须牺牲这个宝贵的小生命的决定。我抱着这样的目的走到她身边。精疲力竭的冯太太欠起身，用一种异乎寻常的声音命令我不要杀死她的孩子。在轻轻摇曳的灯光下，我们俩相互凝视着。我看出她绝不容忍我的这种想法，绝不答应有丝毫的退让和妥协。她的目光告诉我，如果今夜不能成功，她便不会再有前途。我毫不怀疑，她已经把生命的赌注押在这件事情上面，宁愿死，也不肯放弃。面对她如此坚定的决心，我自惭形秽，默默地放下手里的器械。

就像童话中切腹取肠的食人巨妖一样，明明知道我将给她造成巨大的、难以忍受的痛苦，我还是在她身边跪下，费尽九牛二虎之力，把手伸进已经撕裂了的婴儿降生之地，并且终于摸到孩子的脑袋。我摸到他的头盖骨，像对付一个顽固的泥球一样，设法校正他在宫腔里的位置，直到在我的手里，那似乎不是一个脑袋，而是相互分离的两个部分。冯太太像矗立于火焰之上的殉难者，被激情和痛苦折磨着，用怕人的声音鼓励我。我不顾孩子的死活，终于用这种残忍的、原始的办法，把孩子的头颅推出那个和男人的耻骨一样狭窄的骨盆。孩子的脑袋出来之后，已经扭曲得不成形状，左右两边错了位置，就好像这个生命的创造者十分笨拙，连人体之美最根本的匀称也不懂。我惊讶地发现孩子还在喘气。他的右眼周围留下了永远难以弥合的伤痕。

听到尖细的哭声，她抬起头，要看看孩子。看见是个男孩儿，她舒了一口气，嘴里喃喃着，向命运之神道谢。她似乎并不在乎孩子满脸的伤痕，怀着一种让我惊叹的满足，把他紧紧贴在胸口。母亲和儿子经过苦难的历程终于走到一起，无需再说什么，只有紧紧拥抱，从对方身上寻找慰藉。他们精疲力竭，沉沉入睡。我站在旁边看着，从来没有对人的诞生，对深沉的母爱有过如此生动的体验。我仿佛亲眼看见一个新的生命从母亲的血肉之躯成长起来。两个生命在这里融为一体。两个人既是分离的，又是一体的。同一块血肉分成两个个体。我站在那儿，疲惫不堪而又兴高采烈，被渲泄的感情托举着，就像被向上升腾的热浪推动着的小鸟，无需使劲儿就可以展翅翱翔，俯瞰荒漠与高山。我看到的则是生命的源头和人生的无定。我问自己，如果在我面前熟睡的这两个人是一个人，我会不会是这个整体中的一部分呢？毫无疑问，世界上只有一个家庭，只有一个故乡。我深受感动，默默地站在那儿，好像举行一场秘密仪式。其中的含义只有我自己知道。我做着这一切，就好像我是这个团体的神父、接生婆，和面对这个孩子的诞生以及我自己的再生而沉思默想的人。在举行我设计的这场小小的仪式时，我给这个婴儿取了一个名字：浪子。中文的意思是远游的儿子。我希望他一路顺风，而且知道，总有一天他会踏上充满焦虑的、寻找故土的道路。如果他像我一样走运，就会重新找到生命的源头。

这便是我对于这件事情的记录。月亮早已隐没在山峦那边，花园里一片黑暗。清冷的夜空繁星点点。老画家的诗句又回响在我耳边：辛勤半生方知真，南山脚下度余生。我想到黄的花园里散步，又怕惹他生气。我对他们的风俗习惯知之甚少。

1927年12月21日，下午3时。

她还在发低烧，但是身体恢复得很快，浪子喂养得也很好。他那有点儿错位的五官很难再恢复得连一点儿痕迹也不露。但是在母亲眼里，他是世界上最漂亮的孩子。她一会儿也舍不得离开他，更不愿意让保姆抱他。今天早晨，我听见她管他叫“和”。这个字是和谐、和睦的意思。我没有告诉她我对这孩子未来的预感。我们俩谁也不曾谈到这孩子和冯的相似之处。

回到住处刚半个小时，又是一顿丰盛的宴席。把黄家的美食称之为丰盛的宴席还不够，因为这种豪华宴席礼仪周全、规矩严谨，看起来更像宗教活动，而不像普通的家宴。像一切宗教活动一样，黄家的宴会也有一种戏剧色彩。至于于洪孟的烹饪技术，我简直佩服得五体投地。总而言之，不管他们把我看成出席圣典的君王，还是把我看成童话里的产婆蟾——生怕我施展法术，让他们的女人生下丑八怪——反正对我来说，吃饭是一天最辉煌的时刻。从打十二岁，我就一直盼望创造这样一个“众望所归”的角色。那年，我看了席勒[①]的《强盗》。那时候，我觉得戏剧比生活更伟大。因为我是从戏剧而不是从生活，第一次看到人们的理想可以自由表达。而这种理想对整个人类来说，更自然，更真实。

殷勤的、神情阴郁的“观众”在等待我。我走进黄宽敞的、

---

①席勒（Schiller，1759~1805）：德国诗人、剧作家、历史学家，《强盗》1781年完成，1782年上演，受到热烈的欢迎。为席勒的重要著作之一。

没有取暖设备的客厅，在正中放着的那张没有台布的柚木方桌前坐下。这张桌子和我坐的那把精工雕刻的椅子是这个房间唯一的家具。我的“行头”是一件十分漂亮的皮袍子。这是我来黄家头一天，于洪孟送来的。当时他一边叩头，一边紧张地喃喃着什么。后来，冯太太告诉我，这件皮袍相当值钱，整整用了 18 张银狐皮。皮袍领子紧紧箍着我的脖颈，下摆长及脚面，穿起来既舒适又暖和。穿上这件袍子我的身长好像增加了一倍。我很喜欢给人们留下这样一种印象——一个巨人，一个不合比例的人物，不再是我自己。

我来黄府的头一天便穿上这件银狐皮袍，坐在这张椅子上等待开饭。周围的环境虽然有一种新鲜之感，我还是等得心烦。因为饭迟迟不上，而我几乎两天没有吃什么东西了。房门敞开着，正对黄家大院。这个院子相当大，简直像个广场。我和冯太太是坐在冯的庞蒂亚克牌汽车横穿这个院落的。当时的场面倒也壮观，一副衣锦还乡的派头。此刻，院子里空空荡荡，我虽然饥肠辘辘，却没有什么可以分散注意力的东西，只有寒风卷起黄尘不停地旋转。我正寻思他们大概把我忘了，一位农妇走过来站在门口，直盯盯地看着我。她一动不动地凝视着我，就好像我不是一个和她一样有血有肉的人，而是博物馆里的一件展览品，是上个世纪一位伟大的苦行僧的复制品。过了一会儿，又来了一位农民，站在她旁边同样好奇地、直盯盯地望着我。

不到半小时，门口已经挤满来看我的人。他们默默地站在我的面前，挡住我的视线。有的人蹲在地上，有的人一条腿支撑着身体的重量，一副无动于衷的样子。还有的人干脆拿来破布缝成的垫子，铺在石板上舒舒服服地坐下，似乎要在这儿安营扎寨。他们相互之间并不说话，只是神情严肃地、直盯盯地望着我，信心十足地等着大饱眼福。似乎他们比我更清楚将要发生什么事情。我蜷缩在皮袍子里面，望着门廊上面的大梁，对他们的凝视和我自己的命运一副漠不关心的样子。我有足够的时间去想我目前的处境，和我在这些人眼里到底是怎样一副样子。我想，看到我这副打扮，他们一定觉得我像一个肥胖的、不成形状的蛆虫，或者一条蚕。这玩意儿在杭州非常出名。早在 13 世纪，那位威尼斯人访问他们之前，杭州人就已经大量养蚕。此刻，他们一定是等着用分给我的那份桑叶喂我。

我发现，语源经常能够从许许多多可能性中提供与我们随便想出来的某一个形象相对应的词汇。而这种看似偶然的选择，实际上是文化与历史引导的结果，远非兴之所致、信手拈来的比喻。于是，我进一步考虑，为什么要把自己和蚕联系起来？当然，首先因为我穿了这件皮袍子显得格外臃肿，和蜷伏在桑叶上的蚕有一种形体上的相似。不过，没有多久，自由驰骋的思想和勇于探索的精神便使我想起蒙田①的论述："恐惧往往由奇怪的幽灵而生，比如父亲和祖父的幽灵，披着裹尸布，从坟墓破土而出。对别人来说，他们则可能表现为 larva、恶鬼、专吃小孩的妖精、狮面羊身的怪物。"由此出发，我们可以揣摸出 larva 这个词最初的意思。在拉丁语中，larva 是指戴面具之人、隐藏了真面目的幽灵，或者还有待于暴露的存在形式。我立刻意识到，把这个拉丁语词汇引用到我们的语言里，比喻最初阶段变化的昆虫，完全出于想象，而没有什么科学道理，

①蒙田（Montaigne，1533~1592）：法国散文家。

或者仅仅是为了增加文学色彩。这个发现让我兴奋。larva 这个古罗马词汇如果作为面具解释，距离假面舞会里小丑一类人物只有一步之差。眼下，我就设计了这样一个假面舞会，而且我是唯一的舞蹈者。这个发现使我仿佛又回到不可思议的童年时代。为了保持现在的模式，我必须去追求什么。

于是，我每天都来这儿“登台表演”。这里的观众和上海电影院里的观众不同。他们不会因为电影没有按时上映而起哄。对于他们，我今天是哈姆莱特，和父亲的幽灵窃窃私语；明天是席勒笔下的强盗卡尔·摩尔，出没于波希米亚森林。对于神情专注的观众，一个热气腾腾的香喷喷的饺子无异于支持一个摇摇欲坠的王朝的栋梁。对于挤在门廊里衣衫褴褛的农民们，王朝的兴衰决定于我筷子的起落。我身着盛装，孤零零一个人坐在黄玉化老先生宽敞的客厅里，有于洪孟和他的助手服侍，摆脱了奥古斯特医生沉重的责任，无聊的抱负，成为舞台上的君王或者上帝。成了一个神秘的权贵，在每天指定的时间，怀着一种献身精神，表演一番。在这天堂之城，内心深处不再有声音呼喊，要我去寻找真实的世界。在这儿，每天有一两个小时供我生活在真实的世界。如果对此有所怀疑，只需扬扬眉毛或者弯弯手指，观众便会作出反响，从而证实我做的一切都有含义，没有一个动作是浪费。我的行为不会在发生的那一刻就被时间的长河淹没，并且冲刷得无影无踪。“奥古斯特，不要再寻找了！”心底的声音在呼喊，“你终于找到了归宿！”

我要是能再碰到当年的同学，并且告诉他们我的发现该有多好！我多么憎恶他们硬要我学习的哲学！康德、黑格尔、叔本华的名字，甚至他们著作可怕的标题都让我反胃。他们那些需要费心劳神才能弄懂的理论对我简直是折磨。我多么希望能在杭州把这些哲学大师暂且撇到一边儿，让他们看看，一座舞台、一个讲故事的人，一个观众，足以实现每一个人的愿望。

我并不孤单。在我等待于洪孟端来热气腾腾的饭菜之前，柚木方桌上还有一个新奇的玩意儿陪伴着我——一台黑色电话机。这个来自现代世界的洋玩意儿放在黄老先生标榜国粹的厅堂里实不相宜。我们是冯的地位与身份的象征：一个产科医生，一部电话。不过尽管只有我和它一起吃饭，我们很少说话。我宁愿没有这部电话。它不过是我在黄家合法性的标志。我的观众或许会怀疑，冯是不是藏在这个黑匣子里面？是他赋予我出入黄家的权利。我是唯一一个被允许进入黄府的洋人。电话和我是冯占领黄家的结果。冯的妻子莲虽然竭尽全力重建自己在黄家的权威，我们的存在本身还是使冯居于首要的位置。而我，说到底难道不是冯派来监视她的“情报人员”吗？这是复杂的机械学，我们生存的宇宙就靠这学说的原理推动。所幸电话铃不响，我基本上可以置之不理。可是当我看到我的一位观众把目光投射到电话机上并且在那上面徘徊游移的时候，我不能再无动于衷。我把这种情况看作我的表演缺乏权威性，而不能驱除世俗的恐惧。每逢这时，我对这部电话生出怨恨，即使它不响，也让我心烦意乱。

桌子上摆满了鸭肉、猪肉、小牛肉、三种名贵的鱼、猴头、可口的汤团、水果、各种蔬菜、热气腾腾的大米饭。米饭堆得像座小山，像维苏威火山[①]一样冒着缕缕“白烟”。于洪孟的

①维苏威火山（Vesuvius）：意大利西南部靠近那不勒斯的活火山。

助手一会儿来换一次，一会儿来换一次。尽管我无动于衷，他还是满脸炫耀的表情。他这样换来换去，我真怀疑端上来的还是同一碗米饭。今天还多了一道用刚采摘的梅花做的汤。眼下正是梅花盛开的时节，黄的花园里花团锦簇。我经常站在窗前观赏。花儿在微风中轻轻摇曳，隆冬季节，空气里弥漫着春的芳香。碗里的花瓣乍看像一滴滴殷红的鲜血。我觉得这是黄老先生的某种暗示，似乎告诉我，他也在看我的表演。从我不知道的暗处，从他的“包厢”里窥视。这些从花萼上掐下来的花瓣像白蚁抖落的翅膀，是表示他的赞成呢，还是表示他的反对？今天晚上我去看冯太太和她的儿子时，一边呷着香茶，一边聊起这事儿。她并没有对我的疑问作出回答，而是像平常一样找借口支吾过去。这个地方，什么都不是直截了当，总让你有一种置身于曲径迷宫之感，只有嗅觉灵敏才不会因为“别有洞天”而大吃一惊。

花儿总给我深深的慰藉。我在蓝颜色房门外面养的天竺葵在租界地尽人皆知。可是我并不喜欢拿花瓣做汤。我总觉得这是恶意和衰败的象征。就像弗勒尔斯·杜·摩尔——经常萦绕戈蒂埃[①]先生心头的朋友。鲜红的花瓣在汤盆灰色釉面的映衬之下格外触目，我无法视而不见。它们似乎一定要承担起传递信息的任务。我凝视着这些漂浮在汤盆里的花瓣，想起读书时做的血液凝固试验。手里拿着石蜡封闭的试管，隔一会儿看一下，试图计算出血液凝固的准确时间。梅花的花瓣在我这样漫无边际遐想的时候，已经由红变黑，粘在碗边儿上。汤晃荡着，

①戈蒂埃（Gautier，1817~1872）：法国诗人、小说家、美术和文艺评论家。

花瓣很快就漂散得到处都是。

1928年1月2日，晚。

圣诞节和新年过去了，这儿的人谁也不曾提到过这两个节日。我很高兴，它们属于我离开的那个世界。她的低烧早就退了，正在恢复健康。当然肯定不会一下子完好如初，但是你能感觉到青春的活力在她身上涌动。今天，她要我和她一起散步。天气挺凉，但是阳光明媚。我们抱着浪子走进储藏室那头的小院，不少仆人在那儿干活儿。一扇小门和大街相通，小门刚刚油漆过，闪着耀眼的红光。人们从那扇小门走进来，夸赞浪子，还向我投来好奇的目光。我觉得冯太太是有意叫我——从上海带回来的一件罕物——亮相。这儿的人一定认为上海是西方基督教徒的中心，也就是说，是洋鬼子居住的地方。走在她的身边，我不由得想起17世纪欧洲宫廷为了取乐把非洲人带到王宫的故事。我想，那些非洲人一定和我有同样的感觉。我穿着狐皮长袍，神情严肃，高深莫测，以极大的兴趣观察周围的事物。周围聚集了不少人，但我没有认出谁曾经是我的"观众"。后院的仆人穿得比较好，气色也不错，不像每天挤在门口看我吃饭的那些人一副食不裹腹的样子。于洪孟陪着我们。他不离冯太太和浪子左右，大惊小怪，小题大作，不时挥舞手中的竹杖，驱赶好奇的人群，似乎为了保持我们这几个人的尊严。不过我觉得那挥舞的竹杖更像一种仪式，因为院子里的人们全都毕恭毕敬，压根儿就没有必要以这种方式显示权威。我还注意到佣人们挤眉弄眼，比比画画，似乎在传递什么信息，或者对正在进行的这一切做什么评论。就像一股暗流伴随这场"仪式"

的始终，更像一群小鸟看见天上飞来一只凶恶的老鹰，在地上吱吱喳喳，跳来跳去，不知如何是好。他们一直面带微笑，或者哧哧哧地笑着不停地给冯太太叩头，送她礼物。于洪孟的助手，也就是那个没完没了给我换米饭的黑矮子替冯太太接过这些礼物。我相信冯太太对于这群人拥有很大的权利，而且必要时会毫不犹豫地使用这种权利。黄像平常一样没有露面儿，尽管我感觉到他正躲在什么地方窥视。他幽居独处，远离尘世，是另外一条蚕，躲在自己营造的蚕茧里。于洪孟是他与这个世界相联系的特使，他的哨兵和后勤部长。

1928 年 1 月 24 日，天堂之城。

今天晚上我去看望他们，浪子躺在一张雪豹皮上。我抱起浪子，打算给他检查一下身体，小家伙哭了起来。冯太太把他对雪豹皮的依恋看作一个好兆头。其实凡是和他的生活有关的任何一样东西都可以说是吉兆。因为她完全是按照自己的愿望为他选择用品、安排生活，怎么会有不祥之兆呢？我俯身看他的时候，他用凸出的右眼冷冷地看着我，好像是提醒我不要忘记我们俩神秘的关系。同时不无苦涩地告诉我，我的接生技术不怎么样。这是一个很让人动感情的时刻。我觉得我对他负有比带给他幸福安宁更大的责任。她硬说浪子已经表现出异乎寻常的聪明。我倒看不出有什么特别之处。不过这个孩子不太像只有几个星期的孩子。他那副长相看起来像大人。有一种历经沧桑、饱受凄风苦雨折磨之感。他酷似父亲，就连浓密的头发也和冯一样在头皮上直立着，犹如一团乱草。她往他手里塞了一支毛笔，小家伙抓起来在空中乱晃。原因很简单，像他这样大的孩子还不会松手扔下任何东西。冯太太高兴得叫了起来，就好像是他自己爬到墙角抓起那支毛笔的。假如我让他抓我的胡子，毫无疑问他也会紧抓不放。那么她会不会也认为这是什么兆头呢？我没说什么，心里明白不可能和她讨论她不想讨论的事情。我是她的非洲人。

1928 年 1 月 29 日，天堂之城。

今天下午和往常一样我吃饭的时候，忠实的观众密切注视着我。我正吮一块在蜜糖一样浓稠的、味道十分鲜美的调味汁里浸泡过的猪排骨，电话铃突然响了起来。围在门口看我吃饭的人连忙退后几步，我也吓了一跳，差点儿扔了手里那块排骨。我连忙擦干净手指，拿起听筒，紧紧捂在耳朵上。起初只能听见一阵嗡嗡声、嚓嚓声，后来渐渐听出许多人在电话里说话，飘飘渺渺，隐隐约约。那超越肉体的声音向充满神秘的无限的宇宙传递信息。像空幻的呓语不曾相交而是在各自的轨道上"擦肩而过"，又像颗颗流星在感光板上留下条条轨迹。没有目的地的信息。就这样，我一边听这些莫名其妙的杂音，一边小心翼翼地重复我的问候："哈罗！我是奥古斯特·斯比斯，在黄玉化老先生家里。"我费了好大力气才从听筒里一片乱哄哄的噪音中，听出冯的声音。"奥古斯特，是你吗？"于洪孟和他那位端米饭的助手听见电话铃声，已经跑到厨房门口。他们像舞台监督和导演一样，站在门口紧张地张望着。我把听筒紧紧贴在耳朵和嘴巴上面，大声喊，我确实是奥古斯特·斯比斯。可是除了电流的嗡嗡声和不知道从哪儿传来的人们的叫喊声之外，什么也听不见。过了好大一会儿，冯的声音才像一个溺水的人终于浮出水面。“奥古斯特！”他喊道。

冯一定说了好长时间，但是他的声音就像傍晚盘旋在空中的千万只鸟儿中的一只燕八哥的叫声，不管我怎样屏住呼吸，闭着眼睛，也无法听清。“那个男孩儿，奥古斯特？”是我唯一听清的一句话。过了一会儿，又飘飘渺渺传来一句：“那个男孩儿？”

“他很好！”我大声叫喊着，憋足劲儿又用更大的声音喊道，“他很好，长得挺棒！”我屏声敛息，听了好大一会儿还是听不见冯的声音，只好慢慢地放下听筒。人们都瞧着我。于洪孟和他的助手也站在“舞台侧面”看我。整个前厅回荡着我的叫喊声。我是不是表演得太过火了？没有人鼓掌。一个演员如果没有掌声鼓励，很难弄清自己到底演得如何。于和他的助手相互瞥了一眼又回到厨房。别人还站在那儿看我，满怀信心地等待一个让他们满意的结尾。

1928 年 3 月 10 日，杭州。

我再也不会满怀热情地把这个地方叫作天堂之城了。我的观众总算心满意足了。事情是这样的：春天到了，我知道不久就要返回上海，何时再来造访很难预料。于是几天前便决定外出一游，实现多年来的愿望。我没有告诉冯太太。自从来到杭州，我们连大门也不曾迈出半步。我怕她不同意我的计划并且设法阻止我。平常，我总要对着丰盛的午餐坐上两三个小时，可是今天只吃了几口点心便准备上路。

我穿着那件有点儿鬼气的皮袍子，头戴一顶挽着鲜艳的红飘带的草帽，只吃了两个汤团就从我的“宝座”上站了起来。

坐在门口的人们没有预料到我会有此举，全都站了起来。平常我都是穿过客厅回到住处，今天我却勇敢地朝我的观众大步走去，想从他们中间穿过，出前院，上大路。

可是那些人满脸严肃，一动不动地站在门口并不让路。我面带微笑，犹豫着给他们叩了一个头。从桌子旁边站起来之前，我把眼前的景象想象成维也纳交响乐团正在举行盛大演出，比方说，正上演《阿里亚德尼》。我自己就是洛蒂·莱曼[①]，在幕间休息的时候，向我的崇拜者们走去。他们则像红海在摩西[②]的权杖面前分开一样，立刻恭恭敬敬退到两边。但是他们一动不动堵在门口，我只好停下脚步。我们紧张地相互凝视着。他们身上散发出一股难闻的气味，不由得使我想起在上海徐家汇贫民区为贫病交加的中国人看病的情形。只是现在没有翻译陪伴我，没有一个中介人向他们说明我良好的意图。我只能面带笑容，硬着头皮从他们中间走过去，嘴里唠唠叨叨说些他们听不懂的客套话，拍拍老太太的肩膀，摸摸小孩子的脑袋，就好像我是复活节来到会众当中的罗马教皇。他们并不退让，而是像校园里一群恃强凌弱的男孩儿，把他们的牺牲者围在当中推来搡去。我奋力向前，气喘吁吁，帽子歪在一边。周围是一张张充满恶意的面孔。现在我已是网中之鱼，他们反倒有点儿不知所措。我趁机大喊一声，猛地冲出罗网，本以为他们会追上来，但是没有。我咄咄逼人的气势一定压倒了他们。走到门口我回转身，看见他们还紧紧地站在一起，就像一群吓坏了的羊，

①洛蒂·莱曼（Lotte Lehman，1888~1976）：住在美国的女高音歌唱家。

②摩西（Moses）：《圣经》中希伯莱人先知，曾率以色列人逃脱埃及人的统治。

挤在一个小角落里，目送一条扬长而去的饿狼。我松了一口气，大笑着朝看门人挥了挥手，让他把门打开。我想，他们之所以以这样一种敌对的方式对我，一定是看到我猛然离开餐桌向他们走来，感到迷惑不解，甚至认为我会加害于他们，才作这番抗争。谢天谢地，没有发生什么让人难堪的事情。

走上大街，我立刻把这件不愉快的事情扔到脑后。我迈开大步，乐呵呵地朝前走着，那两扇黑漆大门在我身后吱吱呀呀关上，门板发出敲鼓似的咚咚声。我不相信什么吉凶预兆，占卜算命。我认为，在这些人当中我是赐福者。天气晴朗，微风从山那边徐徐吹来，是一个步行的好日子。我自由自在，非常快乐，期待着在这里经历什么惊险之事。这是天堂之城初春的第一天。它完完全全属于我。我要为我自己祝贺，我是生活在中国最幸运的外国人。

悬铃木刚刚绽开新芽，别的树木已经花满枝头。我在大街上兴致勃勃地走着，全然不管人们好奇的目光。我满怀发一笔大财的希望，想象着已经在古老的瓷窑旧址开始发掘，而且一定会找到南宋初年宫廷里使用的青瓷器皿。对于西方学者和收藏家，这是难得的珍宝。这将是我从沉睡千年的瓷都旧址亲手找到的标本。它具有无可置疑的准确性和权威性。我将把它们当作检验我收藏的那几件瓷器的"试金石"，也可以根据它们的质地鉴别将来可能得到的瓷器的真伪。不过最让我兴奋的是搞到几块年代久远的破陶罐的碎片。这个想法简直把我变成朝拜圣山的香客。也正是由于这个原因，我犯了一个对我自己尚可解释的错误。

如果我能停下脚步仔细想一想，就会发现，我现在正去的凤凰山瓷窑由于年代久远，早已被层层叠叠的建筑物所覆盖，根本无法找到当年的遗址。如果真想得到什么陶瓷碎片，就应当往西南方向走 1 英里多，到年代稍晚的桥安瓷窑去寻觅。但是我竟然没有停下来想一想。我被一股盲目的热情驱使着，脑子里充满了幻想。我是从“舞台”上的盛宴一下子跑到这儿，向凤凰山下埋藏的瓷窑进军的。就好像观音菩萨在召唤我，命令我马上来这儿。

我沿着尘土飞扬的道路迤逦而行。路越来越窄，路上的农民越来越多。我想起小时候一件快乐的往事。也许因为感觉到已经接近寻寻觅觅的终点，我的思想自然而然又回到它的起点。八九岁的时候，我曾随父母和姐姐去罗马旅游。我一直记着我和父亲跪在一片旷野搜寻古物的情形。就像一个梦境，不过那确确实实是往事在脑海里留下的记忆。那时我不过八九岁的光景，当然不会想到就从和爸爸一起跪在旷野寻觅的那一天起，我就成了一位收藏家，并且开始了我的事业。我已经不记得妈妈和姐姐那会儿上哪儿去了。她们也许远远地望着我们，也许在干她们自己的事情，也许就待在我们身边。不管她们干啥，反正不在我的记忆之中。在我记忆的屏幕上，没有她们的影子，只有我和父亲。当然，真实的历史并非如此。我们在古罗马的废墟上寻找碎陶片、古币，或者雕像的残片。我们非常虔诚，充满敬畏，深知自己的渺小。我们已经来到文明的发祥地，我们是这发祥地的崇拜者，真诚的信仰者。今天，在当代人的生活中，大家都充满信心地展望未来，如果有谁建议你回顾过去，就会被人们视为异端邪说，左道旁门。我们自己也常常觉得，从几代人之前的历史汲取力量，寻求鼓舞，未免荒诞可笑。但是我的父辈，尚且活在人世的长辈们，仍然孜孜不倦地阐述古典文化、传统习惯的价值，仍然把那遥远的时代看作所有好的、正确的东西的源泉。尽管童年的一切早成往事，但我仍然相信父亲的想法和做法是正确的。母亲从来也没有机会就这些问题发表自己的意见。我只记得，我离开德国的时候，她非常伤心，好像已经知道我们母子再也不会相见。

我和父亲之上是湛蓝的天空，只有几朵白云在慢慢地浮游。我们周围是一条条令人眩目的道路，大理石台阶，残缺的圆柱和古建筑的断壁残垣。石头的缝隙里长出难以计数的黄色的蒲公英，有的已经结籽，毛绒绒的花冠在微风中轻轻摇曳。我采下一个毛绒绒的花球，轻轻地吹，在心里默念一个愿望。那愿望是什么，如今早已忘却。只有那个毛绒绒的花球在唇边轻轻颤抖的镜头，仍然十分清晰地印在我的脑海里。

我一边向凤凰山走，一边想，人们的记忆真是一架奇妙的机器，可以进行多么精巧的编排和剪辑。正想得出神，突然帽子被什么人从头上打了下去。我弯腰去捡，有人又从后面猛地把我推倒在地。我跌倒的时候，并不惊慌，寻思一定是无形中卷入一场混乱，一会儿就能解释清楚，一切都会恢复正常。事实上，我甚至没有中断刚才的思路。我感觉到，或者相信我感觉到，周围是一片无需怀疑的、温暖的友情。跌倒在地的时候，我甚至有足够的时间研究尘土的结构。这黄色的中国土路和令人眩目的古罗马大理石人行道形成鲜明的对比，并且给我留下深刻的印象。我相信一定会有人伸出援助之手扶我起来，并且向我道歉。因此，居然还有心思去想，千百年来文人墨客曾经用多少聪明的格言和谚语形容这普普通通的泥土。

没有人过来帮忙，我便自己爬起来，转过脸看到底是谁把我推倒的。可惜还没闹清怎么回事儿，一块石子便打到我右眼上面。这时我才发现一帮人已经把我团团围住。他们叫喊着，相互鼓励着，爆发出一阵阵野蛮的呼喊。我想，一定是身上的皮袍子坏了事儿，他们把我当成恶霸地主了。用不了多久，这些鲁莽的家伙就会发现自己犯了错误。但是棍棒石头还是不停地朝我身上打来。我手无寸铁，只能抬起胳膊，保护自己的脑袋不被袭击。包围我的是大约十二三个青年男女。我挣扎着又一次爬起来，希望他们看清我的面孔，认识到自己的错误。然而我从他们的目光中看到的是凶狠和惊恐，我立刻害怕起来。他们尖叫着，挥舞着棍棒，有时候一个人，有时候两个人向我冲来。因为过于激动和害怕，石头、棍棒有时候打在我的身上，有时候打在自己人身上。幸亏皮袍子挺厚，疼痛尚可忍受。

周围很快聚集了一群人。这些过路人以中国农民千百年来形成的方式冷眼旁观，对我的处境无动于衷——他们似乎是从历史的高度看待别人的不幸与痛苦。不管妇女在上海门洞里生下一个死胎，还是洋鬼子在杭州街头遭人痛打都一样。没有什么可大惊小怪的。他们只是停下脚步看上几眼便各走各的路，这种事情没法干预。因为遭受磨难的人并非人类中的一员，而是想象之中的一个物种。我从那些旁观者中认出我的一位观众。她第一个站在黄家大院餐厅门口看我坐在柚木桌旁吃饭，好像我是博物馆里一件展览品。此刻，她目光中的表情和看我吃饭时的表情完全相同。好像这是那出戏的最后一幕——年轻人杀戮洋鬼子。

就在这千钧一发之际，袭击我的人听到不断响着的汽车喇叭声。他们放下手中的石头和棒子，冲出围观的人群。人们惊讶地看着他们，就像舞台上的演员出人意外地跑到观众席。庞蒂亚克牌小轿车慢慢开过来，在我身边停下。俄国司机从汽车里面钻出来，把我从地上扶起。我向他道谢。面无表情的观众还是不动声色地凝视着我们。这出戏出现了不曾预料的转折。俄国佬摘下他的皮手套，递给我一块白手帕。我有点莫名其妙，他朝自己的右眼眶指了指。他眼巴巴地看着我擦掉脸上的血迹。血不多，只是擦破点儿皮。从他凝视的目光中，我看到一种嘲讽和幸灾乐祸的神情。冯对我说过，这个家伙号称沙皇时代的一位王子。十月革命之后，许多逃亡到国外的俄国佬都称自己是王子。我不知道他是否也住在黄家。从来杭州那天，我就一直没有看见他。他不顾我的反对，硬把我塞进汽车后门。

汽车里面一片淡蓝，冯太太凝视着我。我爬进去坐在她身边。她问我受没受重伤。我告诉她没有，还说多亏了这件皮袍子。“不管怎么说，”我说，“他们并不想特别加害于我。”话一出口，自己也吃了一惊，因为我并不相信果真如此。我觉得特别兴奋，就像喝多了酒。我甚至想开怀大笑，好不容易才克制住自己，作出一本正经的样子。冯太太神情冷峻，脸上好像挂了一层霜。道路不平，行人很多，汽车时起时伏，宛若大海里荡漾的小舟。我俯身向前，像个醉汉，有一会儿我的脸和她的脸离得很近。俄国佬不停地鸣着喇叭。她端坐在一边冷冷地注视着我。“真让人难以置信，斯比斯医生。”她终于说。

我背靠车座，朝她眨着眼睛，极力不露出微笑或者歪倒在她身上。

“如果我没有及时赶到，再有几分钟他们就会把你活活打死。”

“啊，不会，肯定不会！”我表示反对，“如果你看到当时的情形，就会发现他们远比我害怕。”

“他们要杀人。而杀人，甚至暗杀也是让人害怕的活儿。”她说，似乎是对从另外一个时代来的人解释什么，而这个人又无法从她的解释中受益。

我无法相信事态会如此严重。经历了这场变故，我居然还沉浸在关于罗马的温馨记忆之中。湛蓝的天空，大理石裂缝中长出金黄色的蒲公英。我觉得那些旁观者是对的。刚才天地之间那个穿狐皮大衣的人不过是一个想象之中的物种，我转过脸望着冯太太：“你怎么知道我在这儿？”

“全杭州的人都知道你在这儿，大夫。”她说，毫不掩饰对我的轻蔑，“不过不知道你要到哪儿。”我觉得她对我已经很不耐烦了。不过我没法校正自己使她满意。

我告诉她，我是想去找瓷窑。

“那么，你走错了路。”她对我说。

现在我才意识到往凤凰山走是犯了一个错误。应该往西南方向到桥安才对。我为自己的愚蠢而震惊，居然没有早一点儿认识到这个明显的错误。看起来，我今天所做的一切都是身不由己。我经历了不曾经历过的事情！舞台突然全部熄灯，记忆突然一片空白，或者冥冥之中一只无形的手巧妙地掩盖了我的真实目的。想到这儿，我惊讶地发现自从走出黄家大门，我居然把自己走过的路忘了个一干二净。只有当我跪在大路上，黄尘扑面而来才是这天早晨最真实的东西。

“你出去之前为什么不问问我呢？”她非常生气，“我可以让于洪孟陪你，你就不会迷路了。”她掉转脸向车窗外面张望。“再说，我也可以和你一起出来嘛。”

“真对不起，夫人。”我可怜巴巴地说。在杭州期间，我和她的一言一行本来应该受那些彼此虽然不曾约定，但都心照不宣的规矩所约束，现在我却没有遵守。我让她失望。我不是她想象的那种人。我还能恢复今天早晨在她心目中失去的地位吗？道歉的话还没有出口，我就知道一定是些华而不实的言词。这是父亲为我编造的。在我大声用英语说出这些话之前，我仿佛听见父亲用英语说了一遍，“我已经明白，我判断失误，让你为我担心，还给你带来那么多不必要的麻烦，夫人。”她哼了哼鼻子。我清了清嗓子继续说：“非常抱歉，诚心诚意地请求你原谅。”她还是一言不发，把头转到一边，望车窗外面的景色，好像我压根儿就什么也没说。她的沉默让我很不舒服。我希望她能原谅我。过了一会儿，我实在无法再忍受她这种不理不睬的态度，硬着头皮又说：“不管怎么说，没出什么大事儿。”

她苦笑着，说：“袭击你的那些人肯定不会同意你的看法。”她向车窗外面望去。农民们背着很重的东西，艰难地向前走着，仿佛上赌场；要么就是生活在魔鬼统治的地方。最令人讨厌的错误只要见的多了也会不以为然。倘若真正认识到人类生活中的荒谬与不公平总得吓你一跳。

“没出什么大事！”她转过脸望着我，目光中充满愤怒、厌恶和轻蔑。我出于本能蜷缩在一个角落。“你来中国二十年了，对它还是一无所知，斯比斯大夫。对你横加指责没有用处。在这儿，你是靠了冯的势力的保护。如果他们没有把你离开黄家的事情及时报告我，你早就没命了。你如果真的死了，后果很难预料。现在呢，由于你的愚蠢，今天趁机袭击你的那些人将不可避免地被处死。是的，这次要死的是他们而不是你。因为他们不可能长久地躲藏起来。冯和你的朋友警察局长将悬赏捉拿逃犯。按你们的标准，赏金不会太高，但是在我们中国已经足够了。‘没出什么大事儿！’说得轻巧。已经出了天大的事情！”她提高了嗓门儿，无法控制心中的愤怒，“你惹下的这场大祸会没完没了地延续下去。这是恶性循环，斯比斯大夫。谁也无法制止，即使你们都离开中国也不会停止。你什么也不懂！”她向我俯过身轻声问：“这些可怜的人被处死的时候，你去看吗？去吗？回答我。当他们被五花大绑，关进警察局的小院里，受尽凌辱，饥饿难忍，浑身肮脏，毫无希望，吓得要命的时候，你会不会趾高气扬地从他们面前走过，朝他们脸上吐唾沫，让他们知道，看到他们的死，你是何等高兴！你会不会让他们知道，你对他们恨之入骨，就像他们与你不共戴天一样？你会不会使他们确信，他们的死是罪有应得，是因为被真正的敌人所击败？他们的死会不会使你更加尊贵，斯比斯大夫？以某种方式——我尚且不明白的欧洲人的方式。如果的确如此，请向我解释，我将感到非常满意。治外法权？这种权利对你们意味着什么？你们为什么要在一个被你们占领的国家发明这样一种法律？它的实质是什么？我想，对此我还是略知一二。”她往柔软的蓝皮革靠背上靠了靠，深深地吸了一口烟。“你不会朝他们脸上吐唾沫，对吗？你不会记恨他们——这或许是他们死亡的唯一的意义之所在——你会原谅他们，并且以此表现你的宽宏大量。但他们照样会死。”她大笑起来，“你瞧，斯比斯大夫，尽管你不了解我们，可我了解你们。你所珍视的是人的性命，对吗？不是生命的价值，仅仅是人的性命。就像一块金子，好也罢，坏也罢，贵也罢，贱也罢，反正总有它自身的价值。对于你，一条命就是一条命。这很荒谬。就像你们的民主。你们认为是从希腊人那儿学来的，可希腊人拥有奴隶！一个人选另外一个人。多么愚蠢的想法。在你们眼里，最坏的和最好的具有同样的价值。你们没有办法对他们加以区别。”一缕青烟从她嘴唇之间流出。“我想，你会为他们的减刑做一番努力，将来嘛，他们可以再瞅机会杀你。”她掉转了头。

路上有一个坑，汽车颠簸了一下，车上的人像木偶一样，肩膀撞到一起，先是向右歪了一下，然后又回到左边。在车窗蓝色窗帘的映衬之下，很像木偶戏《帕克和乔代》[①]里两位主人公争吵的样子。她说得很对。袭击我的那些年轻人的命运让我害怕。汽车向前行驶，谁也不说话，只是凝视车窗外面的景色。我们从极度的贫穷、肮脏、人性的堕落中驶过。今天早晨，我竟一点也没有注意到这些阴暗面儿，只看见明媚的阳光，盛开的鲜花。俄国佬虽然不停地鸣笛，但是毫无用处。人们在马路上不慌不忙地穿行着，车头碰到屁股也不在乎。汽车隔一会儿就得停下来，给那些重载的车或者迈着方步的人让路。喇叭不断地响，但是没人理睬。如果徒步，肯定早就走完了这段路程。我仿佛一直在梦中。罗马的蒲公英在眼前轻轻摇曳……

就好像故意让我不安一样，汽车开进敞开着的大门时，冯

①《帕克和乔代》（Punch and Judy）：英国家喻户晓的木偶戏。剧中主人公Punch弯鼻驼背，与其妻Judy专事争吵。

太太说："斯比斯大夫，我到那儿可不是为了救你的性命。"她一字一顿地说出"我到那儿"四个字，似乎是冒着生命危险跑到文明的警戒线那边。她回转头望着我说："我去那儿是为了救我自己，求我儿子的前途。"她已经不再怒气冲天，只是冷冰冰地望着我，"你是一个被独自一人留在厨房的孩子，不但烧着了自己，还差点儿烧了那幢房子。然而，受惩罚的不是你，是把你留在厨房里的那个人。我希望你能理解这一点。我要你理解这一点！"

这些事情发生在一个多星期前。一切都变了。我虽然在中国待了这么多年，但从来都没有像现在这样觉得离他们如此之近，而在他们中间又完全是一个陌生人。坐在敞开着的窗户前面，我已经写了整整四个小时。现在已是凌晨两点。刚才还在淅淅沥沥地下雨，现在花园里已是雪花飘飘。我的手冻得连笔也捏不住。雪覆盖着廊檐，黑暗中仿佛闪着绿色的磷光。从那天起，我一直无法安睡，经常半夜醒来，想那些可怕的事情，想袭击我的那些年轻人目光中的恐惧。我仿佛看见他们已经被投入监狱，有的脖子上勒着绳子，有的五花大绑，有的手和脚捆在一起。这些孩子成了我的牺牲品。我成了杀害他们的刽子手。在这可怕的一幕面前，难道没有无罪的旁观者吗？如果没有，我们也是行刑者、强奸犯、盗贼吗？或者是最下流的恶棍？如果逃脱不了这种种罪责，我们的道德还有何用处？无论白天还是夜晚，我都怕听到电话铃响，怕听到冯告诉我，他们已经被逮捕。

唯一没有变化的是对那个男孩儿的爱，而且这种爱与日俱增。他是与我同名的人，另外一个浪子，是我命中注定的归宿。我亲手把他接到这个充满艰难的世界。

1928 年 3 月 15 日，杭州。

我的提包已经收拾好了，就放在脚边。俄国佬 5 时 30 分来送我上车站。我坐晚上的车到上海。

她还没有消气，我连和浪子告别的机会也没有。她从凤凰山救我回来的第二天，我像平常一样走进客厅。通向前院的门廊空无一人。我身穿皮袍，坐在桌子旁边等待着。没人露面，连院子里也没有一个人影儿。一个小时过去了，于洪孟没有给我端菜送饭。我坐在那儿继续等他。黄老先生或许正在他的隐藏之地偷偷地看我这副可怜相呢！我几乎有点儿盼望那个妇女再来看我，把我当成她的观察对象。我现在是个什么人物呢？她会怎样看待我呢？第一个来看我的就是她。我被打倒在地的时候，她就在围观者当中。莫非是她提前跑出去组织了这场袭击？于洪孟终于给我端来一碗汤。那汤淡而无味，他连一把小勺也没有给我，我只好端起来就着碗边儿喝。送米饭的那个人也没有露面儿。我望着空空荡荡的院子，心想，我曾经是个了不起的演员，现在却成了一文不值的乞丐。我们每个人都背着巨人才能背得起的重负。

昨天，我终于见到她的父亲——国画家黄玉化。此次相见和我的想象有很大的不同。尽管冯太太下决心重振黄府，这个宅子，是处于衰败破落之中，一派树倒猢狲散的架势。奇怪的是，只有这个星期我才注意到这一点。这个地方终将变成一片废墟，她的努力只能是白费力气。

裹着那件皮袍子——现在它似乎也与我为敌——我没精打采地从饭厅回来。我浑身僵硬，大概因为等得太久的缘故。一方面饥肠辘辘，一方面受消化不良之苦，再加心情不好，我突然变得苛刻起来——我相信这种态度与我的本性相悖——开始有滋有味地观察周围种种衰败的迹象。那排褪了色的红柱子虽然给门廊增加了威严与光彩，但廊柱的地基已经下沉。长廊顶部有许多裂缝，还有不少地方露天。我有点幸灾乐祸，心想这幢房子不会维持多久了。等浪子能记事的时候，它或许已经不复存在。突然，我意识到黑魆魆的走廊里站着一个人。我急忙停下脚步，心想难道在黄府的宅子里也要遭人暗算？不过，我立刻看出，这人并无恶意。

是黄老先生。他站在离他的书房和卧室只有几步远的地方，前面是通往花园和里院的走廊，雕梁画栋，倒也气派。转角凉亭下面放着几把椅子，椅子上铺着皮坐垫，似乎经常有人在这里小憩。黄老先生正在等我。他的身材和我差不多，稍微矮一点，也瘦一点。他虽然算不上魁梧，但有一种让人难忘的威严。他穿一件黑色长袍，两只手握在一起放在前面，脑袋稍稍前倾。看见他，我心底又萌发出一点希望。我想，他是一家之长，现在屈尊来这里等我，一定是为了对受尽屈辱的客人表示忏悔。他希望我明白，女儿对我的惩罚和他没有关系。想起上次我曾经给那些堵在餐厅门口的观众叩头，心里好不舒服。我向黄老先生快步走去，按照欧洲人的礼节鞠了一躬。我们这种礼节既表示了对对方的尊敬，又不失自己的尊严。他双拳紧抱，向我作了一揖。我没有弄明白他的意图，直到看见他手里拿着一个小圆盒才疑云全消。这圆盒显然是送我的。啊！我高兴地想，一缕希望之光带着暖意在心中跳荡，他是用这件礼品表示赎罪的！我从他手里接过小盒，连连道谢。我还想说点什么，黄老先生已经回转身走进书房，随手把门紧紧关上。我望着那扇门，脑子里面一片混乱，不知如何是好。我有心上前敲门，哪怕和他在一起待上几分钟，表示自己对黄老先生的尊敬。可最终还是没敢冒昧地打扰他。他给我的到底是什么呢？

我回到自己的房间打开那个圆盒，看见一样东西躺在又细又软的干草里，屋子里立刻溢满秋天的芳香，让我想起郊外的野餐。扒开干草，我看见里面放着一件名贵的青瓷。我小心翼翼地把它取出来，原来是个形状像莲花的茶杯。

这是我见过的最为精美的宫廷监制的青瓷。它放在我面前那张桌子上，釉面由蓝到绿变化着，就像一块冰在凉嗖嗖的日光和暖融融的灯光交相辉映之下，放射出梦幻般的光彩。毫无疑问，这是凤凰山技艺精湛的工匠为南宋某位皇帝制作的。如果一个收藏家的审美情趣是通过他收藏的艺术品表现的话，那么这个茶杯标志着我的收藏已经到了顶点。或者，我将不无伤感地说，如果我还在搜寻的话，这个茶杯将表明，自从我和父亲在那一碧如洗的晴空下，跪在古罗马的废墟里开始的搜寻已经到此结束。如果我在试图寻访凤凰山瓷窑之前得到这个茶杯就好了。那时候，我像一个天真无邪的孩子在瓷都寻梦，而不是一个蓄意杀人的刽子手。

黄老先生把他最精美的莲花杯送给了我，他的莲！但我没有资格接受如此贵重的礼物。我拿起杯子，放到眼前细细端详，釉面变成鸽子羽毛那种闪闪发光的灰色，漂亮的裂纹在变化着的光线下清晰可见。我非常激动。这件美丽的、珍贵的工艺品不属于我，我永远不能拥有它，但我也不会把它还给黄玉化先生。因为黄家老宅坍塌之时，这件精美的艺术品将和它的主人一起葬身于废墟之中。我将暂且替黄家保存这件无价之宝，有朝一日还给浪子。我将把这个塞满干草的盒子原封不动交给他。“瞧，这是好几个世纪以前最漂亮的青瓷，是皇家专用的宫廷制品。它是你的，从前它属于你外祖父——著名的国画家黄玉化先生。我曾经有幸在他的府第住过几个月。”是的，我将把这个杯子和与它有关的美好记忆珍藏起来，直到浪子长大成人。对于我，它只能是偶然得到一件幸存的艺术珍品，一件让我想起蕴含着谦恭、克制、忍让、内省的古老文明的纪念品，一个不无悲凉之感的记忆。但我现在并不觉得悲伤、苦涩，我觉得惊讶。我到底想要得到什么呢？也许我从来就不是一个古董收藏家。我对古物的兴趣是不是就此完结了？如果需要补偿的话，学者寄希望于过去，刽子手寄希望于未来。

1928 年 3 月 17 日，上海。

从冯的公馆回来之后，我很晚才上床。我们在一起吃了一顿晚饭，我向他做的汇报完全是一个杜撰的故事。我怎么能把真实情况告诉他呢？经过一番精心剪裁和艺术加工，我原谅了每一个人，包括我自己。我想，他根本不相信我的话，或者压根儿就没听我说了些什么。

“真不敢相信我有了儿子，”他对我说，“我盼儿子盼了多半辈子，但是让我心满意足的是企盼之中、想象之中的那个儿子，而不是这个活生生的儿子。你有什么好建议呢？”他问我：“怎样才能驱除那个虚幻的影子，把全部钟爱都给这个真实的孩子呢？”

我建议他应该有耐心，应该和儿子一起生活一段时间，慢慢地了解他。“你们的父子之情将与日俱增，C·H·冯。”我说。但他好像没有听见我的建议，而是信马由缰，说起他从来没有去看过住在澳大利亚的亲戚，并且深感懊悔。“成年之后，我本来可以把这儿的事情安顿好，再回去体验一下我仍然是他们的主人的滋味，可惜一直未能如愿。”他看着我问道，“奥古斯特，你快乐吗？你有没有什么梦寐以求的事情没有办到而引以为憾？”

我回答说，我这个人很容易满足。“没有什么不快乐的。”我说。其实他并没有听我说话，而是把他那杯法国红葡萄酒在桌上推来推去地玩。他不喜欢法国葡萄酒，只是为了证明自己已经“全盘西化”才喝点。他对我说：“我不想见那个孩子。”他直盯盯地望着我，看我会作出怎样的反响。“是不是想看儿子的心情和想看一位情人或者朋友的心情一样？愿望就是愿望。对吗？”他举起杯子一饮而尽，然后又倒了一杯。这豪爽倒让我大吃一惊。“饥饿，”他不耐烦地说，“如果只是对猪肉的奢望，或者对米饭的渴求，那么这二者之间并无区别。对吗？如果一个人尚可在这二者之间加以选择，他会做出自己的抉择；如果没有选择的余地，只好听其自然。我渴望得到心灵之中、梦幻之中那个儿子。怎样才能满足这种渴求呢？”

他的心情十分复杂，因为喝了酒更如一团乱麻。我没法儿跟他讲什么道理。他只想对我讲那些让我迷惑不解的问题，并不想听我对此做出什么解释。他像一条愤怒的狗，只想争论。想让别人发表不同的意见。我要走的时候，他一直把我送到门口，还为自己的不可理喻向我道歉。然后，他伸出一条胳膊，搂着我的肩膀，说："打你的那些人当中有两个我们已经知道了，现在正在监视他们，很快就能把他们一网打尽。不要害怕，奥古斯特，我们会为你出这口气的。"

但是我知道，他们不是为了我才追捕凤凰山那些倒霉的年轻人。我这本小小的日记还不足以为冯这样一个操纵国计民生的大人物作传，需要马基雅弗利[①]那样的著述家将他写进历史。

1928 年 4 月 20 日，上海。

一场梦。昨天夜里我又做了这个怪梦。已经好几次了，到底多少次，我也记不清。每次或多或少有点儿不同。时间是 1926 年而不是 1928 年，我们三个人参加里尔克[②]的葬礼。葬礼不是在德国举行，也不是在中国举行。我们挤在人群当中，起初一切都很正常。后来，我发现怀里抱着浪子的冯太太被人们挤得离开了我。我们相互微笑着，招招手，让彼此放心，而且尽力往一块儿挤。可是我和她之间的距离越来越大，越来越大。我感到非常失望、紧张，周围的人对我的焦虑漠不关心。送葬的人群裹挟着我，默默地向前移动。我担心再也看不见冯太太和浪子了。

突然，拥挤的人群把我带到一条宽阔的大路。我毫不惊讶地发现，冯坐着庞蒂亚克牌小汽车行驶在为已故诗人送葬的队列的最前面。俄国佬不停地按汽车喇叭，发出大提琴一样的响

①马基雅弗利（Machiavelli，1469~1527）：意大利政治家、著述家。
②里尔克（Rilke，1875~1926）：生于布拉格的奥地利诗人。

声。冯一脸安详，恰到好处地微笑着，让我明白，他掌握了人类幸福的秘密。我不需费力就可看到他的思想，洞悉他的秘密。过一会儿，埋葬里尔克的时候，神父将把18世纪诗人诺瓦里斯那首充满浪漫色彩的、渴望死亡的诗歌中提到的勿忘我的蓝色花瓣撒到棺木上面。冯也将把黄府花园里腊梅花的花瓣撒上去。同样的花瓣曾经漂浮在我的汤碗里。这红蓝相间的花瓣将阻止里尔克的血液凝固。

这个荒诞不经的梦境包含着解开生命奥秘的力量。我知道，如果我能在那两种花瓣混杂到一起之前把我的新发现告诉她，就会对先前的错误做出补偿。突然，我发现自己已经挤到墓穴旁边。冯太太站在墓穴那边。浪子这时已经八九岁，站在妈妈身边，稍稍低着头，似乎在听神父为死者祈祷。他那只降生人世时便受伤、再也闭不上的右眼直盯盯地望着墓穴。我想，他一定看到了自己的未来。他和冯太太都没有看见我就在对面。我想喊他们，却喊不出声。神父已经开始往棺材上撒蓝色花瓣，冯撒红色花瓣。当花瓣像抖动着翅膀的蝴蝶飞进墓穴的时候，我感觉到红蓝两色花瓣混杂之后，已经开始在我的身体里发生化学反应。我知道，现在已经没有什么力量可以阻止我回到心灵深处的故乡。我不再和身体里的反应相对抗了，那反应已经使我离开他们飘然而去。我知道这一点，但我没能警告冯太太，浪子命中注定要成为这群送葬者中的一个与别人格格不入的、无法施展才能的人。他将永远凝视着自己的墓穴，不能自拔。明白了这一点，我感到非常悲哀、内疚。醒来之后，这种沉重的悲哀和负疚之感仍然压在心头。清醒之后的最初几分钟，我躺在床上觉得这场梦比真实生活更真切，更重要。我希望再回到梦境之中，警告冯太太，她的丈夫已经掌握了人生的奥秘，而这奥秘终将毁灭她的儿子。在我们都清醒的时候，我无法向她发出这一警告。

许多年以来，我一直把上海租界地看作我的家。可是自从那天早晨发生凤凰山事件以来，我完全改变了自己的看法。我觉得用海涅的一首诗结束我的日记十分恰当。我历来喜欢这首诗，现在对于我，它又有了新的含义！

从前，我有美丽的家园，
橡树耸入云，
紫罗兰繁花似锦，
那只是一场梦。

用德语说一声“我爱你”，
那声音把我面颊亲吻。
（无法想象多么动听！）
那只是一场梦。

第二部

第十章 走向另一个世界

6月，最后一片黄叶变成棕色，从白杨枝头飘然而下。天气太冷了，大部分日子没法儿再到那个土丘之上小坐，看书。浪子待在前面房间里的煤气炉旁，哪儿也不去。对于我的建议，他欣然同意，甚至表现出明显的热情，但就是不肯付诸实施。显然，他已经下定决心不跟我东跑西颠儿了。我坚持不懈，想方设法劝他出来，都未能如愿。我们只是坐在一起喝更多的酒，待的时间比平常还要晚。过了一段时间，我就觉得吃不消了。

有一个星期六，我在平常那个时间——刚过两点钟——去岗坪园找浪子，发现他不在家。以前从来没发生过这种事儿。我突然意识到，也许一切都到此为止了。我已经无力挽回这种局面。我站在门前等了好长时间，长得简直不近情理。这当儿，种种念头从我脑海闪过。我有点儿震惊，第一次感到不知所措。

过去我曾经想过，如果在澳大利亚待不下去，就回老家英格兰。每遇危机就动了这个念头，现在却极力不去想它。这个计划已经不能再给我以慰藉。不过这种努力还能诱发出思乡之情，激发起我对英格兰和安宁幸福的怀念。

我明知道他不在家，但还是不甘心扭头就走，便绕到房子后面一边敲窗户一边喊浪子。我不想被迫承认浪子和《冯氏族谱》对我有多么重要，我想就这样继续搞下去，不愿意在他的面前暴露自己的弱点。他当然不在家。透过油烟熏黄的玻璃窗，我看见餐桌上面乱糟糟地堆放着空酒桶，过时的邮件，账单，要拍卖的工艺品目录，还有一块已经风干的猪骨头。从打 2 月份那个凌晨 3 点的早晨，他一定要请我吃上海风味的炖骨头以来，这块肉骨头一直在那儿扔着。

我在门廊下面足足站了半个小时，望着满目萧瑟的花园不知如何是好。天下起绵绵细雨。在这种情形之下，我在廊檐下站着还情有可原。如果我不马上干点儿什么，如果我不能促使某些至关重要的、他无法忽略的或者不得不参与的事情发生，这个选题或许就会泡汤。我的计划本来会被他的恐惧和他的酒精中毒挫败，被那幢房子里令人无法忍受的惰性和那堆记录了他的过去和维多利亚一生的尚未整理的资料挫败。这些东西像小山一样堆在那张英国式红木餐桌上，仿佛一个辉煌朝代的陵墓里的殉葬品，落满灰尘。

我站在后门外面，眺望着我们的营地，心灰意冷，不由得生出一种对他的怨恨。他至少应当给我打个电话，告诉我他的行踪。毫无疑问，他会争辩，说他给我打过电话，但是没有人接。我深信他肯定没有打过，因为给我打电话就要冒和我碰面的危险。给我打电话就意味着向我表明他不愿意和我继续合作完成这个选题，并且就此争论一番。他会宣称，那都是我自己的想象。他要让我拿出证据，说我过于偏狭，对他不公。他不是一直满怀热情地支持我的想法，支持我的工作吗？他还会指出，一定是我自己陷入困境。那就是我自个儿的问题了。他认为，我犯了作家的通病，突然失去灵感，或者出了别的什么毛病，想拿他当替罪羊罢了。如果谴责他，我心里就能舒服，那么他愿意代我受过。

他会把我数落个一无是处，把我搞得精疲力竭。他的逻辑我无法反驳。他会暗示，虽然我应该向他道歉，但他并不强求。他会放过这件事，一点儿也不在乎。因为在他看来，所谓尊严、面子，一钱不值。还有许多大事要做，不必争个你高我低。我会被他批驳得哑口无言，干生气没办法。他却先发制人，催促我开始下一阶段的工作。“得了，斯蒂文，快活点儿！继续干吧。瞧瞧这一大堆东西，八字没见一撇呢！你还没理出个头绪呢，我母亲的‘金银财宝’就在这儿，咱们找出来瞧瞧。”

不过，倘若接受了他的这番好意，我还是什么事情也干不成，只能以喝酒告终。既找不到他母亲的“金银财宝”，也发现不了什么有趣的东西，我十分清楚，关于他母亲的情况，只能由他有选择地提供，我只能老老实实地被他牵着鼻子走。如果我还有什么用处，那就是在他情绪低落的时候，给他背背彭斯的诗，跟他一起喝点酒。也许我应该走开一段时间，不动声色地等他哪天晚上寂寞难熬时再应召而来。

格特鲁德提出的问题终于使我明白了许多。“你到底打算干什么？”我十分清楚她问这话是什么意思。我不知道该如何回答她的问题。从南边刮过的冷风带来浓重的雾气，密集的雨丝雨线抽打着花园。一张藤椅在好几个星期前那场暴风雨中被风吹倒，现在还躺在那儿。我觉得现在是把它扶起来的时候了，于是沿着正在消失的小路，向那个土堆——曾经是我和浪子的营地——走去。在天高气爽的秋天，这个土堆显得很高。可是在绵绵细雨之下，它便失去伟岸的风采。那时候，由于我们的乐观精神，由于格特鲁德的琥珀色葡萄酒，毫无疑问，还由于光的折射，这个土堆好像高高地浮在花园之上。我把椅子放好，还想弄掉上面的树叶，但是树叶牢牢地粘在潮湿的椅面上，很难弄掉。我把椅子往下压了压。因为下了一个多星期的大雨，土像海绵一样松软。然后，我站在椅子后面，一双手放在椅背上，就好像有人坐在椅子里，穿过光秃秃的矮树丛，心满意足地眺望那座凉亭。而我是他们的同伴，是随时满足他们需要的侍者。我和他们的关系介乎于朋友和雇工之间，或许是个秘书。一个地地道道的仆人由于和雇主意气相投，能理解他们最为隐秘的思想而保持了自己的尊严。如果坐在这张椅子里面的是维多利亚，我也不在乎。对于我这种模棱两可的地位，我不会持异议。我会忠心耿耿地服侍她。

我已经被雨水浇湿，但并不想离开。暮色渐浓，雨淅淅沥沥地下，花园里一片荒凉，我没有离开的意思。他是对的。有些事情我必须弄明白，光靠推测不行。如果他不让我接触那些材料，我就没法儿把这件工作进行下去。我的小说和维多利亚的小说一样，靠的是可靠的材料，不能杜撰。这件工作似乎永远无法完成，即使最后真的成功了，也未必不被人看作奇谈怪论。唯一值得尝试的是穿透现实生活似乎不可穿透的表层。我必须突破这个障碍，不能绕着它打转转，或者视而不见自欺欺人。我必须想方设法深入到表层下面。因为只有深入下去才能透过现实的谜团所组成的光洁的表面，透过铭刻着我们祖先遗留下来的古训的巨大磐石，找到可以构成故事的那个层次。然而，尽管我们努力四处寻找，尽管我们努力在内心深处寻找没有阴影的一隅，还是常常茫然不得其解。

要想突破现实生活这一难于突破的障碍，在写作过程中首先就要承认这个障碍的存在。我的作品必须把这个障碍包括进去。或者说，我的作品本身就应该是这个障碍。把它表现得惟妙惟肖——至少从艺术的角度看——对于完成这个计划至关重要。我知道，如果我所寻找的灵感真能光顾的话，我需要这些事实作为衡量标准。为了让那个反映北半球生活的故事扎根于心底，维多利亚抛弃了熟悉的故土，亲爱的母亲和姐妹。我也需要做类似的事情。

笔直的白杨树叶子掉了之后就像某种巨大的谷物，是受了远东的影响，或者是对古代农作物奇异的模仿。这种不伦不类的组合我似乎在国家美术馆的画廊里见过，那是给人们制作的雕塑。我不由得对那白杨树生出一种愤怒。我确实需要一只替罪羊。别人呢？难道他们就不需要有人代为受过？他们就不愿意让别人觉得自己永远正确？

我虽然吃不准，但觉得完全可以把这个想法大声讲出来。对维多利亚。我知道她会对我这种愚蠢表示赞赏。她或许会往后一靠，把椅子弄得吱吱嘎嘎直响。还会伸出一只手把我的手握住，轻轻笑出声来。我觉得她虽然已经去世，而且我从未与她谋面，但完全有可能爱上她。

雨越下越大。我两只手抓着这张空椅子，站在土堆上有一种无依无靠的感觉。他是不是到汤姆·林德纳那儿去了？或许我应该丢开这些胡思乱想，到画廊里和他喝杯香槟，聊聊艺术的价值？艺术的价值是什么？我愿意和他们凑热闹去吗？“愿意。”我会这样说。“喝点儿什么吧。再喝点儿吧。”我告诉自己数到3，然后松开椅子，离开花园。但是我没能这样做。

母亲曾经提醒我，西德尼·诺兰那本画册和我自己的过去有关，和父亲的过去没有关系。我当时觉得被她击中了要害，一刹间脑子麻木，什么也想不起来。她也许还会告诉我，就像命运和上帝的旨意一样，有些东西是不可抗拒的，即使你有所察觉，也还是无济于事。黄老先生也警告过莲，冯已经和命运之神串通一气，甚至可以说他是与魔鬼为伍。“不要浪费你的精力了。不会有什么好结果，迟早要以失败告终。”

风停了，密集的雨丝从天而降，就像秀仓[①]的木刻。凉亭被一株株白杨树包围着，周围的土地仿佛插满木桩。这情景使我想起黑泽[②]的电影《七个勇士》。保卫村庄的勇士们为了抗击匪徒，在城堡四周插了许多削尖的竹子。我手里拿着那把椅子，从土堆上下来，穿过一株株白杨，走进凉亭。

凉亭里散发着一股浓重的猫臊味儿。木板有点儿下陷，但还没有散架。向上卷起的檐板十分宽阔，为凉亭里面四分之三的地方遮挡了风雨。我把椅子放下。凉亭里有三个空茶叶箱子，

---

①秀仓：日本著名画家，特别是他的木刻在西方深受欢迎。

②黑泽：20世纪日本电影剧作家。他创作了著名的《七个勇士》，在西方广为流传。

里面粘着一层银箔。还有一张小桌，一把椅子。桌子和椅子都很破烂，不过还没有烂到不可收拾的地步，只是已经散架了。铆眼和榫头虽然已经被风雨剥蚀，但用不着费多大力气就可以修理好。一个角落里还杂七杂八堆放着一些破烂东西。大概有人来收拾过，还没有打扫完就拂袖而去了。我从一个茶叶箱子里面取出银箔，铺在我搬来的那张湿乎乎的椅子上，坐下来看那霏霏细雨。体温渐渐烘干雨水浇湿的裤子，我的身上冒出丝丝缕缕的蒸汽和自己的体味。那张铺了银箔的椅子很挡风，坐上去挺舒服。我感觉一阵宽慰，总算没有因为他不在家而把自己搞得太狼狈。雨下得很大。我倒很喜欢那怪吓人的灰蒙蒙的雨雾，喜欢没有人看见我的存在。我凝视着茫茫雨雾仿佛到了一座圣殿。浪子不在家反倒让我心里生出一种感激之情。因为我可以暂时摆脱他，摆脱这场游戏的疲惫，在这里稍稍休息一会儿。

从我坐的这个地方望过去，我们的营地简直不值一提。从凉亭看，这个小丘算不上周围景物的至高点。比较高的地方是伫立在苍茫烟雨中的那幢房屋。这幢房子在北边，遮挡着乌云翻滚的天空，仿佛路已走尽，那便是天地的尽头。东边是一株株高大的桉树。那是原始森林的残余。冷雨中，枝叶婆娑，光斑点点，似乎向好奇的旅行者炫耀，大树那边是另外一个广阔的世界。

这两样景物——房子和树木——遥遥相对，中间是那宽阔的草地。从这儿看，土堆是渺无人迹之地，被人遗弃的营地——被所有人遗弃，母亲、女儿，现在又是我们。我渐渐看出，凉亭是这个三角形布局的顶角。它既算不上一座房子，又没有什么迷人的景致，更不是一块可以嬉戏的空地。但是在这个“三足鼎立”的格局中它举足轻重。坐在这里，她可以纵观全局，把周围的景色尽收眼底。凉亭是她逃离那幢人声嘈杂的房子，兀自独处之地。

我刚刚领悟到早就该明白的东西。原先，白杨树和灌木丛浓密的树叶在风中颤抖，就像一个巨大的面具，遮盖着周围的景物。现在，树叶飘落，隐藏在深处的东西便暴露出来。能够坐在这儿，连我自己都感到惊讶。看起来，我跑到这儿，既非经过周密的计划，又非仔细观察的结果，而是出于一种寄生者回家的本能。这些日子，我似乎一直在寻找通往她的工作之地的道路。看起来，我们到那个小土丘并不是为了营造一个可以安身立命的窠穴，而是找一个最终占领凉亭的、可以进行前期准备的舞台。我很高兴把自己比喻成寄生者——别人门下的食客。

雨小了。等完全停下来之后，我决定到我先前找到藤椅的那间小披屋。上一次我看见那儿有把斧子。我想用它开一条从灌木丛到凉亭的路。这条路将证明我是这里的占领者，它将成为无可否认的事实。我要把维多利亚用过的那些破烂椅子重新修好，他将发现我已经勤奋工作，就好像我是从北半球回来的维多利亚。凉亭是我冬天的蔽身之地。倘若他想见我，就得沿着我的小路到凉亭里来。而我对他将不予理睬。

等他和林德纳喝完酒回来，就会发现我并没有因为吃了他的闭门羹便落荒而去，而是钻了他不在家的空子，间接地抓住一个先发制人的机会。他会十分懊丧地看到，他出去的这一会儿，局面已经大变，这是他始料不及的，也是他不曾计划好的。

他也会明白，要想恢复原有的地位，就得看我的眼色行事。对于他来说，我太聪明了。他低估了我。我占领了他的工作之地，这就暗示，他必须对那些资料作出解释。对此他不能视而不见。这可是我运用迂回战术的绝妙的一笔。

她曾经写道："1908 年 5 月 27 日，那是一个晴朗的秋日。温暖的阳光照耀着我的肩膀。他正在弥留之际。我的同父异母哥哥从上海来到此地。他是一个纯粹的中国人，此刻正和父亲待在一起。透过窗户，看得见那位兄长的身影。他站在父亲的椅子后面，等待着成为冯家第二代接班人。他是一个讲求实际的人。我相信，澳大利亚对他来说算不上什么。……我不想再写了，我想到树林里走走，那是原始丛林的残留之地，在河岸和公路之间……哥哥的身影已经从窗前消失。我的父亲——在这里创业的冯氏家族第一代死了。现在只剩下我自己、我的马和我的小说。我已经三十岁了。为了这天马行空之旅，我已经准备了好多年。就连死亡之神也不会像我这样轻车熟路。"

从我坐的地方，不可能看见那幢房子楼上的窗户。我站起身，把椅子搬到凉亭边儿上，再坐下来。我向房子背面那扇宽大的吊窗望去。我想，维多利亚作品中提到的窗户一定是这扇。浪子在那儿，站在窗前凝望着我……

他递给我一杯酒，没有从我身边走开。他比我矮一头，肩膀贴着我的胳膊，仿佛找到一个遮风挡雨的地方。他看起来非常脆弱。还没有和他见面，我就对他产生了这样一个印象：他永远都不会长到中年，到死也只能是个孩子，一个远离海岸，在充满危险的冰面上踽踽独行的孩子。我再看他的时候，他已经从我身边走开，眼前一片空旷。我仿佛看见他正置身于北方冬天的背景之下。那是一条冰雪封锁的大河，我和妈妈曾经在那儿悼念死去的父亲。我知道，总有一天，我会从梦中惊醒，发现浪子不复存在。我的脑海里浮现出彭斯的诗句：好像雪花飘进大河，洁白转瞬间化为乌有。

他从我身边走开，倚在窗台上，侧着脸看我，淡淡的阳光照着他那张有点歪斜的、充满讥诮的面孔。那是他出世时受的外伤留下的永久的印记。虽然岁月流逝，但已无法平复。他的一只右眼仿佛从另外一个世界冷冷地打量着我，声音嘶哑地笑了几声，吸了一口烟。“彭斯的话。”他说。

“你和我母亲肯定合得来，”我说，第一次看清了这一点，“看不起彭斯。她干脆恨他。”

他看起来很高兴，“我想象得出你母亲的样子。骑着自行车，眯细一双眼睛，两只脚不踩脚踏板，红头发在身后飘拂，就像火箭喷射的火焰。”

“这是儿童画上的母亲。”

“在我的画上，有一幢幢禾草铺顶的农舍，一辆汽车飞驰而过。”他笑了起来，“我从来没有到过英格兰。她已经忘记你和你的父亲在这个世界上存在过。”

我知道，我的母亲出于直觉会完全理解浪子。他们能够相互理解。他们可以立刻用别人无法理解的语言对话，自己并不感到惊讶。那是一种无需用飞翔的白鹤和尼德·凯利的假面具做注解的神秘的语言。他们相互之间的沟通和理解不是在这个层次，而是在更深的层次。他们的目标从其核心闪光。它的光源是在地层的深处，而不在历史的长河。母亲一定会告诫我离他远一点儿。她不会相信和浪子见一次面就能有什么收获。我觉得我和他之间有一种类似血缘关系的东西。这种东西以前我在任何一个澳大利亚人身上都不曾发现。

“灵隐寺，”他说，“是人类灵魂的隐藏之地。”他又向窗外瞥了一眼。“你知道吗？宝塔是中国人的发明。”我从桌子旁边走开——格特鲁德的画儿就放在桌上，他刚才就是为这张画儿出去的——走到他的身边，俯瞰雨后的花园。冬天下午一束束惨淡的阳光照射着白桦掉光了树叶的树枝，在凉亭柱子间流动。

“你来这儿工作是对的，斯蒂文。”他说，声音严肃，不无懊恼。谈起格特鲁德的作品，他也是这种腔调。“宝塔最初是为了防御敌人的侵略，建在宅子上面的瞭望塔。那是许多年以前的事情，世界还是一片混沌。”他在给我讲一些我永远不会猜想到的事情。提醒我——尽管他知道我不需要提醒——光靠斯比斯的日记和维多利亚的《冬天里的客人》还不足以把我手头的工作进行下去。“每天早晨，村里最老的族长都要披着晨光爬上瞭望塔，看敌人会不会袭击他们。许多年过去了，没有必要再用这种方法监视敌人的行动了。黄帝宽厚仁爱的政策使得中原人民安居乐业。从前那些坐在塔楼上观察敌人动静的人凝望着乡村里忙忙碌碌的芸芸众生，十分怀念当年那分寂寞与清静。由于长时间‘束之高阁’，他们看到了平常看不到的地面上的种种活动。独自一个人待在塔楼里，他们静静地回忆饱经沧桑的一生，发现潜藏在孤独的沉思默想背后，竟是说不尽的甜美。审视自己的内心成了习惯。再回到地面上的时候，由于没有这样的机会而无法快快乐乐地生活。因为他们在自己内心世界看到的东西远比在地面上看到的东西更精彩，更让他们高兴。村子里，人们忙忙碌碌，循规蹈矩地生活，谁也没有时间停下脚步瞻前顾后。要么一股劲儿朝前走，要么就得落后。那些从塔楼上下来的人即使在自己家里也成了陌生人。他们十分难过地发现，没有属于自己的精神生活永远不会快乐。于是，他们一个个抛弃自己的家庭，推掉自己的责任，又回到塔楼上苦思冥想。他们没有对任何人作出解释。因为谁也不会理解他们，只好随人家说他们走火入魔。后来，他们把塔楼盖到村外——或者人家让他们搬到村外。这种远离尘世和家庭便是文学艺术的开始，也是历史研究的开始，都发端于对敌人的警惕。”

他回转脸看着我，焦躁不安，灵魂深处的魔怪已经觉醒。“我说的塔楼不是英国人的凉亭，斯蒂文。凉亭是老爷太太下午喝茶的地方，塔楼是通向另外一个世界的大门。你不懂得这一点，你懂吗？”他一口喝干杯中酒，向四周张望着，好像生怕敌人趁他闲聊的当儿，切断他的给养。“西方人，”他斟词酌句，尽量不显露出心中的轻蔑，“认为事实和小说之间的区别是不言而喻的。”

他用手里的酒杯指着我，就像一个黄教僧用手里拿着的骨头指指画画。“她是中国人，要记住这一点。中国人，斯蒂文！”他重复了一遍，就好像我是一个懒惰、蠢笨的学徒，掌握不了他这套玄妙的理论，不得不翻来覆去地解释。在他看来，作为西方人，我根本不可能理解维多利亚和她充满想象力的生活。他从桌子上面拿起格特鲁德那幅画，朝门口走去。

这幅画蕴含着一种情欲，不过并不露骨罢了。事实上情欲是这幅画最重要的主题。那是一种让你希望复苏的感觉。这幅画耐人寻味，不会让你一眼就把什么都看透，而是越看越让你焦躁不安。这一点并不是女孩子的裸体造成的。她的肌肤表现得并不生动。皮肉呈灰白色，阴影部分是一种冷调子的紫色，就好像她正受血红蛋白缺损之苦。她的骨骼——肋骨、骨盆、膝盖骨，棱棱角角地突出着，就好像别人的骨头架子装在她的皮囊里。从绘画艺术角度看，这幅画并无高明之处。她的肌肤在画家笔下没有什么吸引力。引人注意的是她的那双眼睛。那种情欲是通过维多利亚的眼睛表现出来的。她直盯盯地望着画家，凝视的目光反映出他的恐惧和内疚，如果再仔细观察，还透露出他的淫欲。他似乎极力为自己的欲望辩解，使其正当合理，结果把她的面孔画得远比她的身体更成熟。浪子声称，汤姆·林德纳拿给他看这幅画的时候，他一眼就看破其中的奥秘。我却花了好长时间才弄明白这一点。但我最终还是把她目光所及的情欲拼凑起来了。那欲望在画家思想深处，不在画面之上。它已经脱离了画面本身，在别的地方找到藏身之处。人们的想象力也只能游离到图画之外，而不会深入到画面之中。

她在煤气炉火的照耀之下注视着我们："站在树木稀疏的树林边上看绿草坪上画家作画的那个小姑娘自个儿偷偷地记着一本日记。夜里，她躲在自己位于顶楼的房间，把心之所想和有关北半球的新发现都记到日记里。她以一位作家的敏感和喜悦，详尽地描述了那位画家。她的观察相当准确，并且十分谨慎地避免先入为主。她意识到想入非非的危险确实存在。她发现——尽管那是由于心灵封闭所致——小说并不等于疯狂。她不知道她的研究会有什么结果，也不知道她的故事会有怎样一个结局。她写这些的时候，心里实际上并没有想到什么结局，而是抱着一个用这些材料审视自己内心世界的愿望。她试图用自己成为故事中心的办法达到这个目的。她慢慢地插入，逐渐进入这个中心。她觉得自己有力量怂恿并且嘲笑那个画家，既害怕，又被这个想法所吸引。”

浪子弯下腰，捂着嘴，咳嗽起来。过了一会儿才深深地吸了一口气，直起腰，又点着一支烟。他用尼古丁熏黄的手指戳了戳那张画。“他们讨厌这种画。”他说，声音沙哑，很费劲地喘着气，大概是指所有那些喜欢艺术的澳大利亚人。他一直给我讲关于那个画家的故事，真实的故事——记录下来的故事梗概。那位画家为维多利亚的母亲效力之后，便离开岗坪园。他很不走运，尽管有格拉德先生的介绍信，也还是没能在澳大利亚找到立足之地。他似乎又为几个儿童画了裸体像，结果流言四起，还受了审判。他从法庭上出来之后，跑到朗斯代尔海岬，踏着细碎的浪花，走向大海深处，背朝英格兰结束了年轻的生命。

“你是澳大利亚人，”浪子说，似乎提醒我，我在喝醉酒的时候被人文了身，黥了墨。他又吐出一口烟。他非常高兴。“还记得吗，斯蒂文，你对我说过，你是澳大利亚人。”他笑着，朝我扬了扬手里的香烟。他并不需要我回答。他的头发颤动着，在灯光下闪闪发亮。短袜以上的脚脖子煞白，就像巴黎的石膏模特一样经不起敲打。他盘腿坐在地毯上，前后摇晃着，杯里的酒也晃来晃去，洒在旧蓝裤子上。他眨巴着那只水汪汪的左眼，幸灾乐祸地看着我，像一个天真无邪的、贪婪的孩子。右眼斜视。许多年以前，坐在塔楼里观察敌人动静的哨兵大概就是这样注视着前方。他飞快地瞥了我一眼。“你想看看我的外祖父送给斯比斯的那个莲花杯吗？”

“这个杯子还在吗？”

“当然在！当然在！”看到我急于见到那个杯子，他很得意。“莲花杯，”他说，“时间有的是，我们先喝一杯。你真的想看看？”

“真的想。”

“好，好。我什么也不曾忘记。”他又喝了一大口酒。不再小心谨慎，又成了过去的主人。他要把那久远的往事一点儿不差地告诉我。为了证实这一点，他要出示那个凤凰山宋代官窑烧制的青瓷茶杯。这只杯子是一件稀世珍宝，它奇迹般地免于一场又一场的劫难。看来，格特鲁德的父亲十分荣幸地为浪子保管了许多年。现在，为了证实他的身份、他的友谊和他的大度，为了证实他仍然拥有这一切，他将展示老画家黄玉化的莲花杯。这一次，他让我见识的不是他母亲的金银财宝，而是他母亲本人。为了这本小说，他不会再拒绝我的要求。没有什么东西因为太神圣、太珍贵而不能向我和盘托出。他喝了酒，壮了胆，不再害怕向我吐露心底的秘密。他渴望一种全面的、完美的展现。一种毫无杂念的信任使得他不会对我有任何怀疑。就像今天早些时候，他虽然不在家，我也不会有什么非分之举。他想向我证明他自己，同时指责我缺乏慷慨之心。他的产业不会因为我的入侵而受到损害。我的胃口再大，吞掉的不过是九牛之一毛。他将把他的过去全部告诉我。他向我提出的问题将是应当删掉什么，而不是还得加点什么。他会把我搞得眼花缭乱，晕头转向，茫然不知所措。

他又往杯子里斟满殷红的葡萄酒，我们俩碰了碰杯子。“小时候的事我样样都记得，”他夸口说，“你了解一下头十年的情况就行了。你就需要这些。在南京路生活的十年——1927年到1937年，那是我在中国的全部经历。对于我的父亲和上海所有的资本家，那十年是最艰难的岁月。等到十年之后，一切都晚了。一个孩子长到十岁，什么都无法改变了。”他醉眼惺忪，凝视着我，似乎要在闷浊的烟雾和炉火的光环中为我定位。他摇摇晃晃，伸出手抓住我的袖子。他看见我了吗？“你是我唯一的朋友，斯蒂文。”他无可奈何地说，放开我的袖子，有点后悔自己失态。

我看出，他虽然虚张声势，但很容易泄气。我也看出，他内心深处有一种愧疚、挚爱、难以慰藉的懊恼，以及对摆在面前的事实的恐惧。每一种情绪都是各不相关的，就像一个洒了油的水坑，各种色彩慢慢地旋转，扑朔迷离。

我说：“你也是我唯一的朋友。”

他咧开嘴，不好意思地笑了起来。他好像在一瞬间经历了从孩子成长为大人的过程。“你到底怎么看我？”他满脸通红地笑着说，摇摇晃晃，立足不稳，“我们是合伙人，对吗？就这么回事儿。你知道这是谁说的吗？汤姆·林德纳。是他。他对我说，‘你的合伙人怎么样？’我只是朝他笑笑。他还以为我们俩悄悄地捣腾画儿呢！或者干别的什么事儿。他很聪明，真的很聪明。你或许认为他很傻，把胡子染得一塌糊涂。其实他一点儿也不傻。他干得相当成功。他对艺术不大懂，甚至一窍不通，但做买卖却很在行。话说回来，我们自己对艺术又懂多少呢？他对艺术略知一二，又对自己的行当相当精通，这已经高我们一筹。他有钱。我们不应该忘记这一点。如果我们干他的买卖，两天就得破产。”他指了指墙上挂的那幅画儿。“这些画儿要是让他经销，一个星期之内就能卖个精光。可我们呢？我们上哪儿去找一位顾客花两千块钱买维多利亚那张画像呢？‘快拿去吧！’他们会说，‘这种画儿简直糟透了。’他们说的不错。确实挺糟。我就喜欢这种糟糕的东西。我们没法儿出手，只能纳闷，这是怎么了？商人们有本事把我们的腰包掏光，我们只能对着空空的四壁发愣。挂过画的地方壁纸没有褪色，我们得讨论该怎么办才好，别人进来，发现我们在谈维多利亚那幅画像，可是他们看到的只是壁纸上那块挂过画的黑乎乎的长方形的印迹。他们以为我们发疯了，以为我们是从瞭望塔上下来的怪物。我们呢，还得设法搞到一笔装修房子的钱。这可不是开玩笑的事儿。有时候，我挺想邀请他们来这儿。我想打电话请汤姆来，把这些玩意儿拿走。都拿走，一样儿也不剩。只把你认为应该留下的留给我，剩下的统统拿走。我们拿瓶酒到花园，到我们的塔楼上去喝，看他们把东西用车拉走。”他停下话头，飞快地瞥了我一眼，“你准备维修这座塔楼吗？他们经常维修这些房子。他们喜欢样样东西都能规范化。这是他们最快乐的时候。澳大利亚人看到什么都不出格就感到兴奋。”他沉默了，疲倦地盯着煤气炉，离炉火那么近，我闻见一股糊味儿。“格特鲁德是澳大利亚人，”他说，身子朝我偏了过来，“如果我把这幢房子装修一番，她一定很高兴。她自己的房子已经装修过了。你看见过她是怎样收拾她那幢房子的吗？”他十分专注地望着我，目光中充满了疑惑。“你去过她那儿吗？今天上午你应该去。她本来指望你会去的。我给你打过电话，没人接。那时候，你一定已经出来了。你应当跟我去看看她的画儿。不过，她把父亲的日记拿给你看的时候，或许你已经去过她那儿了。是她邀请你去她那儿的，还是你邀请她去你那儿的？你们一块儿点着蜡烛吃过饭吗？"他咯咯咯地笑了起来，"你们俩能成一对儿。等我不再成为障碍的时候，她可重修这幢房子，你修你的塔楼。"他突然伸出一双手，扳着我的肩膀从地毯上站了起来，匆匆忙忙走了出去。我听见他在卧室里又笑，又咳嗽，嗓子有点沙哑。他喊道："我马上把莲花杯拿给你。"

他走了一会儿，回来之后把一样东西扔到我的怀里。我吓了一跳，连忙站起来。我以为他带回来的是那只精美的莲花杯。我本来不应该抱此奢望。他扔给我的是罗伯特·彭斯的一本诗集。

"先读'泰姆'。"他在离煤气炉很近的地方盘腿坐下，然后朝那本书摆了摆手，"读吧，斯蒂文。给我读。"他摸索着找酒杯，刚抓住又弄倒了。殷红的葡萄酒洒在地毯上不往下渗，像一块鲜红的透镜。"你的声音很适合念这首诗，"他说，凝视着地毯上殷红的酒，也许在想有没有办法再把它弄回到杯子里去，"圣帕特里克有我的一位朋友，声音相当不错。我们一块儿上美术学院的时候，他曾经获克拉齐奖①。"他不无挑战地望着我，似乎认为我不会相信他的话。"他在塔斯堪尼住半年，在墨斯曼住半年。大伙儿都以为我会获这个奖。都这么说，就连他也这么认为。"他用手指抹开洒在地毯上的酒，"我

①克拉齐奖（Crouch Prize）：澳大利亚维多利亚州设立的一项最具权威的美术奖，由巴腊腊特美术馆颁发。

获了提名奖。我这儿有奖状，你要看看吗？那是1947年的事儿。念彭斯那首诗，念吧。‘泰姆穿过泥沼和丛林，狂风暴雨，电闪雷鸣。’下面呢？‘谁也无法留住时光和潮水，时候一到，泰姆便破浪而行。你也许听说过他。他很有名气。”有一会儿他什么也没说，然后抬起头直盯盯地看了我几秒钟。他好像非常清醒。“斯蒂文，你认为我能算澳大利亚人吗？浪记，”他嘲弄着，故意夸大澳大利亚人的口音，“记先生，学生们这样喊我。”他又伸出手拿过那个酒杯。“请为我读彭斯，斯蒂文。我知道你不愿意，不过为了我还是朗诵一下吧。中国人说得对。你只需要头十年。我的父亲留下的太晚了。1947年。斯蒂文。克拉齐奖。我本来能得奖，还能得斯莱德美术学院的奖学金。谁都说我应该得。‘在那泥泞的河岸，陡峭的山坡，花儿为什么开得如此鲜艳；为什么……，”他停了下来，“我一定拿给你看。别着急。再读几行‘泰姆’。我们有一夜的时间呢！”

第十一章 凉亭里的沉思

1932年1月28日早晨9点刚过，中国十九路军先头部队和日本侵略军在上海北郊平坦的田野交火。这个时候，浪子和他的外祖父正手拉手站在杭州老宅花园的凉亭里。老头已经七十有二，浪子还不到六岁。这一老一小正欣赏三十米开外新的花圃里开得正盛的腊梅。花园的墙已经被风雨剥蚀得斑斑驳驳。从凉亭望去，就像雾中的河堤。冬天的早晨，这样的雾经常像一袭轻纱笼罩着平静的湖面，纵横的沟壑。在这样的背景之下，梅树的树枝好像印在一张旧纸上的木刻黑色的线条。浪子和老画家已经在凉亭里站了半个多小时，早晨天气很冷，他们都穿着长及脚踝的皮袍子。

这一老一小都不知道，中国已经无可挽回地陷入了一场战争。虽然关于水灾、饥荒的传说不断传来，而且周围乡村里盗匪每天都杀害数以千计的中国人，但对于年逾古稀的老人和不谙世事的孩子来说，那似乎是天方夜谭。他们甚至连作梦也不曾想到，此刻，在离杭州只有一天路程的东北方，日本人正在进攻上海。而那十里洋场不但是中国的商业和工业中心，而且是浪子的“第二故乡”。确实如此，就像一棵经过嫁接的树，既结苹果又结梨一样，浪子也是在两种截然不同的生存状态之下结出来的果实。在杭州，他是中国国画家的外孙，受的是中国古典文学艺术的熏陶；在上海，他是租界地一位体面的欧洲移民的少爷，像其他还没有长到可以回父母的祖国读寄宿学校的年龄的孩子一样，他学习欧洲历史、数学、法语和德语。在杭州，他讲普通话，穿中国衣裳，母亲不准他说别人的语言，打扮成别的样子；在上海，他讲英语、穿西装，父亲也不准他说别的语言，打扮成别的样子。

这种矛盾一直威胁着浪子的生存，直到有一天，奥古斯特·斯比斯大夫——他的朋友兼德语家庭教师，同时也是唯一能够看到他这种处境的两个方面的人——告诉他，这种“二态性”是上天的恩赐而不是生命的障碍。在上海他父亲的别墅，他们俩坐在楼上的教室里，翻译歌德的《浪漫的悲歌》。不知道为什么，这首诗第 5 章的一行，奥古斯特读了之后总觉得倍受鼓舞：在这块古老的土地上，我总觉得心情激荡。“Janus，”大夫说，“是罗马神话中看守门户的两面神，他非常幸运，既能看见里面的情形，又能看见外面的情形。你为什么不能像他那样呢？不要害怕，在艺术和生活中有许多让人愉快的‘二态现象’。”大夫信心十足地说。他一本正经，把这个文人墨客熟知的道理讲给浪子听，那神情俨然他自己就是一个大学问家。

想起马上就要回外公那儿了，浪子问大夫杭州能看到什么“二态现象”。大夫一下子答不上来，回想起和冯太太一起在老画家家里度过的时光，目光变得呆滞起来。他想起许多事情，但是没有一件事情可以说明他关于“二态现象”的高论。后来，他突然想起，有一天汤碗里漂着几瓣梅花，就像殷红的血珠，预兆着什么。“对了，”他高兴地喊了起来，因为不至于使浪子失望而感到慰藉，“有十冬腊月迎风怒放的红梅，寒风中送来袭人的香气，它把生与死融于一体。在世代流传的诗歌中，梅花都以其铮铮傲骨赢得人们的赞美。梅就是这样一种包蕴了二重性的奇树。”

现在回到杭州，和外祖父一起站在凉亭里，看第一缕阳光照耀寒冬怒放的红梅，浪子感到一种从未有过的自信在胸中涌动。他觉得终于看到自己和自己处境的真实的一面。那是一种永久的东西，不会因为他和母亲回到上海之后，父亲对中国人价值观的轻蔑而不复存在。黑魆魆的树枝上，刚刚绽开的梅花使他想起了鸟窝里的小鸟。它们张开红红的小嘴信心十足地等待父母捉来小虫。看着那一簇簇火红的花，有股幸福的暖流从心底升起，就像喝了一碗热气腾腾的莲子羹。吾为梅之弟，伊为吾之姊，吾亦多奇丽，不畏寒风欺。他怀着一种激情在心底默念着自个儿编的诗。为了让外公高兴，他大声朗诵11世纪著名的政治家王安石的诗：墙角一枝梅，临寒独自开。黄老先生高兴地喃喃着，紧紧地握了一下他的手，对于一个六岁的孩子也只能以这种方式表示心中的喜悦。

自从六年前那位德国医生闯进他的老宅以来，这堵琉璃瓦盖顶的石头高墙后面，再没有人在黄老先生面前提起任何惹他不高兴的事情。碰到什么着急的事儿，于洪孟和莲都瞒着他。在他的世界里一切都井然有序，所以他也无可抱怨。他不想谈论的，谁也不去谈论，自从浪子出生以来，于洪孟、莲和杭州老宅里所有的人说话办事都小心翼翼，似乎这位老学究太脆弱了，已经经不起任何，哪怕是微不足道的打击。

黄玉化老先生大部分时间都一动不动地坐在书房里，直盯盯地看着花园，一副茫然若失的样子。过去的六年里，他的生活一直保持着相对的平稳。这期间没有发生什么变故，只是像他的胡子和指甲越来越长一样，沉默的时间也越来越长。周围任何一声响动、一种气味，或者一件小事都让他想起目前处境的悲凉。于是他又暂时回到现实之中，又一次感到心中的隐痛和无法慰藉的懊恼。每逢这个时候，他就默默地啜泣，泪水顺着他那颇有贵族气派的鼻子潸潸流下，像珍珠一样挂在他的美髯之上。他想起他的同事和朋友范平承，非常希望听到他说一句表示原谅的话。老画家范平承住在莫干山上，他的花园是杭州最漂亮的园林。可惜范平承已经不在人世，他的宅子和花园也已面目全非，只是黄老先生对此一无所知罢了。

自从那位德国医生回到上海，自从他对这幢幽深老宅的“入侵”成为过去，黄老先生的生活一直很平静，从来没有被外部世界所干扰，除了莲在家的时候，飘来法国或美国香烟的味道，或者偶尔响起电话的铃声。自从医生那次与莲和浪子的命运密切相关的访问，生活像一幅长长的画卷，在老宅破败的院落、长长的走廊，众多的房屋里慢慢展开。斯比斯大夫似乎在无意之中就写了一出生动的戏。好像他不由自主成了剧作家。好像他的存在本身就赋予了每人一个角色。只有这出戏的主人公命归黄泉，他们才能最终得以解脱。

莲当然不会默默地坐在那儿，长久地沉湎于往事的回忆中，她还要管理家务。她十分清楚他们在杭州的地位没有保证。父亲一死，老宅旧有的生活方式就无法继续下去。但是，尽管心如明镜，她还是努力扮演好管家婆的角色。她甚至怀着比别人更大的热情，展开一部史诗。她明明知道儿子不可能继承老父亲的衣钵，还是让他努力学习，似乎总有一天他会变成一个国画家，会把他们这个家族的香火接续下去。而事实上，按照中国的传统浪子不可能成为黄家的继承人。但她是为今天而活着，她在努力创造一座属于她自己的海市蜃楼。

对于浪子来说，1932 年 1 月 28 日这一天发生的事情是一个重要的转折。一场新戏敲响了开台锣鼓。在这场戏里他将是重要角色之一。斯比斯大夫对他的命运将再一次产生深远的影响。

浪子从盛开的梅花和斯比斯大夫关于“二态现象”的预言中看到了一种联系，并且受到很大的鼓舞。这一天，他连饭也不吃，一直坐在桌子旁边画梅花。黄老先生坐在离他三米之遥的窗口直盯盯地望着窗外井然有序的花园，全然不知外孙正在画画儿。

浪子画了一张又一张，一次也没抬起头看看窗外的梅树。他并没有想真实的梅树，而是按照自己的想象画充满象征意义的小鸟的嘴巴。在他认为最具表现力的右边，他用毛笔写下自己早晨在花园里想好的那首诗：

吾为梅之弟，
伊为吾之姊。
吾亦多奇丽，
不畏寒风欺。

他用隶书写下这四行诗。书法是妈妈教的。自从能够握笔，莲就让儿子每天练两个小时毛笔字。下午，他挑了一张画得最好的梅花图，送给妈妈。剩下的都交给于洪孟，让他付之一炬。站在妈妈面前，浪子心花怒放，他觉得自己终于做了一件不会因为时间的流逝而黯然失色的大好事。

晚上，莲把画儿拿给父亲看。老画家昏花的老眼骤然间变得十分明亮。“太棒了。”他说。他们肩并肩站在书房写字台前面，欣赏浪子的画和诗。许多年以来，父女俩还从来没有站在一起欣赏同一幅画儿。“冯的儿子在你的培养之下已经成了一位学者。”他终于说，声音颤颤巍巍，充满了悲怆和敬畏。

第二天，黄老先生忍不住去看浪子画画儿。他站在外孙身后看了好大一会儿，才从他手里拿过画笔，只简单的两笔便在浪子刚刚画好的一只百舌鸟旁边又画了一只。黄老先生的百舌鸟画得神态逼真，比浪子那只显然技高一筹。老人和男孩看墨渐渐变干。然后，浪子提起笔饱蘸浓墨，学着黄老先生的样子，信心十足地画了两笔，似乎他已练习多日。黄玉化的心快乐地跳动着，他又提起笔向外孙介绍另外一种运笔的方法。浪子学着外祖父的样子又画了几笔，动作非常自如。

于洪孟去找莲的时候，她正在写信。她放下手里的活儿跟着于跑到父亲书房门口，看老画家和小男孩并肩作画。浪子对黄玉化的意图和笔法心领神会，就好像他们早已是一对配合默契的师徒。

过了一会儿，于对莲悄悄地说："我们的大师又回来了！"莲会意地碰了碰他的手，什么也没说，从浪子身上她又看到了自己童年时代的影子。那时候，她和父亲除了画画儿、写字之外什么也不干。她和她所信任的于洪孟一起看这一老一少潜心作画，心里充满了快乐。

于洪孟没有说错，这位了不起的画师的确焕发了活力。画百舌鸟后的两个星期，黄老先生让他准备船和酒菜，点心。"今天晚上我们要去西湖赏月。"黄老先生郑重其事地宣布。大伙儿都吃了一惊，不敢相信自己的耳朵。不过一切还是按主人的吩咐进行。小船划过三潭印月的时候，老画家从坐垫上站起来，从船工手里拿过桨。皎洁的月光下，他毫不费力地划过宛若一片碎银的湖面。"老先生是不是非要给我们留下一个他还年轻，而且划起船来技艺出众的印象？"于问。莲快活地笑了起来。她和浪子又做了几首诗。为了掩饰心中的快乐，于转过脸朝湖水吐了一口唾沫，月光下，他仿佛看见无数条鱼朝他眨巴着眼睛。

尽管中国军队已经被打败，而且士气沮丧，日本人在军事上完全控制了华东地区。3 月 2 日，日本将军莫名其妙地命令占领军撤离上海——租界地原先也不曾被占领。为了这个愚蠢的行动，回日本之后，这位将军遭人暗杀。日本人撤退之后，上海和省城杭州之间的交通和邮电又恢复正常。冯立刻打发司机接妻子和儿子回家。

在以后的生活中，浪子常常想起从 1932 年 1 月 28 日到 3 月 2 日这难忘的三十四天。在他看来，那似乎是很长的岁月。提起他和他的外祖父一起度过的那段时光，他常说："那才是真正的生活。"似乎从出生到他六岁，他和外祖父之间一切都非常和谐。直到父亲不事先通知就派人把他接走，就像土匪越墙而过，破坏了他心灵的平静。

在浪子的记忆中，他碰到一切困难和麻烦都是杭州那三十四天美好时光之后发生的。此前这种困难似乎一直不曾以任何形式出现过。童年的岁月，那是他一生中的黄金时代。为了重温旧梦，重建那个已经成为过去的黄金时代，他渐渐用外祖父代替母亲作自己的启蒙教师。这种"反叛"的结果是，浪子几乎在所有的方面都背离了周围的环境，除了他的德国朋友奥古斯特·斯比斯。在他与他的先人做斗争的整个过程中，他和斯比斯一直保持着一种超然而又永恒的友谊。

莲和浪子一回上海，黄老先生的勇气便如潮水一般退去。他一天到晚躺在床上。他不敢出去，怕听到那刺耳的电话铃声。那声音在空荡荡的房间和走廊里回响，就像冯嘲弄的笑声。他白天打瞌睡，夜晚无法安眠。黑暗中，可怕的妖魔鬼怪都来到他身边。冯派他的儿子来嘲笑他。这孩子是他那个魔鬼般的父亲的复制品，他那双亮闪闪的眼睛在黑暗中漂浮着。黄老先生呻吟着，喊了起来。于洪孟急忙跑过去，点着灯，给他服了一剂安眠药，然后替他按摩。“老祖宗都指责我呢！”黄玉化一边啜泣一边伤心地说，“我把她当男孩似的带大时，想过她的利益吗？”于洪孟没有回答，只是用瘦骨嶙峋的手指揉搓黄老先生那两条肌肉松弛的大腿。“都是我的自私造成的。我太爱艺术了。如果我把她像普通女孩儿一样带大的话，她就不会嫁给那个姓冯的魔鬼。她会给我们黄家带来荣耀，也能让我安度晚年。”黄抽泣着，心里想自己是不是快死了。他浑身发抖，怎么也暖和不过来。于想回自己的卧室睡觉，黄一把抓住他。“我犯了一个可怕的错误，”他坦白地说，抓着于的袍子，“把我的家谱拿来。”

黄老先生的书房里有一排书架，书架后面有一个秘密的橱柜。于洪孟从那个橱柜里小心翼翼地取出黄氏族谱，送给主人。老先生看了整整一夜。从打那天开始，直到春天莲再回来，他每天夜里都要看那本家谱，默默地背诵他已经忘记的老祖宗们的名字。这是他作为一个学问家最后的努力。

迎春花绽开的时候，莲带着儿子回到父亲身边，宁静的夜晚又充满了温馨。他们聚在客厅里，黄老先生坐一把精工雕刻的太师椅，莲坐另外一把，浪子坐在离母亲不远的黄檀木椅子上。椅子上铺着雪豹皮。他两手捂着耳朵，正在读摊开在膝盖上的那本书。微风送来阵阵花香。一只尖嘴蜜鸟在花丛中飞来飞去，脑袋左右摇摆着，一双明亮的黄眼睛十分轻蔑地凝视着他们，然后嘎嘎地叫了几声，向花园那边飞去。

黄老先生转过脸望着女儿。

她等待他说话。从打昨天到家，她一直等他把心里话说出来。因为她一回来就看出父亲坐卧不安，满腹心事，而且不知道为什么，总和浪子亲近不起来。浪子虽然年纪尚小，但也看出不大对劲儿，就去问妈妈。莲只好说："外公年纪大了，也许身体不舒服。人老了，不容易啊！"

"春天到了，"黄玉化老先生说，"乡村里也不再打仗了。我想去祠堂拜拜祖宗。"

自从她出生，他就没去祠堂拜过祖宗。对此她并不惊讶。她没有答话，在等下文。就好像他往一口很深的井里扔了一块石头，她在等黑暗的井底传来水花飞溅的声音。她仿佛看见那块黑色的石头正往下落，很惋惜它再也不会回到父亲手里。他的话传了过来，宛若水花拍打着永远不会见到太阳的石头。"孩子，希望你能跟我一块儿去。"

她还是没有答话，只是直盯盯地望着沐浴在柔和的微光中的花园。她并不特别喜欢这座花园，对它也没有什么感情，只是同意父亲把它重新修整一番罢了。这不是她的花园。小时候，她自己也有个花园，夏天种菊花，秋天种白菜。这个花园在二门过去的后院。她对那儿充满了留恋之情。她种高贵、典雅的墨菊，那不畏霜雪的花朵至今让她想起自己的童年。她并没有转过脸看他，而是十分平静地、不动声色地说："这么说，你对过去的事情后悔了？如果能再活一次，你是不是要改变许多从前的做法呢？"

他十分生气，喊于洪孟送热水。"你这个老浑蛋，送壶水还要这么长时间？"他叫喊着。

浪子抬起头，焦急地望着母亲。莲微笑着，等儿子又埋头读书，才压低嗓门儿对父亲说："儿子没离开过我，一天也没有。"不过，她知道，此时此刻说什么理由也没有用处，尤其想用感情上的事儿来打动父亲更是无济于事。因为眼下他们是被一种比感情更加强大的力量支配着。她不想和父亲对着干，而是愿意采取迂回曲折的办法，出其不意，攻其不备。像平常一样，她并没有一个具体计划。她的战略要靠机会，她的战术全凭机动灵活。

黄老先生什么也没说，只是偷偷地望着女儿。他等待着，直到女儿凝视的目光从浪子身上收回，才喃喃地说："这是我临死前唯一的请求，孩子。"

她没吱声儿。他的要求绝对算不上过分，她无法逃避。

通向前院的那两扇黑漆大门又打开了。六年前，奥古斯特·斯比斯冒冒失失从这里走出去，差点儿送了命。仆人和黄家的成员们站在一起，好像要照一张合影。浪子独自站在人群前面，离门最近。他穿一件墨绿色高领绸袍，身后站着于洪孟。天刚破晓，晨雾笼罩着门前那条公路。亭台楼阁、雕梁画栋在迷蒙的雾气中时隐时现，如同仙境。冯那辆庞蒂亚克牌轿车沿着公路慢慢驶去，大伙儿都注视着渐渐消失的车身。

浪子觉得脸上的肌肉隐隐作痛。他眼巴巴地望着那辆远去的汽车。妈妈答应汽车拐弯的时候跟他招手。过去的十天里，谁都夸他有男子汉气派。其实，那十天可真难熬，只有他自个儿知道，他压根儿就没有什么男子汉气派。昨天，外公郑重其事地送给他一个深棕色玉盘，上面刻着一条龙。这个盘子十分珍贵，是宋朝的遗物。老画家的苦心没有白费。浪子知道，外公是想让他在他们外出期间像成年人那样镇静。实际上，小浪子已经保持了这种镇定。他脸上的肌肉隐隐作痛就是咬紧牙关的原因。因为他无法表达心中的感情。

汽车快到拐弯处的时候，浪子举起胳膊准备向妈妈招手。可是车开得太快，浪子刚刚看见车窗玻璃后面妈妈那张鸭蛋形的脸，车已经消失得无影无踪。

他觉得心情十分沉重。

于洪孟朝看门人打了个手势，两扇黑大门吱吱呀呀地关上了，把空荡荡的大路割断在浪子的视线之外。木头门闩砰然落下，在寂静的早晨就像敲了一声鼓。于碰了碰他的手。浪子回转身从大门旁边走开，心里明白，他不再是先前的他了。他不知道等待他的将是什么，但是他知道，生活就像父亲的庞蒂亚克牌小汽车一样，已经拐了一个急转弯。悲伤，迷惑不解，被最亲爱的人背叛的痛楚一起袭上心头。仆人们都转过脸望着他，似乎期待他做一番表演。他从人群中走过，连一眼也没瞧他们。

浪子简直无法理解外祖父竟然不肯带他到祠堂朝拜祖宗，而且母亲也赞同老头的决定。这件事对他的打击很大，就像空旷的原野突然矗立起一堵石头墙，既绕不过去，又穿不过去。既不能视而不见，更不能觉得它无足轻重。这堵墙向两边延伸，一直到遥远的地平线。大墙那边是一个禁区——老祖宗的王国。外公一定是施展了什么魔法把母亲引诱到那个王国，而且让她跟自己的儿子作对。母亲和外公轻而易举穿过那堵石墙。他们一定不是凡夫俗子，而是可以穿房越脊的精灵。他们和老祖宗的王国一定有一条看不见的丝线，可以通过这条线遥相呼应。

而老祖宗们怎样才能和他“你呼我应”呢？他身上有西方人的“二态性”。有他父亲的血统，他正在“西化”。他的那条丝线已经断了。他已经断了。他的一部分已经被替换。他从一开始就被人孤立。在中国和那个神秘的国度之间，有千山万水，有大洋岛屿，有截然不同的文化和大相径庭的历史。父亲声称，他自己疑点颇多的血统就来自那块土地——澳大利亚。那是一个地名。一个谁也不曾造访的地方的代名词。就连斯比斯大夫在那儿也没有熟人。澳大利亚这个地方是不是真的存在？那是不是辽阔的海面突然升起的一块石岬，预示着一块新大陆的开始？

莲和黄老先生回来之前，浪子寄住在守门人的儿媳妇家。他们已经给浪子准备好一个房间。他们忠心耿耿地侍候了黄家几代人。老头的儿子和日本人作战被敌人杀死了。不过儿媳妇为他生下了两个孙子，书和兴。书七岁，兴九岁。两个男孩儿都长一副苦瓜相。不过这和思念死去的父亲无关，尽管他们长得和祖父相似。

第二天，那两个孩子就让浪子和他们一起玩打仗。这种游戏凶残的性质把浪子的孤独寂寞一扫而光。讲完规则之后，浪子立刻自告奋勇要当司令官。尽管他从来没有玩过这种游戏，但无师自通，不一会儿便完全进入角色。他戴了一副白手套，披一件长及脚跟的灰斗篷，用一根长长的竹竿布署兵马。书和兴自惭形秽，哭丧着脸，那模样比平常还要难看。三个小家伙玩得很认真。浪子不但是那哥俩的伙伴，还是他们的主人。小哥俩倒十分大方，把他当作自己的兄弟，可惜浪子不肯买他们的账。后来，书和兴被浪子打败了，两个小家伙谁也不敢吭一声。

浪子让看门人打开那扇小红门。他想扩大他们的舞台。看门人一直不准两个孙子跑到大街上玩，现在他们眼巴巴地看着爷爷毕恭毕敬地给冯的儿子打开那扇门。浪子让那小哥俩等着，他自己跑出去，在马路旁边站着。一个人等着的时候，他感觉到这种使人悲伤的孤寂也蕴含着一种力量。他得意洋洋，觉得自己高人一等。他看到自己目前的处境悲凉而壮美。他是以旁观者的冷静，远距离地观察自己。他沿着那条路极目远眺，辽远的天边是绿树葱笼的群山。等妈妈回来，他要让她看一看自己这种崭新的精神状态。他要像学者在对手面前显露自己的学问那样，在妈妈面前炫耀一番，让她惭愧，让她后悔。他要让她看一看，他是多么寂寞，多么悲伤，而这寂寞与悲伤又使他发生了多么大的变化。马路对面，卖糖葫芦的老头瞥了他一眼。“叫书去，”他对兴喊道。书走到门口，浪子说：“我们一人买一串糖葫芦。”

每天早晨，天刚亮，卖糖葫芦的小贩就来到马路对面的墙根儿，一直站到天黑。他两只手每只手里拿着一个扫把似的竹杆，上面插满了冰糖葫芦，就像两株小树。他不扯开嗓子叫卖，只是站在那儿一声不响地等着。糖葫芦红艳艳、亮闪闪，老远就能看见。很少有人走这条路，所以，常常等到天黑也卖不了几串。不过不管生意好坏他还是照来不误。这是他的地盘儿。他像一只蜘蛛，潜伏在森林里某个角落的一张蜘蛛网中央。他等待着，今天也好明天也罢，迟早会有人来买上一串糖葫芦。今天他就卖了三串。他脸上的表情没有变化。对于他来说，卖多卖少都一样。

莲和黄老先生不在家的那几天，浪子不学习，每天都和书和兴玩。仆人们似乎从他那儿受到启发，把这几天当成了假日，几乎什么活儿也不干。有的人甚至走亲戚看朋友去了。于洪孟每天坐在贮藏室外面，靠着墙晒太阳，抽烟，打瞌睡，和看门人的儿媳妇聊天儿。他不时抬起头看一眼浪子和他的两个伙伴，生怕发生什么问题。

莲和黄老先生祭拜祖宗四天之后，黄家宅第于洪孟以下各色人等倾巢出动，聚集在大院门口，等待冯那辆黑色轿车从马路拐弯处驶来。浪子又穿上他的绿绸袍子，孤零零一个人站在人群前头。

他浑身颤抖，没想到自己会这样焦灼不安。他不知道妈妈这几天有没有什么变化。她也许把他给忘了？他曾经拿定主意，要把自己的寂寞、悲伤告诉妈妈，现在却把这番心愿忘到了脑后，汽车终于来了，慢慢停在他的面前。妈妈一双明亮的眼睛正在车窗那边凝望着他，他仿佛停止了呼吸。妈妈从车上下来，他飞快地跑过去，紧紧地抱着妈妈哭了起来，求她再也不要把他一个人扔下，他做梦也没有想到，见到妈妈，自己会是这样一副样子。

黄老先生精神饱满，信心十足，仿佛变了一个人。对于大庭广众之下浪子这种不得体的行为，老先生不以为然。那些袖手旁观的人们都认为老头心里很不高兴。大伙儿感到欣慰的是，黄老先生又获得了自信心。他似乎忘记了过去的偏执和狭隘，从今往后，要摆出一副正人君子的样子。书和兴相互看了一眼，哧哧哧地笑着，都为浪子当众出丑而幸灾乐祸。

莲紧紧地抱着浪子，悄悄地对他说："宝贝儿，妈妈向你保证，再也不和你分开了。原谅我。你不知道妈妈多么想你！"

人们怀着极大的兴趣看冯太太和她的儿子。以前他们没有见过这种场面，都觉得这母子俩肆无忌惮地流露自己的感情挺好玩儿。显然，冯太太和她的儿子不想再假装自己是半个洋鬼子了。于洪孟让仆人们赶快去干自己的事情。"假放完了。"他怒吼着。仆人们不情愿地往回走，稍慢一点，他就用手杖打他们的脚踝。

三个月过去了。莲和浪子回到上海已经六个多星期了。有一天，莲的女仆跑来告诉她，杭州来了电话。莲大吃一惊。电话是于洪孟打来的。以前他从来没有用过这个洋玩意儿。他把他要传达的消息大声喊完之后便挂了电话。"黄玉化不行了，"他叫喊着，"你要是想见他一面，就赶快回来！"他们当天夜里就赶回杭州。于洪孟匆匆忙忙迎接他们。他神情严肃，还算镇定。"我一告诉他你已经上路，老先生就挣扎着坐起来喝了点汤，"于洪孟说，"他不想在卧室见你，让你在书房等着。他要恢复一下体力在那儿见你。"一个星期在焦灼不安中过去了。人们都踮着脚尖儿走路，说话压低嗓门儿，随时准备听到阎王爷已经带走老学者的消息。第七天，中午时分，她和浪子正在一起读书，于闯进莲的房间，阴沉着脸说："你父亲在书房里等你，见最后一面。"

浪子紧紧抓住母亲的手。

于洪孟闷闷不乐，有点尴尬，不敢正眼看浪子。"老先生不想见这个男孩儿。"他说完就走，一副被挫败的灰溜溜的样子。

可不是，还能指望他做出什么样的表情呢？黄玉化的指示非常明确：不论在什么情况下他都不想再见到浪子。“冯的儿子。”（他不说“我女儿的儿子”。）有一天夜晚，老学究十分信赖地对于洪孟说：“是个魔鬼。”两个老头儿乎脸贴着脸，昏暗的灯光下，四只泪汪汪的眼睛目光闪闪就像蹲在墙角的两个狡黠的黑猩猩窃窃私语。“浪子是他父亲的化身。”黄压低嗓门儿，用十分肯定的口气对于说。“只要看看他那只右眼，就能看到他父亲的思想。他在嘲笑我们，嘲笑我们中国人的生活方式，巴不得我们早死。冯，”黄玉化老先生朝敞开着的窗户紧张地瞥了几眼，“能通过他儿子的眼睛把什么都看得清清楚楚。”于洪孟十分沮丧。毫无疑问，黄老先生说的都是真话。他以前也听别人说过这种事情。于帮他的主人穿衣服，绸子在他枯瘦的手指下发出窸窸窣窣的声音。

莲走进黄老先生的书房，在父亲对面坐下，于递给她一杯茶。“我要死了。”黄说，“风烛残年，我已经没有多少气力了，只能最后去祭拜一次祖宗。”他又诡谲地补充道，“也许，我会死在祠堂里。如果那样倒方便了大家。”

莲从书房里出来问于：“这件事儿我该怎么和我的儿子解释呢？他会认为我又一次出卖了他，但是我怎么能拒绝父亲临死前的要求呢？”

于洪孟两只手插在袖筒里，若有所思地看着院子里的梅树，梅花已经凋谢，枝头挂满绿叶。他对莲进退维谷的窘境很是同情，半晌才叹了一口气，抽了抽鼻子，做结论似的说：“如果这次不陪黄老先生去，你会后悔一辈子的，而且这个过失永难弥补。另一方面，如果陪他去了，以后你还有足够的时间赢得儿子的信任，还一定有机会补偿你在他身上犯的过错。这当然只是我个人的看法。”临了他又补充道。

莲向他道了谢，还为自己这次没来得及带香烟给他而表示歉意。“走得太匆忙，”她解释说，“回去之后我会给你捎几条的。”他们望着花园，两个人都觉得无话可说。此刻他们谁都把握不住对方。她知道，于洪孟永远不会劝说她违背父亲的利益。她由此看到自己对父亲忠诚的限度。她感觉到她和于洪孟之间有一层隔膜，不管多么轻微、多么短暂都让她非常伤心。在这个世界上，她最信任的人就是这个老头。她递给他一支香烟，又替他点着。“老于，”她说，“有时候我觉得灵魂离我而去。我非常疲倦。疲倦袭来简直无法抵挡。我想不起心清气爽时是什么滋味。你有过这样的时候吗？”

于洪孟似乎从来不是为他自己活着，也没有考虑过他的灵魂处于什么状态。他使劲儿清了清嗓子。“你还记得吗？”他说，“那天晚上，你父亲独自撑着篙子在西湖行船，就像一个年轻人，迫不及待地要给我们留下一个好印象。”

他们又来到大门口。这一次是沐浴着夏天柔和的晨光，像一支等待出征的小部队，浪子站在最前头，还穿着那高领绿绸长袍，似乎是这支人马的队长。

这一次他没有等妈妈在拐弯处招手。黑漆大门还没有关上，柚木门闩还没有落下，汽车还在视野之中，浪子已经回转身，拼命奔跑起来。仆人们吓了一跳，都往后闪着身子让他跑过去。尘土在他脚下飞扬，绿袍子像魔术师的斗篷在他背后高高鼓起。一堵堵墙，一扇扇门，琉璃瓦、红漆柱都从他身边一闪而过。

他沉重地喘息着，终于跑过二门跳到后院的花坛上面。他的帽子丢了，头发直立愤怒地颤抖着，就像斗鸡颈上的翎毛。晨光下，尘土和草屑像金色的雾在他周围旋卷，落在亮闪闪的绿绸袍上。他面对贮藏室，仆人们已经从那儿鱼贯而来。

他们看见他背着双手站在花坛中间，绿袍子被朝阳映成一片金色，活像一个军阀或者土匪。大伙儿都怕他提出什么无法回答的问题，犹豫了一下，向后退去，像一群被狗赶着的羊，在贮藏室门口转来转去。

浪子站在母亲童年时代亲手营造的花坛上，就像站在她的历史之上。正如奥古斯特·斯比斯想象的那样，命中注定，他从出生的那一刻起，就是一个流浪汉。尽管奥古斯特·斯比斯此刻没有目睹黄家大院发生的这一切，但浪子觉得他就在身边。因为有了奥古斯特·斯比斯，浪子才觉得自己没有彻底孤立。他知道除了父亲和母亲的世界，还有属于他自己的一方天地。而这个天地只有他所赞赏、信任的奥古斯特·斯比斯与他分享。如果他觉得自己确确实实单枪匹马，肯定不这样行事了。他就不会有足够的自信心去抓住这个机会。当然，站在母亲的花坛之上，他可以居高临下俯瞰于洪孟和黄家的仆人，这也使得他不能准确地理解这个机会的含义。他没有看清他抓住的这个机会对于他意味着什么，他只是抓住了它，或者被它抓住了，就像一只刚出窝的小鸟，正碰上迁徙的季节，不可避免地要离开它的出生之地，飞到从来没有去过的地方。

展翅高飞，与旧的生活方式诀别，不向父母反对的立场妥协，是浪子眼下必须要做的事情。正如迁徙的鸟不考虑旅途的终点一样，浪子也不考虑自己究竟去向何方。他只是想走，至于去哪儿心里也没谱。奥古斯特·斯比斯曾经告诉过他一个从这进退维谷的窘境中解脱的办法。现在他已经顾不上对这个办法多做考虑，他也不大清楚自己到底在干些什么。他只是抓住机会，钻了母亲的生活方式和父亲的生活方式之间的空子。

他走进外祖父的书房，站在写字台前，不知道下一步该怎么办。他转过脸望着书和兴。这两个小家伙以前从来没有来过这儿。他们手拉手站在门口，害怕地盯着浪子，心里明白在这儿他们帮不上他的忙。“过来。”他压低嗓门儿喊他们。小哥俩不敢过去。浪子说：“别怕，过来，有我呢！”

两个小男孩儿向前磨蹭着，在于洪孟的蓝屏风旁边停下，脚趾头在冰凉的石板上伸展着。“过来，站到桌子旁边。”浪子命令他们，他拍了拍那张擦得锃亮的桌子。在这张桌子上他和外公曾经像配合默契的老师和学生一样画画，写字。

两个男孩儿站在那儿不动，浪子只好走过去抓住他们的胳膊硬拉到桌子旁边。他抓着他们，望着那两双充满恐惧的眼睛，希望从中找到他们的勇气，看到他们成为他的左膀右臂和见证人的可能。因为这是他所需要的。他需要有人看到他的所做所为。他需要“招兵买马”，不管他们愿意与否。而且他所招募的人对他最终的目标应心存畏惧。

“听着，”他对他们说。他把他们拉到身边，直到闻见他们呼吸的气味和就着吃粥的泡菜味儿，“我发明了一个新游戏，一会儿就能告诉你们规则。不过这只是我们三个人的秘密。如果你们走漏了风声，我就告诉我的父亲——大商人冯三，他会来处置你们的。这个游戏叫‘老祖宗的游戏’。”他说，这是他瞎编的，不过他挺喜欢这个名称，其实对于什么规则，浪子心里压根儿就没谱，但他相信，他能临时拼凑几条。他非常高兴，因为这是宝贵的发现，而这个发现与别人无关，只属于他。

黄老先生的卧室与书房相连，中间有一条走廊。浪子以前从来没有到过这里，更没进过外祖父的卧室。他不知道自己出于什么目的要到黄老先生的下榻之地，也不知道在那儿能发现什么。他让书和兴在桌子旁边等他，自己穿过走廊，推开一道纱门。

窗户没有打开，屋子里一片昏暗。浪子朝前迈了一步，屋子里一股甜腻腻的霉味儿，连呼吸也感到困难。浪子认为这味儿是老头的体臭和于洪孟为了给他治病贴的膏药的味道。他立刻认准，这种令人讨厌的气味是死亡和老祖宗的味道。直觉告诉他，他无法摆脱这玩意儿——一种既熟悉又污秽的东西。他感到厌恶，甚至有点害怕，差点儿回转身走出去。他以前闻到过这味儿，不过是从远处闻到的一股淡淡的臭味儿，现在则找到了它的源头。

等他的视觉渐渐习惯了周围的昏暗之后，他看见屋子里一片混乱。箱子、柜子和另外几件家具上到处堆放着已经裱好的字画和一摞摞的手稿，书一摞挨着一摞，几乎没有下脚的地方。浪子知道，外公二十岁以后几乎每天晚上都待在这儿。这是他一生的记录，虽然杂乱无章，但是他的全部轨迹。如果用军事用语表述的话——眼下他特别喜欢用这种用语——他心血来潮闯进外公的书房可以说是一次深入敌后的侦察。他是在寻找一个可以突破的薄弱环节。

然而他一直没有正式宣布对外公的敌意，因此这个问题的势态还很不清楚。他没有策略，全靠猜测。他几乎不知道自己已经处于临战状态，也没有进行这场征战的准备。他认为这些东西都可以在征战的过程中自然而然地得到。对于他，这是一个全新的领域，连他的目的也是一个谜。他只清楚一点，他已经越过一条边界，至于应该遵循什么原则，心中无数。他的入侵只是因为心血来潮。因此当他站在门口直盯盯地望着外祖父那些宝贝的时候，真有点儿手足无措。可是他立刻就明白自己该怎么办了。紧靠最远那堵墙的窗户下面放着一个高一米，直径半米的没有上釉的陶罐，很像一般人家的米缸。像插在花瓶里面的一枝枝钢铁铸造的花朵一样，大陶罐里插满了刀枪剑戟，他跨过脚边的一堆书，向陶罐走去。地板上扔着一件皮革制造的锁子甲，和一副皮绑腿。这便是战场上武士的披挂，是老学者那个氏族旗手的武器。是黄老先生和他的祖先的防卫之物。浪子从罐子里取出一把短剑。他将那把短剑举过头顶，然后画了一个弧又猛地劈斩下来。这把剑做得很粗糙，算不上能工巧匠的杰作。刀锋很钝，锈迹斑斑，梨木剑柄不曾磨光，由于日久年深，护板已经松动。但它毕竟是一把剑。他带着他的战利品离开外公的卧室，心激烈地、快乐地跳动着。

他从走廊走进书房的时候，撅着嘴唇打了一声口哨，还十字交叉在空中劈砍了两下。书和兴倒退了几步，浪子哈哈大笑着，又砍了一下。小哥俩望着那把剑不知如何是好。浪子放下手里的武器思索了一下。他本打算用罐子里的剑把书和兴也武装起来，可是后来又改变了主意。“走！”他举着剑命令他们。“回后院去，到那儿我给你们解释新游戏的规则。”

他把短剑藏在袍子底下，带领他们向后院走去。那把沉甸甸冷冰冰的宝剑贴着热乎乎的肌肤，心底升起一种莫可名状的热情。他看见，或者是在想象之中看见，前面有一扇隐藏着的门，一扇以前他不曾注意的小门。只要轻轻一碰，这扇门就会打开。当他走过这个门洞的时候，一股快乐，一种期待，占据了他的心。

在他的记忆中，被遗忘的门洞那边，是一个地大物博的王国。许久以前，他就是那片土地威严的统治者。他说不清自己是昨天离开那儿的，还是已经有许多个年头，那是一片熟悉的又未曾造访过的土地。一匹战马已经备好马鞍，穿好华丽的马衣，正焦急地等待着他。他把短剑插进挂在腰间的镶嵌着宝石的剑鞘里，跨上那匹骏马，满怀信心地向他的家乡奔驰而去。他深信，那里的居民一旦认出他，就会热烈地欢迎他荣归故里。那匹骏马非常机警，迫不及待地服从他的命令。骑在马背上，他眺望着辽阔的原野，心里充满了赞美之情。仿佛是对山河的壮美作出的呼应。他心底升起一个信念——他是一个好人。难道过去他不知道这一点吗？或者虽然知道但早已忘到九霄云外。他知道，只要能找到一条最明智、最正确的生活之路，他就会鼓起勇气，坚定不移地走下去。他在心里问自己，难道这就是“好人”的含义？这个新发现又使他激情澎湃，并且生出一种强烈的自艾自怜的感情。他使劲踢着马肚子，急于见到他的臣民。周围的树木枝繁叶茂，草地上鲜花盛开。远处，阳光在宽阔的大河上跳荡。棕红色的牛群，雪白的羊群，在水草丰美的牧场上游动。肥硕的大雁在湛蓝的天空中飞翔，枝头的小鸟快活地鸣叫着，啄食盛开的花朵。

没多久，他就来到城郊。那些漂亮的建筑物都是用凿得特别整齐的石头砌成。木头篱笆围绕着照料得很好的果园、花园、葡萄园。各式各样的水果蔬菜在温暖的阳光下慢慢成熟着。这里一片安居乐业、歌舞升平的景象，浪子很为自己王国的富足而惊喜。他进了城，深信这里的居民看见他一定会非常高兴，一定都在传颂他的英名。想到万民称颂的胜景，浪子心底生出一股慷慨之情。他很想送他们一些东西作为礼物，但又不知道送什么合适，因为这些人显然什么都不缺。

马蹄铁叩击着石板路发出清脆的响声，那声音在大路两旁的房屋间回荡。但是没有人出来。刚刚用红绿两色油漆刷过的门廊十分醒目，窗玻璃闪闪发光，一望而知，这里居住着有公德之心的、勤劳的人们。宽阔的大街非常干净，足可以和任何一座省城的马路相媲美。浪子在车行道中间停下，腰板笔直地坐在马背上，无论是他还是那匹马都很有贵族气派。骏马弯着脖子，咯咯地咬着银马嚼子，骄傲地晃着脑袋，似乎完全理解这个场合的重要性。浪子随时准备看到欢乐的人群倾城出动，吹着喇叭唢呐，喊着他的名字欢迎他荣归故里。

但是没有什么喇叭唢呐，也没有前来迎接的人群。他骑着马走了一个多小时，穿过好几条大街也没碰见一个人。后来他终于离开大路走进一座旅馆。他十分友好地喊了几声店主。没有人回答。他骑在马背上俯身向里面张望。只见旅馆收拾得窗明几净，炉火映红了一溜铁火盆，蓝白相间的瓷碗里盛着热气腾腾的米饭，好像正在等待已经饥饿的旅客坐在擦得锃亮的饭桌旁边吃饭。锅里冒着热气，飘来一股烤肉的香味。浪子又喊了几声，还是没有人回答，寂静之中，他的喊声和踏在石板上的马蹄声一样，放大了许多倍，就好像是那些石头在摹仿他的声音。

他在这座漂亮的小城里骑着马走了一整天，喊了一整天，希望有个知道他名字的人出来搭话，结果大失所望。太阳落山了，橘红色的晚霞映照着一幢幢石头砌成的房子，一股猛烈的风刮过大街小巷。浪子信马由缰走进一座空荡荡的广场。他对这个广场以前并无印象，心里纳闷怎么居然对这样一个堂而皇之的地方视而不见。广场尽头是一座雄伟的花岗岩砌成的城堡，一望而知那是卫戍司令的官邸。广场正中，屹立着一座青铜铸成的骑马人的塑像。塑像的底座用大理石制成。浪子很想知道那是个什么大人物的造型，便纵马飞驰而去。到了跟前才发现青铜铸造的塑像原来是他自己和胯下的坐骑。他绕着塑像转了一圈，想看看底座上刻没刻什么文字。什么也没有，既没有他的名字，也没有关于他的世系的记载。这座雕像和这座城市一样，在他的面前都“谨言缄口”。

浪子决定喊来卫戍司令，并且准备接受一位王子应该受到的礼遇。他骑着马跑到城堡前面，拔出宝剑，用剑柄使劲敲打那扇厚重的门。他每敲一下，门板上便发出一声巨响。然后，仿佛一阵闷雷从城堡后面滚了过来。从来没有一个地方会听到这样空洞的声音，会这样寂寥，这样凄凉。浪子非常沮丧，他终于明白，这里没有朋友，没有希望，也没有鼓励。他终于明白，不会有人欢迎他，不会有人知道他的鼎鼎大名。似乎是为了排遣心中的绝望，他用宝剑劈砍那扇大门。铁铆钉溅起朵朵火花，马儿吓得直往后退。

“你为什么在这儿大喊大叫，舞刀弄剑，仿佛随时准备和谁打架斗殴？”一个老太太的声音缓缓飘来。那声音充满了轻蔑，“就连脑子最迟钝的人也能看出，”那个声音继续说，“我们这里从来就和平安宁。你一定是个地道的傻瓜。”

浪子十分惊讶地看到他的塑像的阴影里站着一个身披斗篷、个子很高的人。他连忙把剑插到剑鞘里面，问候那人，并且为自己刚才没有注意到她而表示歉意。“见到你真高兴。”他说。在他看来，只要有一个人——不论她多穷，多无关紧要——就一定会有别人。他松了一口气，正要问她别人都上哪儿去了，她向他走了过来。

看起来，她对他那副帝王将相的派头一点儿也不害怕，一边哈哈大笑，一边吓唬那匹马。马吓得直往后退，差点儿把浪子摔下来。结果一个马镫飞起来打在他的膝盖上，浪子忍不住叫喊起来。

“好啊！”那个女人一边喊一边朝浪子走来，还猛地敞开斗篷，露出她的裸体。她挥着手里那根竹竿，差点儿捅到马鼻子上。她大笑着嘲讽他：“你哑巴了？你既然已经找到我了，干吗不通报一下名字呢？告诉姑奶奶！”她在那匹马的前后左右十分敏捷地跳舞，用那根削尖的竹竿捅马的腰腿。

浪子极力控制那匹吓坏了的马，张开嘴大声喊自己的名字，但是他不知道自己叫什么，他把名字给忘了。他的嘴巴仍然大张着，只是喊不出声音，记忆里一片黑暗，他极力搜寻，却没有那个名字的踪影。名字没了，连一点蛛丝马迹也没有留下。

胯下的马抬起两条前腿，几乎直立起整个身体，躲那个女人戳过来的竹竿。她大声叫喊着，步步紧逼。“他们把你的名字偷走了！他们把你的名字偷走了！”她一遍又一遍地叫喊，就好像这是一个天大的笑话。然后，就像来的时候那样出人意外，她竟然停止进攻，一转身消失在黑暗之中。

浪子向她消失的地方纵马疾驰，抽出宝剑，厉声喝道："告诉我，谁把我的名字偷走了？要不然，我就杀死你。"可是没有人回答他的问题，只有他自己的怒吼在空荡荡的广场和一幢幢房屋间回荡，只有他自己的影子朝那座骑马人的塑像指指画画。他闻到一股甜腻腻的腐臭。那是老祖宗们的味道，浪子立刻明白，他是在自己的坟墓里，前来迎接他的是死神——这个地方唯一的居民。

浪子把短剑藏在袍子底下，从昏暗的贮藏室出来，跑到与小红门相连的阳光明媚的后院，鼻子里还缭绕着外祖父卧室里那股令人作呕的臭气。他停下脚步，向四周张望了一下。他注意到，仆人们全都小心谨慎地看着他。他觉得这也在情理之中，因为现在他是这儿的主人。院子里的人们像平常一样忙忙碌碌，虽然有一股焦躁不安的潜流在运动。他的身后，贮藏室的阴影之下，书和兴光脚站在一堆干草上。他们正在紧张地等待着，把草弄得窸窸窣窣直响。浪子继续观察院子里的动静。

他知道，他的征程已经开始——他的旅行，他的战斗，从一个地方流浪到另一个地方。他知道，只有死亡才能停止他的探寻。他下定决心不让别人看出他有多么害怕。"浪子。"他在心里默念着这个名字——他的好朋友奥古斯特·斯比斯在他出生的时候给他取的名字。

"走吧，"他对那小哥俩说，"到二门下面坐一会儿，我给你们讲这场游戏的规则。"话虽这么说，脚却不动，他还不知道该告诉他们做些什么。有一点当然很明确，他不可能把什么都告诉他们。他转过脸看着他们，一只手放在心口窝，剑柄紧紧贴着肚子。他说："首先，我们要对着这把剑发誓，永不背叛，保守秘密。"贮藏室屋檐的阴影之下，小哥俩天真无邪的眼睛里充满了恐惧。

这天夜里，浪子没有到看门人的屋子里睡觉，而是回到空荡荡的正房他自己的房间。他感到孤单，而且总觉得花园里有什么响动。但是刚刚获得的尊严不允许他再到看门人那儿去睡觉。不管怎么说，他都不想回去。迈出第一步，就得再迈第二步，第三步，即使充满危险也得硬着头皮走下去。回头路不能走。过去不明确的东西现在都明朗化了。他预感到，没有办不到的事情，只要采取批判的进取的方法。但他还没有什么方法可言。迄今为止，他的周围还是一团乱麻，意想不到的可能性纠缠其中。要想不被这团乱麻淹没，就得认真地清理和分析。

他躺在床上辗转反侧难以入眠。夜半苍鹭的尖叫本来非常熟悉，但是此刻，还是吓了他一跳。他越来越困惑不安，越来越心烦意乱，直到自己也不知道怎么回事儿，就让思想退缩到他唯一真正感到心安理得的地方——火车。他曾经多次乘坐火车往返于上海和杭州之间，和妈妈两个人舒舒服服地坐在软席卧车里，似乎只有那隆隆前进的火车，只有那窗明几净的包厢才是属于他自己的天地。

他把鼻子贴在冰凉的窗玻璃上，看着窗外一晃而过的景色，印象最深的是上海南边平展展的田野。他知道妈妈正坐在他身后写信或者看信，就那样神情专注地看着。远处是一幢幢有钱人家的两层小楼，农民在菜地里施肥。汽笛长鸣，火车带着他们开进南边的崇山峻岭。他和妈妈坐在温暖、舒适的车厢里，感觉到这是最美好的时刻。因为此刻父亲“鞭长莫及”，无法对他发号施令；外公的深宅大院还在数百里之外，无法禁锢他的自由。他正处于上海的“西式”生活和杭州的“中式”生活之间，他觉得最自在，最安全，也最快乐。旅途当中，只有他和妈妈在一起，谁也无法打扰他们。

现在有一个声音如实地告诉浪子，他之所以在旅途之中那样安适，那样自在是因为他具有“二态性”宝贵的馈赠，是因为他具有“浪子精神”。这话是他的朋友、老师、同伴奥古斯特·斯比斯说的。医生在自己享有治外法权的租界地待了许多年，懂得了一个道理，无论什么事物，不参与与之相对应的事物，就不成其为一个完整的事物。奥古斯特·斯比斯虽然没有什么特殊地位，但又一次把浪子从混乱、也许是从失败中解救出来。医生在窗前踱来踱去，不时停下脚步凝望江面过往的船只，摇着头感叹人类的勤勉。“条条框框，”他继续说，“存在的意义就是让人们超越，而不是驻足不前。”他一边说一边抚摸着手里那本心爱的歌德诗选。“我们应该在那些泾渭尚不分明，而不是在界限已经划分的地方确定我们的位置。”

“破旧立新是我与生俱来的习惯。”浪子心里想，“我的使命就是发现无价之宝。我是行家里手。捣毁老祖宗的顽固堡垒非我莫属。死去的人们阴魂不散，极力影响活着的人的生活。”

现在他已经明白，下一步他要跨越的是生与死的界线。骑着那匹神马他曾经到他的梦魂之乡游玩，到他的坟墓造访。他从自己生命历程的客观事实中揭示了平常很难认识到的真理，并且使之具体化。他进行了侦察，还张开想象的翅膀编造了一个小小的故事。所有这一切都是下一步工作的必要准备，是为了进一步坚定决心。他将到神、鬼、老祖宗，无数知名的和不知名的鬼怪、幽灵的出没之地旅行。被符咒镇住的外公曾经把他的母亲引诱到那里。

他还没有睡着，东方已经发白，突然冷了起来，浪子知道现在他必须做点儿什么，他希望启程之前，设法告诉斯比斯大夫。

浪子事先侦察了一番，发现于洪孟避开乍起的寒风靠着贮藏室的墙打瞌睡。看门人和他的儿媳妇——书和兴的母亲——站在门口和卖菜的小贩讨价还价。

浪子急急忙忙穿过那幢房子，让小哥俩一步不落地跟在身后。他把书安排在走廊南边，告诉他如果看见老于头过来就赶紧学百舌鸟叫。书在外公的书房外面放哨。

他独自一人走进书房。屋子里飘着一股淡淡的老年人和老祖宗的气味。他意识到，外公一辈子都在这种气味中生活。就像动物园的管理员，回家也得带着那股狐臊味儿，甚至吃晚饭的时候那股气味也在鼻翼间缭绕。浪子咽了口唾沫，清了清嗓子。

高大的书橱下边放着一个橱柜，柜子里分门别类陈列着黄老先生搜集的各种茶叶，茶叶罐上的标签字迹娟秀，那是浪子的妈妈写的，这个柜子旁边放着另外一个柜子。

浪子跪在冰凉的石板上，打开那个柜子。柜门里面有两个很大的抽屉，每一个抽屉都安着铜把手。他拉下面那个抽屉，可是只拉出一半，便被什么机关卡住动弹不得。浪子把手伸进抽屉，按了一下后面的一块活板，抽屉便顺顺当当拉了出来。

他把抽屉放在石板上，又把手伸了进去。他发现抽屉实际上比柜子短二十公分，后面还有一层可以放东西的搁板。浪子从那个秘密的地方取出一个小包，放在旁边的石板上。

这便是黄氏家谱。它用杭州产的白绸子严严实实地包裹着，包扎的丝带本来也是白色，但是由于日久年深已经变黄。

浪子跪在地上直盯盯地望着那个小包，几乎盼望听见书发来于洪孟正向这边走来的信号，这样他就不必打开这个世代相传的小包了。他心里想，如果斯比斯大夫在这儿，他会不会嘲笑自己的胆怯？他有没有力量驱除自己的懦弱？

就像一股大风把几只蝴蝶刮进花园一样，一阵人声越过高墙飘进书房。浪子侧耳静听，街头一位小贩吆喝着卖鱼干；门外，一辆大车吱吱嘎嘎碾过那条土路；远处，一列火车汽笛长鸣驶过钱塘江大桥。这汽笛声撩拨着浪子的心，他渴望平平安安踏上征程。

没有百舌鸟的叫声。

浪子开始解那个白绸小包，可是手指不听使唤，就好像长在别人手上。

他弯着腰，屏住呼吸，终于打开小包。黄老先生珍藏的一面铜镜滑落出来，那深不见底的镜面之上有一张面孔正直盯盯地望着他。浪子吓了一大跳，他忘了小包里还有这样一面护卫家谱的铜镜。慌乱之中，他居然没有马上认出那张面孔正是他自己的映像。一只目光淡然的眼睛仿佛从遥远的过去凝视着他，厚厚的，暗红的嘴唇傻乎乎地半张着。他不敢再看。会不会是父亲的面孔？会不会是冯氏家族的第三代传人在黄氏家族的城堡里，直盯盯地望着他嘲弄？这可能吗？他感到一阵心灵的震颤：难道所有的父亲，所有的老祖宗都是一个人？

只一刹，这种疑惑便烟消云散。他认出铜镜里那张面孔是他自己，不是父亲灵魂的写照。他想起，于洪孟曾经对他说，许多年以前，黄老先生的哥哥照这面镜子，但是什么也没有照见，结果没多久那人就死了。总而言之，这是一面宝镜，是公元8世纪唐朝一位铸镜大师为黄氏家族特地铸造的，此后一代传一代，一直传到黄老先生手里。

浪子小心翼翼把镜子翻转过来放在那块绸子上面，没有再看一眼。镜子的背面分成八个部分，上面有两只凤凰的浮雕装饰着八束葡萄枝。两只凤凰面对面站立着，既像翩翩起舞，又像你争我斗。

浪子小心翼翼包好铜镜，然后去拿那一卷分量很重的家谱。他的手太小也太柔弱，似乎没有足够的力量拿起这本厚重的大书。

三天之后，浪子终于找到机会实施他计划中更加危险的一部分。他一直担心不会捞到这样一个机会，因为母亲和外公很快就要回来了。天公作美，就在黄玉化和莲回来的前一天，一场暴雨把他们截在半路，于洪孟和别的仆人急得如热锅上的蚂蚁，无暇顾及这几个孩子。这正是浪子一直等待的机会。

狂风暴雨，乌云翻滚，电闪雷鸣。浪子和兴从小红门溜了出去。书从里面把门关好，没跟他们一块儿走。他的任务是听见事先规定的暗号之后给他们开门。

一旦走出黄家大院，就没有必要催促兴步步紧跟了，小家伙吓得要死，一步也不敢落下。两个人在风雨中并肩奔跑，时时有互相绊倒的危险。路断行人，除了那个卖糖葫芦的小贩，人们都找地方避雨去了。小贩站在老地方一动不动，顶着瓢泼大雨，茫然若失地望着前方。浪子觉得他正观察自己。

浪子和兴每人怀里藏着一包东西，沿湖边的小路朝最近的一座大山急匆匆地走着。天低云暗，风雨交加，一望无际的湖水掀起滚滚波涛，就像有条巨大的鱼在水面之下拼命挣扎。拴在柱子上的游船相互碰撞着发出沉闷的响声，就像牛蛙求偶时的鸣叫。浪子向头顶阴沉沉的天空瞥了一眼，看见乌云的缝隙中有一片绿色，像一个深不见底的洞穴。

走完那条湖滨小路之后，他们拐了一个弯，沿着一溜石头台阶向一座陡峭的山峰爬去。石头台阶由许多段组成，每一段终了都有一座依山势而凿的佛龛。佛龛里有一尊山石雕刻的佛像。佛龛周围是枝繁叶茂的古树，在风雨中扭曲，呻吟，颠来倒去，就好像它们的根着了火，拼命挣扎着要挣脱泥土的羁绊。

走到最后一段台阶拐弯的地方，浪子突然停下脚步，兴没有防备，一下子撞到他的身上，一位年老的农妇正在扫前面的小路。她背对他们弯着腰一边左右开弓发疯似的挥舞手里的扫帚，一边大声嚷嚷着和自个儿争论着什么。她突然直起腰，转过脸，一眼看见滂沱大雨之中站着两个落汤鸡似的男孩儿。“啊——”她尖叫一声，就像一只百舌鸟。“你们这两个小东西要上哪儿去？你们是人是鬼？”她挥舞着手里的扫帚，气势汹汹地向前跨了一步。

兴紧紧地揪着浪子的袍子轻声呜咽。老妪咯咯咯地笑了起来。“你们这两个小东西弄到什么宝贝了？拿出来让姑奶奶瞧瞧！”

浪子站在那儿一动不动，左手伸到袍子底下摸索着找那把短剑的剑柄。他安慰自己："用不着害怕，她不过是个清扫山路的老太婆，大概有点疯颠，懒得躲雨，就在这儿任凭风吹雨打。"话虽这么说，他还是有点儿害怕，一颗心激烈地跳着。

"好啊！"老太婆叫喊着。居高临下，一双狡诈、凶狠、贪婪的眼睛盯着浪子，目光既不显老又不年轻，就像两点鬼火，在雨丝雨线中忽明忽灭，摇曳不定。"你们从一个可怜的寡妇手里抱走她的传家宝。然后，毫无疑问，把她给杀了。把包袱打开，让我瞧瞧。要不然我就把你们从这条路上赶跑！"她举起扫帚，直逼浪子。

浪子觉得，他似乎和山路上发生的这一切毫无关系，而是从远处观察眼前这一幕。他看见自己从袍子下面抽出那把剑。刹那间，好像世界上有两个他。一个袖手旁观，另一个主动出击。作为一个不动声色的目击者，他看见老太婆面对那把挥舞着的利刃，目光由惊讶变成恐惧。他仿佛看见老太婆踉踉跄跄向后倒退，草鞋底绊在石阶上失去平衡，两只手在空中乱抓着，顺着陡峭的山坡滚了下去。他仿佛看见她像暴风雨中刮断的树枝，在山石间一蹦一跳，越来越远。他仿佛听见她的尖叫声盖过暴风雨的喧嚣，在头顶的乌云之间回荡。那是一阵放纵的狞笑，比他听过的任何笑声更狂放不羁，更让人毛骨悚然。掉下去的似乎是他自己而不是那个老太婆。

老太婆从他的视野中消失之后，风雨喧嚣着在陡峭的山坡上滚来滚去，就像父母寻找丢失了的孩子一样寻找她。

石阶小路已经空空荡荡，浪子转过身，看见兴两只手捂着脸蹲在地上，被雨水浇得精湿，浑身颤抖。"起来，兴！起来！"

浪子命令他。兴从脸上拿开一双手，直盯盯地望着浪子手里那把剑，然后捡起包铜镜的小包，慢慢地站了起来。“没有什么妖魔鬼怪。”浪子笑着安慰他。不过他笑得很勉强，没有什么感染力。

他继续往前走，手里提着那把剑，警惕地看着前面的路。倘若看见老太婆又挥舞着扫帚挡住他的去路，浪子一点儿也不会惊奇。刺着她了吗？他不知道。

爬上山顶，脚下的路分成两条。一条通向灵隐寺，另一条通向山脚那条大河。他走向下山的那条路，不一会儿就来到一条溪谷的谷底。这里到处是巉岩怪石，清澈的山泉汩汩流淌，渐渐消失在一片翠竹之中。

那一片竹林在狂风中前后摇摆，就像不同声部的合唱队队员手挽着手唱同一支歌。浪子穿过竹林，钱塘江蓦地出现在眼前。

风雨掀起滚滚巨浪，拍打着布满鹅卵石的河岸。他把家谱放在草地上，用那把剑压住。兴从竹林中出来之后，浪子从他手里拿过那面铜镜，让他去拾柴准备点火。

浪子向河边走去。风揪扯着他的袍子，他不得不弯下腰，一步一步地向前挪。对面的河岸宛若一条刀痕，横陈在黑魆魆的地平线上。背后的竹林在狂风的席卷之下发出咔嚓咔嚓的响声。

浪子蹚水向河心走去，直到河水淹到胸部，脚下滑溜溜的石头再也支撑不住他身体的重量，才像一个要被溺死的铁饼运动员，使出浑身的力气，把黄家那面祖传的，精美的铜镜向滚滚东去的激流扔去。那面古老的铜镜在阴云下旋转着，两只美丽的凤凰在河面上飞翔着，然后，沉没在狂风撕扯的河水里。

浪子踉踉跄跄回到河岸。他连头也没回，因为蒙蔽了外公的祖先明察秋毫的眼睛而沾沾自喜，浑身颤抖。

河岸上，兴正在点火。他找到一根已经枯死的竹子，劈开之后从里面取出干燥易燃的火绒似的竹屑，没费多大力气便生起一堆篝火。浪子跪在草地上解那个小包。

外公珍藏的家谱摆在他的面前。那是黄老先生的护身符，是他视为神圣的天书，是他与他的宗族相联的精神纽带。有这本家谱，就有他在宗族中的地位，没有这本家谱，他就被视为异类，在这个世界上他就是一个没名没姓的陌生人。

雪白的浪花冲上布满卵石的河岸，风扬起一片片水雾。家谱用红色缎带捆扎着，缎带上是金线绣成的凤凰。浪子用冻僵了的手指解开缎带，翻到第一页。雨滴和冷风卷起的水雾落在又细又软的纸上。他把剑放在书上，以免狂风吹跑这一页，然后俯身细看最初的记载。

这一页用非常流畅、漂亮的草书写成，那是宋朝大诗人兼书法家黄庭坚的笔迹。浪子的心被那无法形容的美撼动，情不自禁地哼哼了一声。由于母亲的灌输，他还不会说话，就爱上了书法。应该说，他对书法的爱好，是第一位的。而眼前这一页龙飞凤舞的狂草真让他心神荡漾。恐怕再活上一百年，也不会碰到更精美的作品。

11 世纪的诗人、书法家黄庭坚记下了 20 世纪国画家黄玉化家谱的第一页，还在空白处写下一首诗，为了做到恰到好处，既避开技艺高超的艺术家之嫌，又充分表现博学多才，黄写完自己的身世之后，又在旁边题了两句诗。那是一个凝重得让人心悸的问题，轻巧得让人发笑的答案。诗曰：蚁穴梦魂人世，杨花踪迹风中。莫将社燕等秋鸿，处处春山翠重。

浪子被黄庭坚的书法完全迷住了，忘了自己身处何方，正干何事。他仔细揣摩那如同高山流水，骏马奔驰般潇洒、飘逸的书法，把自己的使命忘到了九霄云外。他不仅仅满足于对字面上意思的琢磨——那使得这篇文章丝丝入扣、珠玑相连的宗旨和主题——他还对每一个具体的字从古老的文明史中获得的深邃的含义进行研究。他以一个学者的严谨和爱好者的狂热思索那一笔一画最初蕴含的意思。他在那黑色的文字组成的历史迷宫中漫游，为自己看到的每一件珍宝而惊奇。

他完全沉醉于对大学者黄庭坚书法艺术的遐想之中。那些象形文字再现了人类历史。对于浪子来说，白纸黑字犹如人类的思想，在一片和谐的静默之中永存。那个问题，一经出口，便与世长存：蚁穴梦魂人世，杨花踪迹风中。莫将社燕等秋鸿，处处春山翠重。

篝火毕剥作响，浪子终于从对于古老艺术的沉思中惊醒。半裸着的兴在红黄的火焰旁边跳跃，浑身上下冒着热气。他又往火堆上加了一捆干竹枝，风助火势，竹节爆响，火星飞溅，空谷之间仿佛枪声四起。

浪子从家谱上撕下黄庭坚写的那篇文字，穿在短剑上，扔进熊熊燃烧的篝火。他一页一页撕着家谱，一页一页扔进火堆。最后把家谱的封套和那条绣着金凤凰的缎带也付之一炬。等到再没有什么可烧的时候，便站在那儿呆呆地望着渐渐熄灭的火，直到碧绿的草地上只剩下一堆死灰。他的脑子一片空白，只有寂寥和空旷在呼啸。

中国人饱受苦难的十年过去了，人们都渴望一个新的开始。浪子烧掉黄氏家谱四年之后，中国分裂的局面似乎进入最后的阶段。1937 年 6 月的第一个星期，浪子的父亲从日本的上层得到高度机密的情报——日本人将要大举进犯中国，并且企图将中国置于日本天皇的统治之下。对于这个情报，冯一点儿都不感到惊讶。一个月以后，发生芦沟桥事变，日本人终于找到向中国全面进攻的借口。从此，日本人民和中国人民一样陷入战争的灾难之中，直到 1945 年 8 月 6 日，美国在广岛扔下第一颗原子弹。三天后，在长崎又扔下第二颗。日本最高军事当局被迫放弃了它的战争政策。

1937 年，日本人占领上海之后没有像 1932 年那次莫名其妙地就撤退了。这一次他们像 13 世纪的蒙古人和 17 世纪的满洲人一样，跑到中国不仅仅是为了抢点东西，或者使中国人蒙受屈辱，而是想建立永久的殖民统治。他们要重写历史。要像成吉思汗那样，凭借武力征服世界。这是一个高傲的、古老的民族想要凌驾于自己邻居之上的传统的，也是唯一“光明正大”的办法。

日本人的政策——如果这样一种有组织的骄横的侵略行为可以用政策这样一个充满理性的字眼形容的话——是实现他们已经做了几个世纪的美梦。他们的使命是把梦想变成现实，把思想变成行动。为了这个目的，千百年来的人类文明给他们提供了一样工具，那就是战争。

在上海租界地以外做买卖，并且享受治外法权的英国商人、法国商人和美国商人都认为日本人的政策很有道理，令人满意，都盼望日本人赶快将梦想变成现实。尽管他们的政府和新闻媒界对日本人的计划，表面上并没有表现出什么热情。

冯也希望日本人尽快接管中国政权。事实上，自从蒋介石1927年北上，并且在南京成立国民政府以来，他一直就盼望这样一天。1927这个不吉祥的年份，他唯一的儿子来到人世。

上海的买办资本家基本上都欢迎日本人。那些因为聪明或者因为侥幸在蒋介石的恐怖统治下幸免于难并且保住财产的买办资本家都希望尽快结束这个滥杀无辜的军人政权，建立一个能使商业和工业平稳发展的强有力的中央政府。他们还希望这个中央政府能够有效地对付各地打着繁荣经济的旗号，争夺国家政权的军阀和共产主义者的威胁。

在众多企图瓜分中国的列强中，似乎只有日本有力量建立这样一个控制整个中国的政权。因此，尽管有那么几位西方记者，官方发言人，知识分子声嘶力竭地反对日本侵略中国，上海的买办资本家（冯是其中之一）和外国财团还是或明或暗支持日本侵略者。

冯参加杉山将军举行的特别招待会之后回到别墅，径直走进办公室，拿起电话听筒要了一个杭州的长途。等电话的当儿，他若有所思地凝望着窗外。

快要过五十二岁生日了。这十年，他一点儿也没见老，他虽然满脸凶相，貌似鲁莽，做买卖赚大钱却很有耐心。他总是隐蔽自己窥测方向，“不见兔子不撒鹰”。但是他对战争的艺术一窍不通。他认为，既然冲突不可避免，就应该速战速决。

冯虽然看起来只是忙于那些实实在在的事务，但是儿子达到成人年龄和中国历史上这一场大变故的巧合并没有逃脱他的眼睛。或许因为这二者之间的联系实在不容忽视。当然迄今为止，他还没有特别仔细地想过这其中的含义，但是心里总是感到一阵阵不安。

经过周密的考虑，他打算一手拥抱他尚不熟悉的儿子，一手拥抱日本天皇。这两个人都有他不喜欢的地方，但他已经认准，世界上没有十全十美的东西，于是拿定主意和这个并不完美的世界打一番交道。日本人和儿子他都需要。前者能保证他飞黄腾达，后者能继承他、他的父亲、父亲的父亲耗尽毕生精力积累的财富，能为他接续香火。

尽管C·H·冯既不爱日本人，又不爱儿子，为了事业，他还是要倚重他们。对于日本人，他觉得如果他们仅仅是机会主义者而不是幻想家，事情可能更好办些。“我觉得有一种比神还强大的力量在鼓舞我们的士兵。”一个小时前，杉山将军含着眼泪对他说。冯听了以后，很不舒服。“比神还强大的力量？”他在心里问自己，一双眼睛不知道该朝哪儿看。他清了清嗓子，有点坐卧不安。他觉得杉山将军的话充满迷信色彩，和古时候中国人的某些想法相似。冯需要的是一个由日本人统治的稳定的政府，而不是精神上的神秘玩意儿。“比神还强大的力量！”他仿佛听见那位日本将军一遍又一遍地说这句话。

一个声音透过电波的干扰艰难地传来。他听出是妻子，便对她发号施令，要她立刻做好准备，和杭州做最后的告别。他没有解释为什么是最后的告别，她也没有要求他作出解释。他们都知道，该是她把儿子移交到父亲手里的时候了，而且赎回这件“抵押品”的时间绝不能推迟。他们都知道，世界要变了。都知道，如果在过去的十年里，她没能按照自己的理想完成对儿子的塑造，那么今后不会再有什么机会了。

他们之间没有多少可说的，一切都不言而喻，持续的沉默便是最好的证明。后来，大概是怕她拖延时间，冯向她透露了一个绝密的消息：日本人准备大举进攻杭州，他们的目的是取道上海，直捣蒋介石政府在南京的老窠。（这个计划一直推迟到 11 月才实施。中国人和日本人血战三个月，几乎摧毁了除租界地之外的整个上海。英美各国为之震惊，他们以为中国人早就失去了抗击侵略者的能力。为了保卫祖先留下的土地，成千上万的中国人浴血奋战。他们的英雄业绩堪与世界历史上最动人心魄的壮举相比拟。）

“杭州已经很不安全了，”冯对她大声喊，“如果你愿意，可以把你父亲和他的仆人一起带到上海。”他的邀请是真诚的。他没有听清她是向他道谢，还是说了些与此无关的话。静电的干扰又如惊涛拍岸汹涌而来，他只得挂上电话。

他皱着眉头，恶狠狠地盯着电话，好像是电话机得罪了他。他噘着嘴唇，活像木头雕刻的非洲人。此刻他疑虑重重。孩子很有点像变化着的幼虫，一天一个样儿，几天不见就“面目皆非”。现在就要见这只幼虫了，他不知道等待他的将是什么，也不知道自己能不能做一个合格的父亲。他仿佛又看见那两个并排躺在白床单上的死婴，看见自己思想深处那个理想的儿子。然而，这不过是一种幻觉罢了。真正的，有血有肉的，活生生的儿子一两天之内就要从杭州回到他的身边了。（在他看来，众多的女儿亦不要求他真正具备父亲的资格，只要求一个监护人的身份。这一点，他相信自己完全胜任。有几个女儿他也很喜欢，就像对他的第一个妻子一样，那份感情也很深沉、持久。）

他刚想触及这个有趣的问题——这个关系到他自己的本

性，寻求他作为父亲的位置的问题，又果断地抛开种种疑虑，把注意力集中到这天的业务上。这倒很符合他的性格特征。

事实上，冯之所以不再审视自己的内心，不仅仅因为他对自己的好奇心突然消失殆尽——在某些问题上，他喜欢反复审视自己——还由于一种不信任，或者更准确地说，出于一种恐惧。他不知道这样的探寻会把自己引向何方？他所蔑视的是抽象的概念，而不是内心的审视。如果冯是15世纪的欧洲航海家，他绝对发现不了新大陆。因为他只是面朝陆地的方向，眼睛离不开熟悉的事物。他愿意在一个周围都是叫得出名堂的事物的圈子里活动。空旷的水平线没有什么名堂可言，吸引不了他的注意力。有时候——就像现在——他无意中朝那个方向瞥了一眼，就会感觉到那叫不上名堂的空旷和辽远威胁着他所熟知的，决定了他的生活目标和行为方法的事物。“去那儿冒险”的说法实在是太笼统了。那种危险无法预料，辽阔海洋的边界无法确定。而这一切是他所无法接受的。不管怎么说，在这个方向什么也不会发现。对于冯来说，抽象的水平线是虚无的别名，也许只是一种幻觉。谁也无法保证水平线那面不是一片空白。所以，他宁愿待在家里，让自己的思想和身体都沉湎于现实生活与熟悉的事物之中。

奥古斯特·斯比斯曾经在日记里写道，冯的性格太庞杂了，很难在短短的篇幅里尽述。其实，冯也是一个有局限性的人物，而且这种局限性大都是他强加给自己的。

冯从对于水平线的遐想和莫名其妙的恐惧中收回一颗心。要心平气静地处理的日常事务之一是关于儿子的教育问题。他准备送儿子到澳大利亚上学，但是还一直没有和妻子商量过这个问题。他这样做并非出于报复。十年前，她回娘家的要求曾经使他沮丧、吃惊。但他只是冷静地观察，无论当时还是以后，都没有做出什么与之相对抗的事情。他什么也没干，他没有什么可干的。他总觉得她已经知道了他的打算。很可能他和奥古斯特议论这事之后，奥古斯特立刻就向她透露了全部细节。（一直有人向他报告，自从男孩儿出世以来，他的妻子和他的朋友时有书信来往。对此，他亦不反对。他并不认为自己因此而受到威胁或被人出卖。他也从来没有在妻子和奥古斯特面前提过此事。他有许多了解周围情况的管道。让冯焦灼不安的是那些他尚且不知道的事情。他相信，只要知道就能加以控制，并且为他未来的目标服务。）

奥古斯特曾经满口答应陪浪子去澳大利亚读书。他要一直在那儿待下去，直到浪子完全适应了寄宿学校的生活，并且和他的那些澳大利亚亲戚建立了良好的关系。

“我会想你的，奥古斯特。”看到他的朋友这样热心，冯深受感动。他原以为要费一番口舌才能说服奥古斯特，没想到他竟这样痛快。其实他亦不一定真的想他，但他不知道该如何表达心中的感激，所以才说出这番话来。“我真有点儿嫉妒你了，真希望我能亲自去。”接着他向奥古斯特详细叙述了澳大利亚和他的祖父，还从抽屉里拿出一张很大的深褐色的照片。

“我祖父这幢房子在墨尔本。”他们俩一块儿看那张照片。一幢颇为壮观的二层楼房傲然耸立于新开辟出来的土地之上。树木和灌木丛还没有人高。一位欧洲妇女站在门廊下面，两只手握在一起，悠闲地放在前面，目光凝视前方，充满了自信。她身穿精工制作的白色长裙，裙子上面用金银丝线绣着美丽的图案，镶着色彩瑰丽的花边。她身后站着一位保姆，手里抱着一个蹒跚学步的孩子。

那位少妇前面的土路上站着一位四十多岁的中国人。他衣着考究，两手插在裤兜里，伦敦订做的长礼服敞开着，露出和裤子同样颜色的双排扣背心。他头戴一顶漂亮的高筒礼帽，右手拿着一根手杖，左眼注视着照相机的镜头，右眼戴着一个眼罩。不知是谁在他的头顶用钢笔画了一个挺小的X，说明他是何许人也。其实毫无必要。“我的祖父。”冯指着照片上的男人不无骄傲地说。

他们又看了一会儿那张照片，奥古斯特提了几个问题。“我的姑妈维多利亚是他最小的女儿，现在还住在这幢房子里，我会写信把你要去的事情告诉她。这可是一次了不起的冒险，奥古斯特。”那张照片下面有一行烫金字：岗坪园，1876年。

祖传铜镜和家谱的神秘失踪使黄玉化老先生蒙受了沉重的打击。二十岁那年，他受先人之托保管这两种象征了家族沿革与兴衰的物品，一直珍藏了五十多年。现在这两件宝物不翼而飞，他认为一定是万能的神认为他没有资格保存它们，所以才从他手里收回。他为了不受家室之累制造的种种借口，他把女儿当儿子养犯下的过错显然触怒了神，不给他与老祖宗最终和解的机会。尽管他朝拜了祠堂，祭祀了祖宗，还是没有得到神的原谅。这是他们对他试图洗心革面的回答。一切都完了。家族的末日已经来临，自私毁了他的一生。现在他比以往任何时候都更怕死。他深信他将永远变成一个畸形的魔鬼。

他等待着，什么也不做，只是等死。大伙儿也都觉得他要死了。他在死亡线上默默地挣扎，谁也不知道他有多大的耐受力。于洪孟给他穿衣服，擦澡，喂饭，推拿按摩，尽量减轻他的痛苦。但是没有什么办法能在精神上给他以慰藉。在这方面没有灵丹妙药。他是被自己家族宣判的罪人。老祖宗指着鼻子骂他。他的末日不会突然降临。他一点一点地枯萎，就像一株大树，根被斧子砍伤。他将被剔除出去，从家族的链条中取下他这一环。他感觉到死神正伸出手指匆匆忙忙揪扯他身上那件光彩夺目的斗篷。在他诗人的记忆里，出现了一个个洞罅，就像曾经镶嵌过善解人意，清澈明亮的眼睛的眼眶骨。他束手无策，惊恐地注视着死神不紧不慢的脚步。

听不见他的声音之后，她挂了电话。冯要她立刻离开杭州的命令使她浑身麻木。她无法对此提出异议。她看见父亲无声地啜泣，眼泪顺着面颊缓缓流下。他目光呆滞，身体像一块冰一动不动。要不是那汩汩流淌的泪水，她还以为他已经死了。

她喊来于洪孟，递给他一支香烟。他从蓝屏风后面走出来，站在敞开的窗前。她替他点着香烟。他们一边抽烟，一边看着整理得有条不紊的花园。天气闷热，连一丝风也没有。她终于说："我输了。"

于洪孟什么也没说。他深深地吸了一口烟，闭上眼睛，体会烟雾在肺里翻腾的愉悦，半晌才咳嗽了几声，说："只要不中止战斗就不能算失败。留得青山在，不怕没柴烧。"

她不由得笑出声来。"你能不能告诉我点儿比这种老生常谈更聪明的道理？老于。"

"你还年轻，"他说，"这只是暂时的挫折。"

“冯要把我的儿子送到澳大利亚，十年以后才能再见到他。那时候，他已经长大成人。在澳大利亚，他会学会瞧不起中国，他会完全站到我的对立面。”

于洪孟很严肃地说：“没有一个人，包括你，能够准确地预测未来。现在就确信十年之后会发生什么事情可不是聪明人的做法。甚至连十天之后发生的事情也无法预料。傻瓜才总想十天之后会发生什么事呢！想一想那个曾经主宰你精神的魔鬼，它上哪儿去了？给它个耳刮子，打醒它。为什么总想你儿子十年以后回到中国的情形呢？如果你非要展望未来的话，为什么不想想二十年以后的事情呢？那时候，他已经回国十年。为什么不想想三十年以后呢？到那时，你们俩把澳大利亚的影响都忘到九霄云外了。你还年轻，还不到三十岁。所有这一切很快就会成为过去。你还记得十年前生他的时候经受的痛苦吗？那简直像昨天一样。在我的记忆之中，那一切仿佛发生在昨天夜里。十年，二十年，三十年，这有什么区别？冯会死的。人总有一死。他也有倒霉的时候。这不是老生常谈。日子总得一天一天地过，而不会把十年的日子集中在一天过。如果在某一天遇到麻烦就觉得天要塌下来了，那岂不太蠢？至少要等到明天。谁知道呢？也许冯还没来得及把他的儿子送到澳大利亚，自个儿就先成了共产党的刀下之鬼。现在不是你认输的时候。按你的逻辑，我们都输了。但事实并非如此。”

于洪孟突然闭上嘴巴，也许觉得自己说得太多了。他凝视着病榻上的黄。“他让你什么时候回去？”

“他给了我们三天的时间。”

他们相互对视了一眼。“啊，三天。”他十分沮丧。他再也见不到她了。两只小公鸡和一只小金鸡。一切恍若昨日。

她没有提冯邀请黄老先生和于洪孟也去上海。

“过去我们不敢在他面前抽烟，”于悲伤地说，“现在我们对他的尊敬和畏惧上哪儿去了？”他们看了一眼黄老先生。他满脸泪水，一动不动坐在太师椅上。过了一会儿，于洪孟说：“你为什么不能先入为主，让你的儿子对澳大利亚产生一种成见呢？历史性的转折常常一天之内就会完成。你还有三天的时间。”

“所有文明社会的人都知道，有天堂，也有地狱。只有傻瓜才盼望在地狱的黑暗里见到光明。”说书的盲人朝黄老先生书房四周“张望”着，脸上一副自命不凡的表情。

浪子心里想，除了外公、于洪孟和他，这儿会不会还有别的什么人呢？因为如果仅仅为了他们三个人，这位盲人没有必要摆出这样一副居高临下，不屑一顾的架势。或许有什么看不见的鬼怪、妖精藏在书房黑暗的角落、窗户外、走廊里，或者花园的假山后面。他们是不是也像他这样，对这位先知的轻蔑心存恐惧呢？

浪子毫不怀疑，这位盲人的“视觉”要比他这样的普通人更敏锐。普通人只能看见四堵墙壁里面的东西，或者最近的地平线以内的东西，无法穿透墙壁，也看不见地平线以外的事物，更不会像瞎子那样，既看到过去，又感知未来。因为对于瞎子来说，没有什么可以阻挡他的“视线”的东西，现实生活中的事物无法妨碍他们的视野。浪子怀着恐惧和期待凝视着说书人。

“地狱里太黑了，什么也看不见，”瞎子继续用轻蔑的口气说，就好像他面对的是一群白痴，“所以，你一旦走进地狱就别想出去。那是不可能的事情。地狱是最终的目的地，不是路边的驿站，不是旅行者的小憩之地，而是已经完成长途跋涉的人们的安息之地。人们不能在那儿停留，只能永远待下去。这也正是它的可怕之处。它既不在东方也不在西方，而是在东西方之间一个很难确定的地方。地狱里充满矛盾，住在那儿的人被欲望和厌恶所苦。”

他结束了这篇冗长的“绪言”，朝椅子前面那个天蓝色痰盂里漫不经心地吐了一口痰，然后端起茶杯向于洪孟伸过去，要他续满，胳膊从破袖子里露出来，活像一截脏兮兮的烤羊腿，或者一只饿得半死的公山羊的腿。于走过来，给他满满倒了一杯香茶。浪子和于洪孟都默不作声，也没有想到问问说书人怎么知道这么多关于地狱的事情。他说的那番话不容你提出问题。他对自己的宏论充满自信。他是把他们引为知己才将地狱里的见闻和盘托出。

浪子一边看瞎子声音挺响地喝茶，一边把肩头的雪豹皮往紧裹了裹，两条腿紧紧地盘着，坐在宽大的椅子上。夏天的傍晚暖和温馨。浪子不是为了取暖而是为了体会抚摸皮毛那种熟悉的感受才披这张雪豹皮的。毫无疑问，说书人的故事可以让你从凡人琐事的纠缠中暂时摆脱，说不定还会给你一点启迪。这该是人们对说书人的期望。当然，正因为这样，母亲才请这个瞎子跟他们一起度过这个傍晚。可是说书人斟词酌句倒让浪子怀疑母亲安排这一切除了消遣和说教之外，是不是还有别的目的？他觉得他们是特意把他挑出来听这个瞎子咬文嚼字的。他说地狱在东西方之间一个“很难确定的地方”，决不是信口开河，而是深思熟虑的结果。他又把雪豹皮往紧裹了裹，因为他知道说书人能看穿他心中的秘密，他的凝视之中有一种冷漠和近乎残酷的超脱。

说书人把空茶杯重重地放在桌上。黄老先生吓了一跳，睁大眼睛猛地扬了一下头。“现在讲我们自己的故事吧。讲一个食不裹腹的孤儿怎样排除恶魔的干扰成为有钱有势的商人。这个男孩儿当时只有十岁。人们在路上看见他的时候，他已经走了好几个星期。那时候，第一次鸦片战争余波未平，中国满目疮痍，盗匪猖獗。他的父亲、母亲、兄弟姐妹和村子里的所有亲戚都死于战乱。西方也在闹革命，世界仿佛忘记了和平，战争的牺牲者到处可见。

“那个男孩儿遍体鳞伤，腹内空空，站立不稳。但是连他自己也说不清为什么，他咬着牙不停地向前走。他这种顽强的精神真是难能可贵。他出于狂热而不是出于理智拼命坚持着，似乎艰苦的跋涉之后，等待他的将是富裕和温馨。但是这怎么可能呢？独自旅行的人谁也不会在旅途终点找到一个安身立命之地。他衣不蔽体，事实上只有几块遮羞的破布。由于精神极度亢奋，他甚至忘了自己的姓名。他是整个家族唯一的幸存者，或许忘了更好。

“就这样，他走完一条路又走一条，直到终于踏上通往大海的公路。公路上人流滚滚，全都是难民。他们有的在逃难中妻离子散，有的饿得哭爹喊娘。码头上，死亡之神等待着，饶有兴趣地观察他的‘香客’。那个没有姓名的男孩朝她走来，她发现他身上有一种不同寻常的东西。那就是，尽管人类世界完全彻底地抛弃了他，甚至连名字也不曾给他留下，但是他没有丝毫绝望，更没有看轻自己。他始终咬着牙向前走，向前走。死亡之神很少看到一个人能具有如此高贵的品质，立刻决定把他收留在自己门下……”

大海横陈在他的面前。他来自丛林覆盖的山区，第一次不受任何垂直物体的阻挡，看见水天相接的地平线。辽阔的、令人炫目的大海充满魅力。他忘记饥饿、伤痛，站在码头上呆呆地望着喧嚣、起伏、汹涌而来，奔腾而去的粼粼碧波，浑身颤抖。他的心灵与大海产生强烈的共鸣，身体向前倾斜着，仿佛要紧紧拥抱那一朵朵喷珠溅玉的雪浪花。大海的启示迷住了他。连阵阵吹来的海风都那样迷人，催他乘风而去。

死亡之神在观察他。他身材矮小，长得很丑，两片厚厚的嘴唇半张着，一副傻乎乎的样子。右眼患了眼疾，爱探究的苍蝇在露出眼眶骨的伤口上飞来飞去。但是死亡之神并不以貌取人。她看中的是他的精神力量。

怎样才能继续朝前走？他问自己。怎样才能走进这样一个地方？没有可以航行的河道怎样在茫茫大海上航行？如果冒险走进大海，它能把你带到哪儿去？虽然仅仅是一种感觉，但他断定，脚下的码头决不是旅途的终点。他知道前面还有漫漫长路。

他站在那儿，在死亡之神的注视之下思索怎样才能走向远方。这时候，周围的人们精疲力竭，饥饿难当，纷纷倒在地上死去。眼前的大海似乎告诉他们，已经走到世界与生命的尽头。有的人怀里抱着孩子头也不回朝波涛汹涌的大海走去，直到海浪淹没头顶。他们为苦难的历程终于结束而高兴。对于他们来说，除了死亡，再没有别的出路。值得庆幸的是，他们的葬身之地离老祖宗掩埋尸骨的陆地不远。

这个海港是厦门，时间按公历算是 1848 年。死亡之神装扮成一个名叫拉金斯的洋鬼子船长，走到男孩儿身边。码头背风处停泊着船长的“宁录[①]号”。他此行的目的是从中国招募劳工。这实在是独一无二的投机买卖。因为他的合同是为英帝国的殖民地新南威尔士的农牧场主提供合同工。对任何一个当事人，这项计划都将产生深远的影响。

船长站在男孩身边，看见他的瞳仁亮起两朵火花。“看到什么了，年轻人？”他和颜悦色地问。

“我看到一条沉睡的龙。”男孩儿虽然害怕，但毫不犹豫地回答。

“你想让这条龙给你什么？”

“我想成为一个像你一样有钱的人，先生。”

“这好办，”船长回答道，“你只要放弃中国的生活方式，坐上‘宁录号’跟我和我的船员一起到新南威尔士，就永远不会知道什么叫贫穷了。”

船员们正扯起雪白的风帆，准备启航。男孩儿直盯盯地看着，说：“原来靠它们就能在大海里航行？可是，我们坐在龙的背上，他不会生气吗？”

船长想起曾经有那么多好朋友葬身大海，难过地说：“是啊，他也有不高兴的时候。但他也能把我们安全送到目的地。谁也摸不透龙的脾气。”他转过脸望着男孩儿。“你敢冒被龙

①宁录（Nimrod）：基督教《圣经》中的人物，作为英勇的猎手而闻名。

吃掉的危险和我们一起远航吗？”

“我愿意。”男孩儿回答。

船长从蓝外套口袋里掏出一张合同表，领着男孩儿向搭在船上的跳板走去。跳板旁边放着一张桌子。桌子上面有一瓶墨水，几支鹅毛笔。“首先，”船长说，“我们必须得到你父母的同意。”

“我没有父母。”男孩儿不高兴地说。

“没有父母。”拉金斯船长在“父母意见”一栏里这样写道。“宗族关系呢？”他态度非常温和地问道，“一个中国人难道能永远抛弃他的老祖宗吗？”

“我也没什么宗族。”男孩儿说，那只好眼睛闪着凶狠的光，声音里充满了轻蔑。

“中国人要是没有老祖宗可不是个事儿，对吗？”船长看着他，充满同情，“如果是别的种族嘛，还好一点儿。”他在表上又写了几个字：“没有宗族关系。”尽管这张表格不要求登记这方面的内容。“这也好，”他快活地说，“省得那么多老祖宗的幽灵扯你的后腿，或者让你牵肠挂肚。”他微笑着说：“等到了新南威尔士，你就会发现这也是一大好处。还有一个问题，你叫什么名字？”

船长和男孩儿对视着。

“要是提起来让你难过，就不必说了，”船长连忙说。这时候，他已经感觉到只要问起和他的身世有关的问题，男孩儿就很不自在，“没什么不好意思的。我们要去的那个地方，人们并不在乎你叫什么名字。”

“在新南威尔士，许多人都重新取名字。”他伸开两条胳膊微笑着鼓励男孩儿，“不要垂头丧气，一切都会重新开始。那位意大利的伟大诗人但丁十岁才第一次看到他‘心中辉煌的爱人’。幸运之神与你同在。用不了多久，你就会发现杰克和他的主人都是好人。”

船长的神情变得严肃起来。他认真想了想，说道：“不过，这事儿还得认真对待。一个人的名字是他的性格特征的重要表现。有个名字人家才知道你是谁。显然不能叫你但丁。你的鼻子太扁。名字还是取得贴切点儿为好，要不然人家觉得你名不副实，或者当你最需要的时候它却离你而去，让郁闷将你吞没。你的对手呢，可能因为名字叫得好取得很大成功。所以，取一个好名字很重要。我们的躯体可以被泥土掩没，名字却永存。难道不是这样吗？”船长反问道，那口气好像在纠正《便西拉智训》[①]的经文。他的内心深处仿佛也激荡着诗人的狂放不羁。

为了使这一刻更加庄严，他停了半晌才终于说：“重新命名，犹如再生。我给你取名凤——凤凰。对于一个获得再生的人这个名字岂不是很好。”

冯（凤）非常感激，他觉得这个名字沉甸甸地落在他的肩上，把他包装一番，使他立刻区别于他人。他向船长道谢，说他将永远不忘这美好的馈赠。

“好了，不管怎么说，你现在有名有姓了，”拉金斯态度生硬地说，一副不为男孩儿的真诚所动的样子，“一个想要成

①《便西拉智训》（Ecdesiasticus）：杜埃版《圣经》中的一个部分，亦译作《德训篇》或《次经传道书》或《耶稣智慧书》。

为富翁的人，应该有个带神话色彩的名字。”他在那张表格姓名一栏里写道：冯（凤），该家族第一代。

虽然古老的传统牢牢地束缚着自己的儿女，中国还是没有办法阻挡冯远走他乡。他像一条冬眠刚醒的蛇，春天温暖的阳光一照便自然而然褪掉那层老皮，他默默地离开祖国的海岸，连头也没回。因为他没有任何牵挂的东西。中国一万年的历史什么也没有传给他。他已经成交了一笔买卖，手里捏着出卖自己的灵魂换来的十二块银元。他已经不再是中国人了，而是一个像船长那样的洋鬼子。现在他正坐着洋鬼子的船向漫漫远方驶去。

“旅行是件好事，能激发人们的想象力。别的任何东西都是欺骗和诱惑。”一位法国伟大的小说家这样写道。冯和“宁录号”上另外一百一十九名中国劳工也这样认为。当船穿过碧波粼粼的大海向南平稳行驶的时候，拉金斯船长和他的船员也和那位作家产生了共鸣。

他们在辽阔的，波涛起伏的海面航行，纵帆船像一个小小的黑色剪影擦过宇宙那层向里面揪扯的膜。冯站在船舷旁边，满怀喜悦凝视这块硕大无朋的、流动着的水晶。当他忘了陆地的存在，而且知道这次航行的目的地之后，一直这样极目远眺。此刻，满天星光在天空闪烁，一丝风也没有，白帆挂在桅杆上一动不动，船在熟睡的海面上下颠簸，银色的月光下，包铜的龙骨悬垂于清澈的六公里深的热带海水之上。冯突然感到有什么东西在揪扯。他吓了一跳，侧耳静听，是龙的说话声，甲板上躺着早已进入梦乡的同伴。他们的呻吟和梦呓让他难过。因为他清清楚楚地看到，他和他们不过是普普通通的凡人。

这也许是一个警告，告诉他等待他的将是怎样的艰难。但他很快就把这一切忘得一干二净。旅行一结束，就好像什么也不曾发生过。

1848 年 12 月 8 日早上 7 时，“宁录号”停靠在菲利浦港盖隆码头。冯和拉金斯船长告别。那是一个风和日丽的夏日，聚居地其乐融融，充满生机。

冯是第一个上岸的劳工。冯的新主人给了船长酬劳之后——因为冯少一只眼睛打了点折扣——便带冯到坐落在牧羊人“天堂”中心的巴腊腊特牧羊站。那是他的产业。

冯剪掉辫子，扔掉原来那身破衣烂衫，用那十二块银元从主人的铺子里买了一件红羊毛衫，一条鼹皮布裤，一双棕黄色皮靴，一顶系着蓝色缎带的宽边帽。他穿着这身行头去见主人。主人给了他一把斧子，一袋子日常用品，两条狗，四十四只羊，打发他放羊去了。

冯在草原边缘一座充满田园风情的小树林找到一块宿营之地。按照当时的习惯，他砍倒一株巨大的桉树，用劈开的木板和表皮板给自己搭了一座只有一个房间的木屋。进入 1849 年之后，没过几个月，他就非常习惯巴腊腊特牧羊人平静的生活了，过去的事情似乎都已从他脑海里消失，很难想起遥远的故土曾经发生的一切。他有一个新名字，一套新衣服，一个新国家，觉得应该心满意足了。他认为一个正直的人，在这样一个社会环境中，应该生活得体面，丰衣足食……可是，一个冬天的早晨，当太阳从辽阔的平原冉冉升起的时候，他站在棚屋门口问自己，为什么心里总有一种怅然若失的感觉？如果仅仅用寂寞解释也说不通。因为他已经有两个非常要好的朋友。和他一样，他俩也是羊倌，一样的穷光蛋。

多赛特是两个朋友中比较年轻的一个，骑一匹栗色纯种马，穿一件粉红色骑装。这件衣服出自伦敦有名的裁缝之手，曾经相当时髦，他的马裤也很讲究，用光滑柔软的鹿皮做成。靴子是艾伯特[①]的鞋匠专门为他定做的。虽然多赛特眼下是个羊倌，可一望而知曾经是个绅士。他头戴一顶黑礼帽，戴了手套的手里拿着一根拴着长条皮辫的短柄马鞭。

帕特里克·纳南和多赛特一起骑着那匹栗色纯种马。他坐在马屁股上，弯着腰，两条长胳膊揪扯着多赛特那件粉红色外套，一双眼睛深陷在眼窝里，因为恐惧和惊奇滴溜乱转，金黄色的头发和胡须乱蓬蓬的像团野草，那模样谁都不会把他错当成绅士。帕特里克是平民百姓。

每个星期六晚上，多赛特和帕特里克都要合骑着那匹马跑来找冯玩。他们三个人就着桌上那盏牛油灯枯黄的灯光坐在桉树锯成的木墩子上面玩尤卡牌[②]一直玩到天明该回去放羊的时候。

每逢三个人聚会，冯就煮大块的羊肉，烤新鲜的面包。帕特里克总是设法搞来半品脱朗姆酒。这时，他们忘记心中的不快，都变得温文尔雅、慷慨大度。有时候，玩牌玩累了，他们会聊起过去的事情，或者说多赛特比另外两位更喜欢讲自己的故事。多赛特是土著人，十五岁。1837 年 6 月 22 日，他的母

①艾伯特（Albert，Prince，1819—1861）：英国维多利亚女王的丈夫，实际上成为女王的私人秘书和首席机要顾问。

②尤卡牌（euchre）：2 至 4 人打 32 张牌的纸牌游戏。

亲在布罗肯湾[1]被人谋杀，正是那年，维多利亚女王登基加冕。讲到这儿，他总爱补充一句，“愿上帝保佑她”。同年，他被当作一件天涯海角的罕物送回英格兰，和一个性情古怪但非常厚道的公爵生活在一起。不用说，那家人非常富有。锦衣玉食，绫罗绸缎，他一直长到十四岁。后来，公爵突然去世。公爵的儿子倒不古怪，但决心要做一个政治家，硬把多赛特和他那匹栗色纯种马送回到澳大利亚。“伙计们，我就这样回来了。”他的英语发音非常讲究，贵族味儿十足。在伦敦上流社会他还有不少熟人、朋友。

至于冯，多赛特只知道一个名字。这并不奇怪，在那些与自己的宗族割断联系的人当中，这种情况很普遍。他来自一个值得骄傲的民族，他宣称，这个民族几乎和汉族一样古老。割不断的亲缘关系，对祖先的尊敬，由于种种精心安排的仪式而更加深入人心。“可是，亲爱的冯，正如你所看到的，我也加入魔鬼的行列了。难道我和你不一样吗？我也是一个摆脱了羁绊的自由人。你敢否认这一点吗？如果敢，我愿意和你决斗！”冯拒绝他想要决斗的邀请。他知道多赛特非常珍视自由，就像他那些蒙昧无知的兄弟姐妹珍视自己在一个正在急速消亡的民族中卑下的地位一样。

和多赛特相比，帕特里克·纳南说得少，听得多。他已经四十二岁，一个老头子了。可是对自由的向往不比多赛特差，虽然谈起过去的事情他总是轻描淡写。他只说自己出生在爱尔兰大西洋岸边风雨冲刷的伯特拉夫堡海湾。尽管有时候也会再

①布罗肯湾（Broken Bay）：澳大利亚悉尼市区北部的港湾。

说出点儿什么——常常是自言自语，而且突如其来，声音很高，把两个朋友搞得心神不定。他大半辈子都是孤苦伶仃的牧羊人。这似乎在不知不觉之中使他养成一种喜欢预言的习惯。有一天晚上，他的头脑格外清楚，想起年轻时候，放羊以前的生活。他说："我和墨尔本的一位修女有过一个女儿。我做梦也想把她带回爱尔兰。可是由于历史的原因，无法如愿以偿。得了，不和你们讲这些了。"他一下子发起脾气，把手里的牌一张一张地弹到桌子上面，又喃喃自语，唠叨起未来的灾难。

他们用自己创造的语言沟通思想。那是一种盖尔语[①]、福建话和英语的大杂烩，只有他们三个人能听懂。他们争论起哲学上的问题，常常挥舞胳膊，满脸怪相，甚至不得不借助于树枝、树叶，削下来的土豆皮、羊毛或者手头随便什么东西，在桌子上面摆出种种图形。他们很为这种图解的说服力而沾沾自喜，常常忘了打牌。有时候，其中一位会探过身子，移动一根小树枝或者一片枯树叶。在别人眼里这种变化毫无意义，但是对于他们来说，这一挪一动却非同小可。有时候，三个人会高兴地叫喊着，表示赞同；有时候，大家都绷着脸，各不相让。有时候，一撮羊毛便化干戈为玉帛；有时候，一个土豆便招来唇枪舌剑。他们真成了象形语言大师。他们之所以能够用这种语言表达思想，是因为每一个图案都经过仔细推敲。他们因为有了这种友谊、理解、和谐而少了许多痛苦和寂寞。

直到 1850 年 5 月 8 日。

这一天，人类矛盾的几方突然汇聚在一起，这些矛盾由来

①盖尔语（Gaelic）：苏格兰高地及爱尔兰等地盖尔人的语言。

已久，不过一直被日常事务所掩盖罢了。这一场纷争当然无法和哈米吉多顿[①]之争相比，也不能和葛底斯堡[②]之战、滑铁卢[③]之役相提并论（甚至和贝克瑞山的争斗也无法同日而语），但也溅起了朵朵火花，扬起阵阵黄尘。史书对此不曾记载。有两个人死了。事实上是被另外几个人杀死的。还有几个人似乎知道以前不曾知道的关于他们自己的秘密。有一个人离开他的牧羊站，去迎接命运的挑战。要不是前面发生的事情，他决不会铤而走险。

1850 年 5 月 8 日，星期一，菲利浦港地区巴腊腊特牧场。那里的人们认为掠夺和惩罚的概念很难截然分开。重要的是事实。这个故事之所以成为现在这个样子，并非我自己杜撰而来。

尽管没有目击者，但是后来发生的事情，这天清早已有蛛丝马迹。牧场铺着一层白霜，帕特里克打开羊栏，羊儿像潮水一样涌向晶莹闪烁的朵朵霜花。他嗓子眼儿一阵痒痒，情不自禁喊出他的预言：“米迦勒天使长今天要显灵了！”果然被他言中。

这个地区冬天来得很早。中午气温也只有零上 2 度。铅灰色的云块遮挡着太阳，南冰洋吹来凛冽的西南风，横扫草原。这样的天气，谁都想找个借口待在家里。

---

①哈米吉多顿（Armageddon）：基督教《圣经》中所说的世界末日善恶决战的战场。

②葛底斯堡（Gettysburg）：美国宾夕法尼亚州南部城镇，美国南北战争中葛底斯堡战役的战场，后美国总统林肯在这里发表著名的葛底斯堡演说。

③滑铁卢（Waterloo）：比利斯中部城镇，1815 年拿破仑军队大败于此。

要想完全避开寒风的袭击是不可能的，但冯还是设法在一条石头溪谷的背风处找到几株金合欢树。他让狗去看羊，自己钻进树丛，点了一堆火，把破烂的斗篷紧紧裹在身上，这个斗篷是他用几个砂糖袋子自个儿缝的。风越刮越大，头顶的树枝哗哗啦啦地响着。冻雨夹着雪打在脸上针扎一样疼。一股寒气从脊梁骨升起，冯浑身颤抖，缩成一团在火堆旁边躺下，闭上一双眼睛，以免火星、草灰飞到眼里。他想起那间小小的棚屋，明亮的炉火，亲密的朋友。

天越来越晚，风越刮越大。狂风呼啸着滚过溪谷，席卷着金合欢树丛。大地似乎要将那隐蔽之地的杂草树木连根拔掉。冯躺在火堆旁边进入梦乡，灰和烟在他身边旋卷。他呻吟着，身子抽动了一下，不知道梦见了什么。

这时候，树丛里钻出一个身材高大、满脸胡须的土著人武士。他手里拿着几支长矛，矛柄拄在沙土地上，样子蛮轻松。他仔细打量着这个身裹砂糖袋子的独眼中国男孩儿。土著人没有多待，转身离开溪谷，银灰色负鼠皮斗篷被风吹起，像一叶鼓满风的帆。

冯慢慢睁开眼睛，不知道自己身处何方。他凝视着那一堆冰冷的死灰，迷惑不解。刚才这儿还是一团活泼泼的火焰。他的心里升起一股莫可名状的感情，他觉得在他睡觉的时候，世界已经发生了变化。篝火留下的灰烬那边，离他不到 1 米远的地方，有几只钉了铁掌的马蹄正焦躁不安地踏着泥地。把小石于踩得到处都是。冯抬起头。

他的周围有十几个骑马的人。他们的外套在狂风的席卷之下噼啪直响。胯下的坐骑被地上这个动弹着的活物吓了一跳，不停地摇晃着脑袋，喷着响鼻，耳朵向后竖着。

冯大惑不解，仔细打量围在身边的人们。这些人他都认识。他们手里都拿着枪。有两个挎着马刀，还有一个带着一条绳子。那绳子盘成几圈，用一根皮带捆在鞍上。冯刚从梦中惊醒，还躺在地上。他抬起头，渐渐发现这群骑马的人很不寻常，不禁打了个冷战，越发诧异起来。他注意到这些人不是牧场主，就是牧场主的儿子。以前，大家偶尔聚到一起都乐乐呵呵，不分你我，有的人还到过他的棚屋，受过他的热情招待。路上见面的时候，他们总要友好地打个招呼，表示对他的信任。可是现在，他们好像都成了陌生人。他从他们的行为举止，言谈话语中看出，他们不再理解、也不再信任他了。

世界变了。他刚醒来就意识到已经不在先前入睡的那个地方了，意识到凡事不可能失而复得，更知道没有回头路可走。就在他双目紧闭的当儿，一种催化剂融入他们这个新的社会团体，使得这群人从中分离出来。而这群人又由于共同的地位和共同的目标结合成一个新的团体。在他进入梦乡的时候，有一种东西唤醒这群骑马人潜在的意识——他们同属一个营垒。可能发生了什么事情，威胁到他们的利益，搅动了他们的记忆，使他们想起老祖宗相互之间有过联系，相互之间都是老熟人，跟他却是陌路人。冯出于本能，在醒来的那一刹就认识到了这一点。

巴腊腊特牧羊站的主人用刺马针碰了碰他的坐骑轻轻颤抖的腹胁，失去勇气的马机敏地向前走了几步，白色的死灰扬起来落在冯的脸上。那人从马背上俯下身，望着他的羊倌，似乎被狂风噎得喘不过气，半响才一字一顿地小声问：“多赛特在哪儿？”

他问这个问题的时候，围在四周的人一起弯下腰听他的回答，就好像在排练一个舞蹈，或者举行什么仪式。他们这样俯身向前的时候，胯下的皮马鞍吱吱嘎嘎响着，目光聚集在蜷缩在地上的羊倌。在他们眼里，他已经变成一个陌生人。他满脸白灰像个小丑，原先熟悉的东西被陌生掩盖，一个被扭曲、被白灰抹去个性的可怜虫——现在很难把他引为同类——蜷缩在棕黄色麻布斗篷里，那样子与其说是羊倌还不如说是一只羊。魔鬼已经现出原形。他不再是那个快活、可靠的冯，那个和蔼可亲的独眼男孩儿，而是他们当中的异类。他好像一直用这身伪装掩盖自己的真实面貌。

冯摇摇晃晃站起来，不知道会发生什么事情。他揉了揉飞进眼里的草灰，用半通不通的方言结结巴巴地告诉主人，除了刮大风这天并没有什么不同寻常之处，因此，多赛特肯定和他的羊群待在一起。

他们没有向冯道谢，只是满腹狐疑地相互看了一眼，然后掉转马头，穿过树林扬长而去。

他们走了之后，冯让牧羊犬把羊儿拢到一起，他把羊群赶回到围栏里，关好栅门。他的主人走以前稍微耽搁了一会儿，告诉他：“抓到那个杀人凶手以前，我们的生命财产都没有安全可言。”

那群骑马的牧场主出于无知，深信多赛特虽然在伦敦上流社会生活多年，但他那种与生俱来的禀赋，纯朴、原始——如果不是野蛮的话——的感知能力一定没有被岁月磨蚀。他们终于找到多赛特，让他带路去找那个杀人凶手。多赛特把头上的黑礼帽往下按了按，用手轻轻地拍了拍胯下那匹紧张的纯种马，立刻回答："没问题，先生们，尽管吩咐。"他穿着粉红色骑装，带领他们在密不透风的灌木丛和陡峭的石头溪谷里走了整整三天三夜。他对这种事情毫无经验，只是凭主观想象推测这正是亡命之徒的藏身之地。

他们的搜寻一无所获。他虽然懊恼，但并不垂头丧气。事实上，他总是乐呵呵的，惹得那些满脸严肃的牧场主心里老大不高兴，他确实尽了最大的努力，不时停下脚步趴在地上看有没有那人留下的踪迹，嘴里嘟嘟哝哝，咒骂那个狡猾的家伙。实际上，他根本就没有这种辨别能力，落叶层上留下的蛛丝马迹在他眼里什么也不是，多赛特紧紧跟在马屁股后面，看到的只是地上的枯枝败叶、树皮和露出地面的岩层。他曾在紫背别墅时髦的沙龙里满怀凄楚，熟读莱辛[1]著名的悲剧《安德罗玛克》。但是对于祖国大地这本教科书，他是文盲。他已经失去和她的联系，他是不受约束的自由人。

他没有找到那个凶犯并不是因为他不愿意。恰恰相反，他急于向人们显示，像身边任何一个人一样，他是自由的精灵，忠心耿耿的殖民者，是这个新的家园的缔造者（如果算不上开山鼻祖的话）。因为他知道，用以维系这个家园的内聚力不是产生于老祖宗的老关系，而是产生于这样一个原则——所有的人在上帝面前生来就是自由的、平等的。他或者她来到世上的时候都是清白无辜的。以后则是根据自己对生活的不同态度走

[1]莱辛（Racine，1639—1699）：法国剧作家、诗人，法国古典主义悲剧代表作家之一，主要作品有诗剧《安德罗玛克》、悲剧《爱丝苔尔》《菲德拉》等。

出不同的路。他知道，自由的核心是摆脱“根”的羁绊。判断一个人自由与否是看他个人的情形，而不是看他所属的部族。他也明白，自由的含义因人而异，各不相同。当他骑着马转来转去一无所获的时候，他也并不认为这一切会有所改变。

他真希望把那个浑身颤抖的罪犯掐着脖子拖出树丛，交给跟在自己身后的那些怒不可遏的牧场主。“他在这儿，先生们！这就是你们要的那个杀人凶手。从我的帽子里变出来的一只兔子。我的魔术怎么样？想要就把他带走。吊死他！”在多赛特看来，他的利益和他们的利益休戚相关。而且他和菲利普港的任何一位绅士一样，都无条件地相信大英帝国法律的公正。他认为，法律使他超越了野蛮，法律广为宣扬的公正无私使他不敢变得专横、霸道。

第四天，他们迎来一个阴云满天的黎明。牧场主和他们的儿子们又冷又饿，垂头丧气，心烦意乱。他们在牧羊站南面沙岩裸露的溪谷，枝繁叶茂的灌木丛已经度过三个夜晚，没铺没盖，更没有可口的食物。可是和出发那天一样，连杀人犯的影子也没有看见。他们心里充满想要报复的欲念。

一个年纪比较大一点的小伙子蹲在篝火旁边看多赛特给那匹栗色纯种马备鞍子，然后第一个开口说话，发表意见。他转过脸，看着大伙儿公认的领袖——冯的主人，朝多赛特指了指，以免别人发生误会，用大伙儿都听得见的声音说：“事情明摆着，你们难道看不出来吗？”

巴腊腊特牧羊站的主人尽管明白小伙子的意思，而且内心深处也有点儿同意他的看法，但是并不想采取什么行动，也没有表露出自个儿的疑惑。“上马，跟多赛特走吧。”他说，把一根树枝扔进火堆，回转身从小伙子身边走开。就这样，他们又跋涉了一天。他们三个人一群，五个人一伙，不情愿地跟在身穿粉红色骑装的多赛特后面，反叛的情绪越来越高涨，怪话连篇，对这位“不安好心”的向导和追踪者大加嘲弄。

暮色降临，还是一无所获。早晨发表意见的那个小伙子已经拉拢了一帮追随者。他带领他们去找冯的主人，向他大发牢骚，虽然礼貌周全，但态度坚决。“我们被那小子耍了，先生。这种事该了结了，一天也不能再拖！”

听到他们的抱怨，别人也围拢过来。有的人不吱声，更多的人随声附和。

他们精疲力竭，又冻又饿，心里充满了痛苦和愤怒。特别是作为殖民者，自己的成员被人残酷杀害，对他们的士气已经是一个很大的打击，现在连报仇雪恨的机会也没有，一个个更是怒火中烧，无法作出冷静的判断。于是他们犯了一个错误，一个真正的判断上的失误。因为他们不把多赛特看作一个和他们一样的人，也不把他看作一个自由人。在他们眼里，他的老祖宗是土著人。他虽然曾经混迹于伦敦上流社会，但骨子里仍然是土著人的儿子。他们无法相信多赛特作为土著人群落中的一个个体。居然读不懂他的祖先创造的这块土地。他们认为他有这种与生俱来的本领，因此得出这样一个结论：他在欺骗他们，故意领着他们在荒山野岭瞎转悠，嘲笑他们居然连那样明显的踪迹也看不出来。他们倒乐于承认自己的确没有这种爹娘传下来的本领。

他们对土著人的宗教和文化略有所知。多赛特的同胞都认为大地充满了善恶两种精灵，而氏族中的优秀分子可以影响并且控制这些精灵。他们这样看待多赛特的同胞，也这样看待多赛特本人。在这儿，多赛特是“自家人”，他人却是不请自来的“入侵者”。因此，他一定在捉弄他们，推翻他们掌管这块土地的合法性。在这个问题上白人特别敏感。他们觉得到处隐伏着危机，颇有草木皆兵之感，生怕遭到报复，被人家从这块土地上赶走。

他们对多赛特和他的祖先的关系的判断很不准确。这种判断是以对所谓土著人的本能的推测为基础的，也是以一种负疚之感，以及生怕失掉这块以不正当的手段抢夺过来的土地为依据的。这就使得他们满腹狐疑，偏执狂妄，而且更加紧密地团结在一起，彼此寻求慰藉和支持。

他们这样做的结果是丧失了独立思考并且做出判断的能力，他们自己形成一个部族，一个由共同祖先的纽带联结而成的集团。这种演变四天前即已开始。冯目睹了这一点。当他们从马背上俯身看他的时候，他就明白一道无形的种族的壁垒已经拔地而起。

树林里暮色越来越浓，但是谁也没有下马搭帐篷准备过夜的意思。两条溪谷在低洼的林地汇聚。这一群骑马人聚集在那儿的一块空地。很清楚，没有晚饭可吃。最后一点儿干粮这天早晨已经吃光了。

多赛特自个儿下了马，把他那匹纯种马的缰绳交给一位牧场主的儿子。他向右面那条溪谷走了一段路，钻进树木稀疏的丛林，边走边左顾右盼，一会儿弯腰捡起一块像是石头的东西，在手里掂掂分量；一会儿往前走一两步，蹲下来若有所思地用手指翻着地上的枯枝败叶，另一只手拿着那副羊皮手套。

那群骑马人凑在一起观察他的一举一动，胯下的坐骑累得精疲力竭，一边来回倒换着山石碰伤的蹄子，一边呼哧呼哧直喘粗气。这时，一个声音打破令人不安的寂静。黑暗中看不清说话人是谁，但是听得出那人好像遭了抢劫似的忿忿不平。“他不是领我们找杀人凶手，因为他跟他们本来就是一伙。”接着是一阵窸窸窣窣的响声。那人又说：“要不然，他就是凶手！”

寂静更加深沉。听了这番话他们心里都很沉重，本来就很不稳定的心理平衡撑到现在终于倒塌。他们不由得打了一个寒战，全都弯腰曲背，紧紧裹着外套，蜷缩在马鞍子上，越发不见庐山真面目了。

寂静越发幽深，直到每个人心里都明白别人听得见自己的思想。

天很快就黑了下来。多赛特那件红外套在树木间晃动，时隐时现，好像一个靶子。也许是一只狐狸红色的皮毛。下了马的追踪者成了追踪者的猎物。那群骑马人把注意力都集中到他的身上。朦胧中，那是他们能够分辨出来的唯一的东西。除此而外，什么也看不见了。

他们穿过浓重的暮色眺望着，寂静沉甸甸地压在心头，把他们压迫得连气也喘不过来。好像冷气凝成一团雾，静静地悬垂于黑暗的大地与有一点点亮色的天空之间。他们被简单化了。他们把多赛特当成猎物的想法，使自己降低到猎物的水平，去做伤天害理的事情，作为自由人，谁都会把这种行为谴责为残暴和野蛮。

离这群骑马人最多三十米远，真正的“猎物”正静静地观察这一幕。这是一位身披银灰色负鼠皮的土著人武士，压根儿就不是什么精灵，而是站在树林里的一个有血有肉的活生生的人。他们之所以没有看见他，不是因为他有什么法术，而是因为这群骑马人此刻心思不在他的身上，而且不懂得寻找他的方法。其实只要他一走动，马儿就会注意到这个响动，并且立刻作出反应，丛林里还有别的响动也不被他们重视。鹦鹉就在头顶的树枝上走动，但骑马人一概置若罔闻。

一旦得出他们大概不是找他的结论，这个土著人武士便不再特别躲藏了。在过去的四天里，他在好奇心的驱使之下，曾经多次尾随这群在丛林和溪谷里漫无目的瞎转悠的骑马人，希望弄清他们的真实意图。现在他越发兴趣大增，他是他们的观众。即使他们永远不肯承认，他还是这段历史唯一的见证人。

多赛特穿过稀疏的树林，走进溪谷。他一边吹口哨，一边随着节拍用手里的马鞭敲打靴子，不知道这回该向大伙儿再做什么建议。走到两条干涸溪谷的汇聚之地，他突然停下脚步，仿佛被什么东西吓了一跳。他感觉到黑暗中有人正向他走来。他手足无措，一动不动地站着，连手里的马鞭也停止了摆动。嘴唇噘着，口哨声却已消失得无影无踪。

“先生们，那个恶棍没留下一点儿蛛丝马迹。”他对着茫茫夜色喊道。因为受过教育，他的英语发音华丽，但声音尖细，语调缺乏抑扬顿挫，在黑暗的丛林里飘忽不定。没有人答应，只有他的说话声在夜空回荡，然后消失在死一样的寂静之中。他感觉到那群人越逼越近，吓得起了一身鸡皮疙瘩。

冯正在炉灶上煮一条羊腿。又是星期六，这块羊肉是为他们玩牌之后的夜宵准备的。从打星期一，他没见任何人，也没听到任何消息。就在那天，醒来之后，他发现世界变了。面对一群骑马人，他从篝火留下的死灰旁边爬起，回答牧场主的问寻。

就像丈夫被拉去打仗，妻子在家等待噩耗得到证实一样，冯虽然表面上安之若素，实际上心里被莫可名状的空虚折磨着。他焦急地等待着，等待弄明白空虚到底因何而生？

狗在叫。他削好一个洋葱，扔进咕嘟咕嘟响着的羊肉锅，又抓了一把盐扔进去，才跑到门口看来人是谁。

是帕特里克。他徒步走着，没有骑马，看见冯出现在门口便挥舞着两条胳膊跑了起来，冯不紧不慢，沿着门前那条小路去迎接他的朋友。帕特里克累得上气不接下气，汗水浸透的橘黄色长发和乱蓬蓬的胡子贴在额头和脖颈上面，嘴唇干裂，嘴角一层灰白的膜闪着微微的光，他抓住冯的外套，一双眼睛充满忧郁和痛苦。“伙计，他们把他给杀了！”他气喘吁吁地说。

不到一个小时，他们就来到那条山谷会合的地方。万籁俱寂，阴森恐怖。深绿色的鹦鹉在桉树与地面平行的树枝上走来走去，啄食树籽。蚂蚁已经成了多赛特红色骑装上的“开路先锋。”

冯看见他的朋友面朝下躺在早已干涸的石头河床里，从心底喊出一个充满痛苦的声音：“多赛特，难道真的是你吗？”他在朋友身边跪下，真想紧紧地拥抱他，唤醒他，听他讲故事，打口哨；真想告诉他，炉灶里火焰熊熊，煮好的羊腿正等待他分享。然而多赛特遇难已经两天，尸体变黑，撑开衣缝。这已经不再是多赛特了。

干河床里躺着一根圆木，冯坐在圆木上啜泣。现在他才明白，当世界发生变化的时候，天堂变成了地狱。帕特里克伸出双手，把冯瘦小的身体搂在怀里，就好像搂着他的孩子。他向圣母发誓，不为多赛特报仇，死不瞑目。

不过，帕特里克并不是第一次蒙受这样的损失。即使对天发誓的时候，他心里也明白，这一番慷慨陈词只能是说说而已，他并不能够对杀害多赛特的牧场主采取暴力行动。他知道，杀他们一个，就会招来更多的敌人。他知道，他和冯跟那些牧场主之间的冲突是什么性质的矛盾。这种事儿他以前见得很多，懂得一个人的力量不可能改变这种现象。

他们去帕特里克的棚屋——离出事地点更近一点——取来一把鹤嘴锄和一把铁锹。两个人轮换着刨坑、铲土。地特硬，表层干脆就没土，鹤嘴锄刨下去又弹回来，把胳膊和肩膀的肌肉震得又麻又痛。从来没有人开拓过这块土地。鹤嘴锄刨石头的叮当声，铁锹铲碎石的吱嘎声在林中空地响了一整天。

帕特里克从挖了一半的多赛特的坟坑里捡起一样东西。“什么玩意儿？”冯凑过去问。

帕特里克画了个十字。“圣母玛利亚！”他低声说，怀着一种恐惧，惊讶地看着手里的东西。那是一块黄金！一块品位极高的纯金！

冯从帕特里克手里拿过那块黄金，也没想到这玩意儿那么重！金子沉甸甸地压在掌心，闪着柔和的光，在他的肌肤上留下滑腻腻的感觉，好像女士的触摸，唤起潜藏在内心深处的欲望。他的忧伤像一块幕布遮盖着一种景象，一个记忆，如果可能的话，还有非同寻常的现实。现在，幕布徐徐拉开，他仿佛看见他的家乡——已经面目全非的厦门。他和拉金斯船长正站在码头上。以前每一个时刻都积攒在一起，而且还要继续存放在某一个地方，只等后来发生的事情使它们变得丰富多彩。“你希望龙给你什么？”阔绰的船长又一次问他。

看见冯脸上那副仿佛中了邪的表情，帕特里克俯身向前，小心翼翼拿起那块金子。“我们要发财了，伙计。”他一边说一边把金子装进口袋，拿起鹤嘴锄继续挖了起来，“是上帝亲自把这笔财富放到我们面前，好让穷人得见天日，伸张正义！”帕特里克十分巧妙地把他们报仇雪恨的决心和这块金子联系到一起。

随后的几天，几星期，他们在多赛特倒下去的那块寂寞冷清之地一次又一次地给他挖墓穴，但是他们居然无法为他找到一块葬身之地。不管是哪儿，只要挖下去就能发现金子。多赛特的生身之地拒绝他的回归。他们之间无法重新修好。大地母亲宁愿用黄金收买为他打墓的人，也不愿意让他回到自己的怀抱。他曾经宣布自己是摆脱了一切羁绊的自由人，那么他将永远保持这种无拘无束的状态。

多赛特在腐烂，已经没有办法把他完整地弄走了。“就让他在这儿待着吧。”帕特里克大声说。可是他们在他的尸体下面也发现了金子。那些稀世之宝在离地面只有一拃深的地方对着他们闪闪发光，就像野兽凶残的目光。帕特里克宣称，这片鹦鹉嬉戏、羊群出没的丛林终于要严肃认真地考虑把纵横的沟渠变成文明之地了。

冬天过去，春天到来。如何处理多赛特的遗骸又提到议事日程上了。可是冯和帕特里克没有想出一个万全之计。现在两条溪谷会合之地方圆好几英亩到处都是废矿碴堆起来的小丘，就好像这块土地曾经患过严重的疡肿。藏在冯和帕特里克炉灶下面的麻布口袋里的黄金与日俱增。冯和帕特里克每新挖开一个坑，脑子里面就会浮现出这样一个问题：他们是为了给被杀的朋友找葬身之地，还是仅仅为了找金子？多赛特躺在那儿，时时刻刻都在提醒两个朋友他的存在。然而，对于他们来说，那件红外套已经不再是他，而是一件纪念品——对于那个与现在相比不太重要的时期的纪念。

而且，那一堆尸骨早已被风吹干，被野狗拖得到处都是，哪里还有多赛特的影子。有一天早晨，为了在朋友的遗骸完全变成尘泥之前，留下一点什么，冯把那件红上衣挂在一株桉树的树杈上。问题就这样自然而然地解决了。

“如果我们不能让他入地，就让他升天。”帕特里克郑重其事地宣布。他从溪谷里捡起多赛特的头颅骨，放在那件红上衣上面。“好了！”他往后退了几步，对这座“纪念碑”颇为赞赏。“让我们按规矩悼念他吧。”帕特里克说，他们双手合十，对天发誓，要永远忠实于他们之间的兄弟情谊。从此以后，这个寂然无声的溪谷会聚之地有了自己的名字——多赛特谷。它将载入史册，留下人们永久的纪念。

冯和帕特里克已经习惯于在那面红外套做成的“旗帜”和那个渐渐变成白色的头颅骨的俯瞰之下工作。头颅骨放在桉树的树杈上，俨然一个充满挑战精神的图腾，守护这块已经到处都是矿坑的土地。鹦鹉绕着它飞来飞去，百思不得其解。头颅骨变成多赛特永存于世而非魂归西天的象征。这又成了他们新的焦灼不安的原因。对于他们来说，那个头颅骨和那面旗帜是神圣而珍贵的，犹如宗教仪式的祭品。冯和帕特里克认为，好运气全靠这两样东西。

两位朋友大着胆子尽可能少管羊群，神不知鬼不觉在多赛特谷的冲积土矿层挖了整整十五个月。后来，1851 年 8 月，约翰·邓洛普和詹姆斯·雷根在附近的白马岭发现了黄金。《季隆①广告报》做了报道，在巴腊腊特牧羊站一带引发了世界历史上规模最大的淘金热。从此以后，菲利普港不再是牧羊人的天堂。与此同时——实际上是 7 月 1 日——划归维多利亚殖民地。没过多久，一位名叫阿姆斯特朗的特派员带着一队人马闯进多赛特谷，要帕特里克和冯出示开矿许可证。两位朋友都认为现在是带上他们的财富赶快离开这个地区的时候了。

临走的时候，冯提出一道必须解决的难题。“我们不能把他扔在这儿，”他说，他从树杈上取下多赛特的头颅骨。由于风吹、雨淋、太阳晒，头骨亮光闪闪。他又从已经破烂不堪的红外套上取下六枚镀金纽扣，连同多赛特的遗骨一起装到一个砂糖袋子里面，带回他的棚屋。然后装进更像是容器的东西里——一个别人从锡兰（斯里兰卡旧称）带来的空茶叶箱子。

从此以后，冯一辈子都把多赛特的头颅骨和红色骑装上那六枚镀金纽扣带在身边，不管在南半球还是在北半球。他珍藏着这两样东西，不愿意和任何人分享其中的奥秘，这就给这种收藏涂上了迷信的色彩。连最信任的人都觉得他生怕失掉它们是因为这两样东西包蕴着支配他命运的力量。人们传说，那个盒子里面装的是冯当作祖先的、澳洲土著人的遗骨。有些副官之类的人物经常宣称，冯对生活真正的、秘而不宣的追求是找一个最终能埋葬这块头颅骨的地方，再以晚辈的身份为它建一座祠堂。

---

①季隆（Geelong）：澳大利亚东南部港市。

那些喜欢冷嘲热讽的人却说，作为人贩子，他干的活儿就是整天与死神相伴，所以随身带一个死人的头颅骨就等于胸前别一枚勋章，实在是再合适不过了。

瞎眼睛说书人大声咳嗽着清了清嗓子，朝想象中的痰盂信心十足地吐了一口痰，结果误差足有一两米远。他把茶杯重重地放在桌子上，傲气十足地嚷嚷着："倒茶！倒茶！"

黄仿佛从梦中惊醒，朝四周张望着，目光中充满了恐惧，确信他的宅子正被冯从上海派来的匪徒蹂躏。

说书人大声吆喝着要茶之后，屋子里一片寂静。浪子听见母亲和于洪孟在蓝屏风后面嘀咕什么。他竖起耳朵全神贯注地听，想弄明白他们说话的内容。说书人讲冯家历史的时候，她故意躲着不出来，很让他悲伤也很让他恼火。他既觉得害怕，又有一种被出卖的感觉。因为此刻他最需要她的慰藉，而她偏偏把他一个人丢在这儿不管。她这种前所未有的举动到底意味着什么，他不敢多想。

他生怕妈妈把他看作曾祖父的同党。她不是已经把他看作这样一个可怕的、受两种不同文化传统影响的混合物了吗？瞎子讲故事的时候，他也是这样看待自己的。瞎子讲故事的时候，他就是他的曾祖父——冯氏家族的开山鼻祖、那位不称职的土著人向导和满脸络腮胡子的爱尔兰人的朋友。现在，曾祖父的过去已经深藏在他的记忆里。那个头颅骨和那六枚镀金纽扣当然不是一本家谱或者一面铜镜，但是它们代替了那两样被他销毁了的东西，他只能把它们看作带有宗教色彩的仪仗。

浪子知道，他注定要受谴责。历史似乎就是为此造就而成的。在钱塘江河底的泥泞中或许会找到那面铜镜——如果走运或者坚持不懈。但是家谱已经化为乌有。丢在水里的东西可以失而复得，扔在火里的东西却只能化为灰烬。火能改变一切。他偷走黄老先生传家之宝的罪过永远不会因为再找到它们而得以洗刷。现在他已经得到警告，他自己无法解释的命运和头颅骨的故事紧密相连。

他不敢正眼看瞎子。他知道，其实他什么都看得见。他知道他看见他撕掉黄庭坚那首诗，扔进沙沙作响的竹林旁边那堆篝火，就像看见冯从巴腊腊特牧羊站金合欢树丛旁边他的那堆篝火留下的灰烬旁边站起来一样。“蚁穴梦魂人世，杨花踪迹风中。莫将社燕等秋鸿，处处春山翠重。”他永远不会忘记黄庭坚的诗句。他想看那个瞎子，目光却落在外公身上。外公神情恍惚，头发蓬乱，目光呆滞，好像最可怕的恶梦要从他的躯体迸发而出，在光洁的皮肤上幻化出充满魔力的景象。

浪子害怕说书人的魔法，他在心里暗暗嫉妒他拥有这样一种能力。让他感到害怕和羡慕的是，这个瞎子能够随心所欲地让时光倒流，并且重新安排已经成为过去的一切。似乎每一个过去的时刻实际上都储存在什么地方，而且因为后来发生的事情而变得丰富多彩。他害怕说书人重新发现，重新考虑那些逝去的时光的能力以及由此而得出的结论，做出的判断，瞎子讲故事的时候，他问自己：“我希望从龙的身上得到什么呢？”他满怀激情地回答：“我希望拥有说书人的魔法。”

说书人喝茶的时候，仿佛拉上一道遮挡过去的帷幕，无法看见幕布那面的情景。浪子偷偷瞥了瞎子一眼。一种比记忆更深刻的东西盘踞在那张面孔背后，在灯光下闪闪烁烁，沾沾自喜。他似乎是庙里一尊涂了油彩的蜡像。失明——一扇关上百叶窗的窗户，谁也无法从外面看见里头的情形。失明——上帝的象征——一件变了形的斗篷，包裹着他，木然，宁静，俨然一个鬼怪。他的魂魄已经离开这间书房飘然而去。他无视他们之所见。

怎样才能乞灵于他的魔法？怎样才能不借助他的帮助就拉开这道帷幕？浪子暗自思忖：问题的关键到底在哪里？怎样才能学会大地的语言？或许和多赛特一样，在大地母亲面前，他永远都是一个“文盲”。冯一定在督促他马上学会这种语言。或许冯是他唯一的朋友，一个重新铸造了的自我，敦促他为了他们的缘故，改变自己的过去。他是难以想象的澳大利亚丛林中死神的使者，是来来往往永不停息的旅行家，是黑暗的地狱里迷路的凤凰，紧抱着朋友的头颅骨和外套上面那几枚纽扣不放，浪子在脑子里摆弄着这几样东西，希望像冯餐桌上的小树枝、土豆皮一样，构成一个图形，形成一种表意文字，表达出一种思想。然而它们还是一盘散沙，互不相关，缺乏一条把这些零零碎碎的东西连贯起来的线，因而难解其意，看不出故事的下文。这个虽然有明确界限，但从总体上看模棱两可的领域倒是欢迎他的探询，然而难道仅仅涉足其间就够了吗？到底是什么妨碍他像那个瞎子一样把什么都看得一清二楚呢？

一股热风从敞开的窗户吹了进来，掀起丝绸窗帘，发出烦人的窸窸窣窣的响声。老画家紧紧抓着太师椅的扶手，尖着嗓子让于洪孟快把窗户关上，因为着急和衰老，他的声音又尖又细。

浪子怀着一种混杂着悲哀、厌恶和迷惑不解的心情观察他。

窗户一关上，书房里立刻升起一股臭气。这是老年人、死亡、灯油，以及脏兮兮的读书人散发出来的气味。浪子看见于洪孟扶着外公站起来，颤巍巍地向书橱下面的柜子走去。

老头朝那个空空如也的箱子走过去，那曾经是他的秘密之所在。浪子仿佛直到此刻才感觉到他给黄造成多么巨大的伤痛。那是一种空虚与失落，一种生命力的丧失。才华横溢的大画家已经不复存在，只有一具行尸走肉在艰难地喘息。

黄老先生因为生气，对于洪孟嘟嘟哝哝，骂骂咧咧。他终于找到要找的东西，右手拿出一个比大拇指大不了多少的形状像犀鸟的小瓶。他十分虚弱，靠着书桌不耐烦地等待着。于洪孟端来一只碗，倒满热水。那只半透明的小瓶躺在他那微微颤抖的手心，在灯光下放射出柔和的琥珀色的光彩。瓶子两只“溜肩膀”，一个圆圆的小盖，看上去活像一个光彩夺目的小人像。这个小玩意儿不是这个世界的东西，而是另外一个世界的遗物，是从边远省份一座古墓里挖出来的祭品。它和那堆白骨，做成猫头鹰、青蛙、狮子、凤凰的工艺品，以及陶罐、瓷盘一起，在黑暗中静悄悄地躺了五千年。那些陶罐、瓷瓶上面刻着各种神秘的图案，似乎乞求坟墓之外的神灵去解放它们。

浪子看见外公拿起小瓶，往碗里倒了三滴清亮液体，书房里立刻充满茉莉花的香气。他想起夏天的傍晚，在葡萄藤上飞来飞去的蜜鸟[①]。它们叽叽喳喳地叫着，然后倏地飞起，离开花园，在嫣红的云霞里消失得无影无踪。也许我们就是坟墓之外的神灵、鬼怪，那些远古时代的遗物就是乞求我们去解放他

①蜜鸟（honey eater）：一种产于澳大利亚的小雀。

们。想到这里，他为自己的狂妄大吃一惊。

“文明社会的人都知道，有天堂，也有地狱。天堂里处处和谐，地狱里一片混乱。”说书人突然大声喊道。

他们都把目光向他投去。说书人一双暗淡无光的眼睛盯着书房黑魆魆的天花板，等到确信人们都已经被他吸引，才轻轻拉开那道帷幕……

“宁录号”和另外四十多艘帆船、轮船一起停泊在威廉姆斯镇霍普斯湾。拉金斯船长登上一条正在等他的独桅纵帆船，向海岸驶去。他从海滩上熙熙攘攘的人群中认出冯和他的两个同伴，非常高兴。冯已经不再是穷困潦倒、卖身为奴的苦力，而是一个颇有经济实力的绅士。对此，拉金斯一点儿也不惊讶。他那件蓝外套口袋里装着冯写来的一封信。冯在那封信里历数了这些年他的种种遭遇和变迁。

几分钟之后，帆船靠岸。这当儿，船长仔细打量正在等他的冯。冯在那三个人里个子最矮，至少比他们低半头。他身穿黑色长礼服，系很大的领结，头戴一顶高筒礼帽。他的左边站着一个衣着较为朴素的中年人。那人头戴一顶宽边礼帽，而且压得很低，金黄色的大胡子几乎遮住整个面孔。

船长对站在冯右边的那个人更感兴趣。那是一位少女。她站在岸边，亭亭玉立，一动不动，似乎一心一意等待他的到来。她神情专注，让人觉得恨不得一把将船长乘坐的那条船拉到岸边。她穿一件漂亮的深绿色骑装。衣服的面料很好，不但裁剪合体，而且样子时兴，单排纽扣的短上衣紧束腰间，和紧身短裙一起勾出她那苗条秀丽的身材。短上衣的扣子金光闪闪，袖口敞开，露出里面的麻纱白葛布衬衫。她右手拿着一根美国造的短柄马鞭，鞭子上的皮条足有两英尺长。左手按船员们划船的节奏一会儿抓住短柄，一会儿松开。船长觉得这个姑娘一定生性好斗，遇事急躁。他在心里对自己说："这个姑娘一定等得不耐烦了，巴不得马上把这件事情办完。"

船长这辈子没怎么和女人打过交道，所以并不认为自己刚见一面就能对一位少女的性格做出正确的判断。他跟马也没怎么打过交道。他认为要想对马作出正确的判断必须先和它相处一段时间才行。此刻，他觉得这个年轻姑娘之所以给他留下深刻的印象，并不仅仅因为她这身打扮引人注目。当然，他也承认，如果她穿一件老气横秋的斗篷，戴一顶贵格会[1]教徒喜欢戴的布帽子，像别的女人那样挽着男友从海滩走过，或者小心翼翼地跟在父母身后，他绝不会隔着二十多码的水面，一眼看见她俏丽动人的身姿。

帆船靠岸的时候，他意识到少女一定会向他提出什么问题，或者征求他对于他们共同利益所系的事业的意见和看法，并且以此判断他是否适合眼前的漫漫征途。想到这里，他连忙振作了一下精神。他觉得姑娘确实不信任他，所以当姑娘毫不畏惧地盯着他看的时候，他竟有点儿紧张。她一定发现什么不对劲儿的东西了。船长忙把视线挪开向别的地方望去。

这几个人的身后停着一辆双马四轮大马车。这辆车比例匀称，功能齐全，马夫站在旁边，手里牵着一匹骟过的栗色马的缰绳。这匹马油光水滑，在阳光下闪着金红色的光。它十分警

①贵格会（Quaker）：基督教的一个教派。

惕地注视着那个年轻姑娘，漂亮的脑袋朝她转过去，一双耳朵朝前支棱着，两条前腿直挺挺地蹬着地。马肚子下面的阴影里蹲着一条挺大的英国种警犬，皮毛呈鲜肝子的颜色。

海滩上这三个人专注的神情给船长留下深刻的印象。他们似乎对他的到来非常重视。

相互介绍之后，冯老老实实地承认："那封信是纳南小姐替我抄写的。"姑娘把戴着手套的手放在冯的胳膊上矜持地微笑着，给船长留下这样一个印象——她是冯当然的保护者。"冯先生跟我约定，他跟您去中国的路上，要向您学习读和写，拉金斯船长。"她直盯盯地望着船长的眼睛，似乎要找到那些他不愿意暴露给她的东西。也许找到了，也许没有。不管怎么说，她做出一个表示满意的动作，继续说："你一定会看到，他是遵守诺言的。真的，船长，你一定要亲自当他的辅导老师。"

拉金斯船长听到这里觉得有必要鞠一躬。"非常荣幸，夫人。"他说，接受了她的委派，也接受了她那种居高临下的态度。这个姑娘不到二十岁，而且一望而知她是帕特里克的女儿，尚未婚配，船长却用了一个只有对已婚妇女才使用的尊称。有趣的是，谁听了都不觉得荒唐可笑。因为，她显然已经是父亲的大管家了，而且希望不久的将来把冯的事儿也都管起来。船长是和她，而不是和任何别人在这里讨论问题，达成共识。对此没有人表示异议——无论言论还是行动。

这天晚上，他们四个人一起在新盖的纳南饭店的雅座里共进晚餐。饭店坐落在正在发展中的墨尔本市中心斯旺斯顿大街。灯光下，银餐具闪闪发光，酒杯擦得锃亮，冯坐在那位姑娘旁边像个孩子。酒杯笨重的柄对于他的手太大了点儿。"为维多利亚凤凰合作社干杯！”他们异口同声地说，大口喝着红艳艳的葡萄酒。那条英国种警犬卧在门口，抬起头哼了几声，充满忧伤的、充血的眼睛向他们这边张望着。

祝酒之后，帕特里克站起来紧紧地拥抱冯。他把他的朋友拥在胸口，用沙哑的声音轻声说："上帝与你同在，小伙子！"热乎乎的，混和着烟草的臭气和酒的香气的呼吸直冲冯的颈背。

纳南小姐说，该举行庄严的授予仪式了。她脚步轻捷，离开那个房间，回来的时候抱着一个茶叶盒子。盒子装在她亲手缝制的一个紫颜色带束口的袋子里。冯大受感动，站起来向她致谢。然后，左手按着那个装在紫色袋子里的盒子，右手举起酒杯，挨个看着眼前三位朋友。"为多赛特干杯！"感情的浪潮骤然从胸中升起，他直挺挺地站着，就像一位军官站在司令官的餐桌旁边，为远行的同胞举杯祝酒。大家都举起杯子。"为多赛特干杯！"

"宁录号"驶入福摩萨[①]海峡，两天之后进入厦门港。冯又闻到从大陆吹来的热风中夹带的臭气。古老的中国用这种古老的味道迎接他。冯没有因此而想起他的童年。他想起在巴腊腊特煮老母羊熬羊油的情景。这股气味包裹着他和船员们。船离大陆越近，味儿越重，似乎就堵在他们的嗓子眼儿里。水手们都若有所思，连说话都压低了嗓门儿，不像在大海上那样随心所欲地嬉戏叫骂。似乎熟睡的巨人中国正对着他们呼吸。他们不敢惊醒她，生怕她使出早已准备好的什么手段把洋鬼子统

①福摩萨（Formosa）：16世纪葡萄牙殖民主义者对我国台湾省的称呼。

统消灭。

冯在港口看到这里什么变化也没有发生。变的是他。他手扶栏杆站在船头，看见码头工人扛着沉重的货物，一步一步挣扎向前，默默地忍受着工头的毒打和叫骂。他还看到许多人贫病交加，挣扎在死亡线上，而清朝的官员们身着华丽的官服，悠然自得，走来走去。他不由得微微一笑，心里有了底。他曾经向他的合伙人许诺，这里是他们不必担心蚀本便可以下网捉鱼的好地方，果然不出所料。现在看来，不需花费多大代价，就能大发横财。

人们奔走相告，消息很快就传遍全城和周围的地区——有一个来自大英帝国维多利亚女王陛下的殖民地的阔人第二天中午要招募工人，这可是千载难逢、发家致富的好机会。

第二天中午，冯从船长室的舷窗向外面张望，看见码头上聚集着几千名满腹狐疑的农民。他们都把注意力集中到"宁录号"上，直觉告诉他，他们之所以来这儿并不是因为真的相信有什么发财的机会，而是出于一种坚定的信念，一种近乎迷信的敬畏。他们认为，如果不来，如果不和一个永远充满敌意的世界提供的机会相抗争，他的这番好意就会成为五千年来历史对于他们这等人做出的真正的善举。另外一些人则情不自禁，拿他和二百年前的民族英雄郑成功相媲美。

不管出于什么理由，人们都不会忽视冯放的这股风。让他们动心的是，如果来看看热闹，他们就更能看清这不过是一场骗局，是为了满足某个军阀或者海盗的野心，拿他们当炮灰。

因此，还没有见到冯，许多人心里就巴不得他今天落个身败名裂的下场。人们都恨他。他们一年四季辛辛苦苦地劳动，除了纳税，连养家糊口的钱也赚不到。在这种艰难的情况下，很容易上有钱人的当。不过，他们极力在心里安慰自己，他们应召而来不是想改善生活，而是希望亲眼看到（如果走运的话），这个阔佬遭人唾骂。

正午的钟声敲过，在船长拉金斯的陪伴之下，冯摇摇晃晃地走上“宁录号”前甲板，身后跟着大副和六个水手。大副手里拿着一把出鞘的弯刀，六个水手都端着已经子弹上膛的步枪。冯身穿漂亮的长礼服，头戴高筒礼帽。他之所以摇摇晃晃是因为胸前抱着一样很重的东西，就像抱着一个灌了铅的婴儿。

冯站在栏杆前面，一切正如人们预料的那样，他们看见这艘外国轮船高高的甲板上面站着一个身材矮小、其丑无比的假洋鬼子。他中西掺半，鬼里鬼气，右眼还戴着一个黑眼罩。农民们看到他们预料之中的海盗的海盗船。他们开始起哄，嘲笑，质问，还朝“宁录号”的甲板上扔白菜帮子和手头能找到的别的东西。

冯哼了一声，用力把那块很大的“多赛特金块”举过头顶，正午的阳光照射着天然的黄金，放射出耀眼的光芒。人群中滚过一阵痛苦的叹息，就像风暴来临，席卷一块麦地。冯觉得浑身的力量都聚集在两只手上，宛若高高地托起一轮熔化了的太阳。他一阵冲动，扯开嗓子大喊一声：“黄金！”

然后，他开始解释。“在巴腊腊特的大山里，”他叫喊着，“黄金有的是，足够你们交一辈子的税，足够你们丰衣足食，让你们的妻子儿女穿上绫罗绸缎，就像满清的大官一样。我是‘凤凰合作社’的代理人。谁愿意去澳大利亚淘金，只要拿他在厦门或者福建的财产作抵押，就可以从我这儿借到旅费。眼下，我们只有一条船，只能带走最先申请的一百二十个人。”

冯本来打算进一步说明，如果第一批去的人和“合作社”配合得不错，彼此都有利可图，他就会派来更多的船只，把想去的人统统送去。可是两条胳膊因为举那块黄金举的时间太长，又酸又疼，便改变了一下姿势，没有马上把这番话说出来。

离船最近的农民听说只有一百二十个名额之后，没等冯把话说完，就争先恐后地冲过去，抢夺舷梯，都想成为那一百二十个人当中的一个。站在后边的人压根儿就没听见冯说了些什么，以为那些爬上船的人要抢那块黄金。他们不想错过这个发财的机会，也都向舷梯冲去。

有人尖叫了一声，接着一声枪响。一个激动得发狂的农民点着手里正好拿着的一捆稻草，扔到“宁录号”甲板上。看见火星飞溅，浓烟骤起，人们都欢呼着，冲上去开始劫掠这条帆船，杀戮他们恨透了的洋鬼子。

拉金斯船长看见冯被这场突发事变搞得目瞪口呆，从他手里抢过那块黄金，藏到甲板上他自己的行李里，然后拔出挂在腰间的左轮手枪，这是他出海前在悉尼买的英国造的新式武器。看到情况紧急，大副连忙让水手们靠拢，并且下达了可以随意开枪的命令。他自己则举起弯刀朝已经抓住船舷上缘的手指和手掌乱砍，甲板上立刻溅满了鲜血。

“宁录号”的船员们虽然武装精良，居高临下，但寡不敌众，只有招架之力，没人能分出身来去扑灭那束稻草燃起的烈火。这时，大火已经蔓延到甲板上那堆涂了沥青的木材上，滚滚浓烟，熊熊烈火包围了甲板上斗殴的人群。他们被烟火隔开，甲板中间的人看不见船边儿上的人。疯狂的人们在烟火中叫喊着，左奔右突，乱砍乱杀，在滑溜溜的甲板上跌跌撞撞，抓住可以抓到手的任何东西以保持身体的平衡。

人们都看见那块金子最后是在冯的手里，所以注意力都集中在他的身上。他简直毫无办法，只能听天由命。这样一来，反倒有一种巨大的宽慰和释然滚过心头。他出奇地平静，时间仿佛停下了脚步，他全然忘记周围的血雨腥风，在一片混乱之中，保持着自己那块沉思的净土。

在这种情况之下，死神或许会在不知不觉之中夺走他的生命。

枪声和呐喊声突然停止，冯从烟火之中走出，连一根毫毛也没有受损。就像从烈火熊熊的炉中走出来的米煞和亚伯尼哥[①]一样，经过一番修炼，顿悟了人生。

他向四周张望着，什么话也没说。

在这场残酷搏斗的中心，他没有听见短兵相接的格斗声，只听见持续已久的寂静的共鸣。在这寂静之中，他学会了人生的秘诀——谨言缄口。刚才，他就是因为说三道四，差点儿招来杀身之祸。他看到了沉默的力量，从今往后，他变成了一个沉默寡言、内心阴险的人。就像从阿拉伯半岛飞来的一只凤凰，经历了血与火的洗礼，他没有被消灭，而是获得了新生。他再也不会多言多语。

当意识又回到眼前发生的这场变故时，冯看见农民们已经退回到码头上。他们分成两队，中间留下一条路，一起跪下朝

① 米煞（Meshach），亚伯尼哥（Abednego）：基督教《圣经》中被 Nebuchad-nezzal 俘获的三个人中的两个，从烈火熊熊的炉中走出而未受伤。

码头中间的那块空地叩头。

厦门的都督带着全副武装的卫兵向这里纵马疾驰，全然不管那些急急忙忙给他们让路的人是否被马踏伤。喇叭吹得震天响，马蹄踏在码头的木板上，就像敲起急促的鼓点。原来都督的暗探刚才飞马回到衙门，用变了调的声音，吐出一个词："黄金！"

大副浑身是伤，躺在冯的脚边直哼哼（正是他颇为内行地保护了冯，才使他没有受到伤害）。冯从他身上跨过去，向船舷走去。都督的马队在码头边停下的时候，他刚好抓住船的栏杆。

那位身穿华丽朝服的满清大臣在仆人的扶持下翻身下马。他双脚刚刚落地，便仰起头朝船上望去。冯向他鞠了一躬。他没有按照中国人的习惯跪下来叩头——这种礼节表示谦恭、服从——而是像在菲力普港看到的绅士们那样，弯了一下腰。他昂着头，向前扬着下巴，表现出他的尊严以及虽然难以捉摸但又无可争辩的文化上的优越。对于身材矮小的他来说，这一躬鞠得漂亮。这一躬没有向对方做出任何承诺。

过了一会儿，冯和都督在受了伤的船长的舱房里举行令人厌倦的会谈。他懒得听那个贪婪的老头喋喋不休。他心不在焉地抚摸着放在腿上的那个装茶叶盒的天鹅绒套子，就像抚摸一条心爱的狮子狗，脑子里空空如也，只有一个声音在回响："什么都不要告诉他！"他像做梦似的想着斯温斯顿大街纳南旅馆舒适的客厅，想着记忆里玛丽那飘忽不定的红头发。有时候，火光照耀之下，这头发像红木一样闪光。

拉金斯船长给他使了个眼色，冯才暂且回过神来，他一边十分精明地点着头，一边躲开都督凝视的目光。由于贪婪和紧张的思索，都督的目光闪闪烁烁。他在琢磨，应该马上扣留“宁录号”和它贵重的货物，还是先放它一马，日后再分享更多的份额。

冯没有讲话，嗓子眼儿里只是发出“嗯—嗯—”的响声。这声音时高时低，时抑时扬，或者表示他已经明白了对方的意图，或者表示他还要进一步考虑。他就这样不卑不亢地哼哼哈哈。都督在贪婪之心的驱使之下，极力推断这些哼哼哈哈背后的含意。冯则一副高深莫测的样子，这就是说，他已经变成一个城府很深的“估不透”了。

他觉得自己已经变得令人难以置信地苍老，就好像那场激战过去，他一下子老了四十年。都督坐在那儿唱歌似的咿咿呀呀，冯压根儿就没听见他说了些什么。他在思念远在维多利亚的家，盼望早日回到那里。“澳大利亚”，他忘情地想着，不止一次说出声来，手指轻轻抚摸着天鹅绒紫色的短绒。

这当儿，都督向冯俯过身去，扭歪着一张脸，试图弄明白冯念的是什么咒语——澳斯揣利亚。他直盯盯地望着冯那两片厚嘴唇，断定那个神秘的罩着一层天鹅绒的盒子里有一个威力无比的魔鬼，有一条玄妙的咒语。冯就是因为有了魔鬼——利亚的保护，才能在那场混战中安然无恙，连一根毫毛也没有损失。想到这里，都督觉得还是小心为妙，逐渐培养这个人的信任，才是上策。

亲爱的玛丽：

劳工终于招募完毕，合作社一百二十名新成员和拉金斯船长以及全体船员明天早晨涨潮时便启锚返航。这只是第一批。有些船长很不称职，可是我们的拉金斯船长不是那种人。如果你和帕特里克同意由他全面负责海上事务，我将荣幸之至。过去几个月，虽然困难重重，但他还是成功地租了船，配备了船员，准备了粮食。现在，连他自己的“宁录号”，我们共有十条船，全都满载淘金工人。“宁录号”启航之后，他们也将陆续开始这漫长的航程。“宁录号”已经成为我们这支舰队名副其实的旗舰。当它驶入哈布逊湾的时候，你将看见桅杆上高高悬挂着一面凤凰旗。

合作社成员——我们的淘金工人，都经过严格审查。他们都有家，并且都有一份产业。没有一个人是我这种无家可归的流浪汉。他们的家属都保证交纳我们代付的旅费利息：每个月两畿尼[①]，或者折合成银元支付，不管来巴腊腊特的人是否能够淘上金子。不能按时支付，即按全部债务到期处理，。如果无力偿还，就以实物、土地，或者劳动力的形式支付。

沈福生随船同行。对他你尽可以放心。他回来之前，两个儿子都在我手下工作。沈能说几句英语，干贩卖苦力的行当已经好多年了，当买办颇有经验。沈将长驻巴腊腊特，在那儿开辟一个营地。他将全面考虑合作社成员的需要，负责给养，代存黄金，组织娱

①畿尼（guinea）：旧时英国金币，合 21 先令。

乐活动，进行健康检查。此外，还得和殖民地的官员们打交道，处理种种日常事务。如果有人死了，沈还要负责把遗骨送回厦门或者他们的家乡。与合作社有关的事情你都可以和沈商量。只有一件事不能让他知道，那就是他永远不能回中国。只要不知道这一点，他对我们就大有用场。他最大的愿望一定是忠心耿耿为我们服务，当好凤凰合作社的工头。他一定愿意这样。因此，合作社所有商业往来都可以交给他去办。他心里明白，只有兢兢业业，全力以赴为我们干活儿，最终才能和他的儿子们团聚。同样，只要沈在澳大利亚为我们工作，他的两个儿子就会在厦门，或者在我指派的任何地方忠心耿耿，勤勤恳恳地为我们服务。对沈要有应有的尊重，为了保持他的尊严，他所需要的每样东西，都应该满足。这样他才会时刻牢记，我们有凌驾于他之上的权利。

我有幸招募了一位名叫沙可安的年轻人当保安队队长。此人武艺高强，曾经是厦门都督的保镖。都督手下的人对他非常敬畏。他们认为他在都督手下不受重用，没有用武之地，为他大鸣不平。现在沙可安虽然已经脱离都督府，大伙儿对他还是言听计从。不过，他真正离开都督府的原因是，都督霸占了他漂亮的小妾。每逢我和这位衣着华贵的满清官员见面，沙可安总是站在我的身后，对都督满脸谄笑，一副谦恭相。但我知道，他满怀仇恨，正伺机报复。沙可安非常愿意在我门下当差，就像我非常愿意收留他一样。我相信，只要安排得当，我们会配合默契。这里充满了阴谋和陷阱，机会和风险并存。

美国人、英国人、比利时人、丹麦人、法国人、德国人和荷兰人云集厦门，尽其所能搜刮中国人的财富。他们都十分兴奋地说，厦门北面有个上海，似乎那是新 El Dorado[①]。掠夺完厦门，他们就要卷土北上。办完这儿的事情之后，我也要去看一看这座黄浦江岸边的城市。不过，我相信用不着费多大的劲儿，我就会垄断从福建招募劳工的事情。因为别人没有我们这样完善的代理机构。那些家伙们都嫉妒我在这样短的时间内取得巨大成功，但又不知道该怎样和我竞争。现在我成了大伙儿的注意中心，一个星期总有十次应邀去他们的领事馆吃饭。

冯给玛丽写完这封信的时候，天已破晓。他独自一人在别墅那座俯瞰厦门港的方形塔楼里办公。塔楼几乎和他在巴腊腊特的牧羊站一样大。光溜溜的地板上没有铺地毯，家具也很简单——一张松木桌，一把松木椅。桌上除了文具之外，唯一的摆设就是一盏煤油灯和那个装在丝绒袋子里的茶叶盒。盒子里面装着多赛特的头颅骨。冯知道，方圆几英里都看得见这座灯光闪烁的塔楼，但他还是有一种远离尘世幽居独处的感觉。

他拿起那封信，又从头到尾读了一遍。读完之后，封起来，还加盖了自己的印章。一种沉重的感觉突然袭上心头。他听见

① El Dorado：旧时西班牙征服者想象中的南美洲黄金国、宝山、富庶之乡。

合作社保安队队员们光着脚丫从大街上跑过。队长喊口令，队员们齐声应和。天亮了。他手下那些收钱催款的人已经开始工作。第一船劳工还没有踏上漫漫征途，有的人家就已经因为还不起儿子或兄弟去澳大利亚淘金的抵押金而负债累累。厦门狭窄的街道，偶尔有一位小店的老板探出脑袋，眨巴着干涩的睡眼，听保安队越来越近的吆喝声。

天光大亮，冯坐在塔楼里一动不动，谛听着那深沉的寂静。

浪子睁开一双眼睛。于洪孟从屏风后面走过来，帮助瞎子走出书房。浪子瞥了外祖父一眼。老头已经从睡梦中惊醒，正轻轻地啜泣。浪子又闭上眼睛，想象故事里的情节。但是，他看见的只是无声啜泣的外祖父。

维多利亚·冯是玛丽·冯（娘家姓纳南）的第九个也是最小的一个孩子。此刻，她正坐在岗坪园凉厅里的一张杉木桌旁写着什么，她的母亲已经在七年前去世。八个姐姐里最后的一个也已经在头年春天出嫁离开了岗坪园。维多利亚已经三十出头，但看起来要比实际年龄大。她特别瘦，长长的黑发挽成一个髻，盘在脑后。她穿一件铁灰色棉布长裙，那颜色像冬天早晨的天空。她的裙子挺脏，一副不修边幅的邋遢相。

她写写停停，停停写写，不时抬起头望望天空，就好像跟踪掠过花园的小鸟。她用右手压住稿纸，左手握着笔写下一行文字——她是个左撇子。她写得十分认真。就好像字迹工整与否和她想要表达的意思都有关系。她精心推敲，涂了又改，改了又涂。

她坐在这座东方庙宇似的凉亭里，不时停下笔冥思苦想，思绪飘忽到炎炎烈日下的花园和烟波浩淼的大河。那里只有一小段防波堤和一条小船。还有一些更轻巧更狂放不羁的船儿，宛若澳洲当地的黑蜂顺流而下，向横陈在花园南面的原始丛林的残余驶去，然后消失在沐浴着灿烂阳光的枯瘦的桉树和干枯的落叶层。

这天下午天气很热，连一丝风也没有。这是 1908 年 2 月，一个非常干燥的夏天的尾声。维多利亚又翻过一页写满了的稿纸，放在一摞用一块圆石头压着的稿纸上面。她又拿了一页稿纸，在白蓝两色相间的瓷墨水池里蘸了点墨水，俯身于那张稿纸上面。她紧紧地抿着嘴唇，略加思索，便头也不抬写了下去。

她停下笔，抬起头，好像听见屋子里有什么动静，也许听见有人在喊她的名字。这次她抬起头不是远眺满目秀色的花园，而是朝这幢房子楼上一个窗口望去。窗前站着一个人，虽然花园和凉亭尽收眼底，他对这一切却全无兴趣，目光向雷克蒙德，向烟雾笼罩的工厂和拥挤的工人住宅区射去。他就是她的同父异母兄弟，父亲和上海那个中国女人结婚后生下的唯一的儿子。这个人随时都可以成为父亲的第二代继承人。

维多利亚注视着她的同父异母哥哥，直到他从窗前走开。他看起来和小时候自己印象中的父亲特别相似。所以，很容易就把他想象成父亲。他很快就要走了。也许此刻已经启程。她又撕下一页纸，匆匆忙忙写了起来。

靠招募华工大发其财的富商冯躺在床上，已经处于弥留之中。他拼命挣扎，从昏迷中清醒过来，把一样极其重要的东西交给儿子。他是从中国来的，此刻正站在窗前等待着。冯终于呻吟了一声。儿子听见父亲的呻吟连忙走到床边。他喘了一口气，呼吸中已经有一股尸臭。冯轻声说：“什么都不要告诉他们！”他想把那个装在天鹅绒袋子里的盒子推给儿子，可是没有足够的力气。

冯的精力已经耗尽。放在胸口的那个茶叶盒就像“宁录号”的铁锚千斤重。在它的重压之下，冯呼吸困难，他拼命挣扎，好像经历了好多年，好几十年，实际上只是短暂的一瞬。他躺在床上，艰难地喘息着，独自一人在那条越来越黑的黄泉之路跋涉，要把具有神奇魔力的多赛特的头颅骨交给儿子。可是他越使劲儿那个盒子越重。他无法挪动它。

在那个盒子压迫并且消耗他的生命的时候，冯开始想象他又一次坐在厦门别墅那个灯光明亮的塔楼里，听“合作社”收税员黎明前匆匆忙忙走过黑暗的大街。然而，即使在他想象这一切的时候——以一种令人难以置信的生动想象——他也明白，他并不是在厦门，而是在岗坪园自己亲手营造的那幢房子里。这种种矛盾让他迷惑不解，不知所措，眩晕恶心，他轻声啜泣起来。他感到绝望。身边没有别人。那个巨大的旋涡旋卷着他，向一片空幻漂流而去。死神已经把他拖进万丈深渊。他害怕地想，我已经死了……

冯氏家族的第二代传人从父亲的手里取下那个盒子，用毯子盖住老人的脸，然后跑到楼下，把父亲的死讯告诉一直在大厅里等待的管家。

过去的半个世纪，沈福生一直在“凤凰合作社”当管家。他站在人群前面，怀着一种厌恶，看冯的棺材慢慢放进墓坑。神父挥舞着一束香，嘴里念着神秘的咒语。香烟缭绕，沈福生屏住呼吸。泥土一锹锹扔在棺材上面，就像扔在他自己的心上。他看见白色的鬼怪捆绑住他的主人的尸首，拖进地狱。

完成这场野蛮的仪式之后，他回转身，沿着那条砂砾小路向前快步走去，全然不管冯被扭曲了的鬼魂可怕的叫喊声。现在是回家看他两个儿子的时候了。

这一页字迹清楚，一点儿污渍也没有。今天一落笔，墨水就干了。她没有再看一遍，放下笔，两只手搓了搓脸，长长地舒了一口气，从凉亭的台阶上跳下来，快步走过草地，钻进一片桉树林。几天之后，她就独自一人过日子了。她真想哭，但强忍住眼泪，直到屋子里不会有人看见她的踪影。

浪子从来不把父亲看作父亲，而是像别人一样，把他看作大银行家冯——一个充满危险的人物，他常常与人们不期而遇，并且给他们带来灾难，浪子对父亲一直心存恐惧，除此而外再没有别的感情。他相信，所有的儿子都怕他们的父亲，而且害怕自己有朝一日也变得像父亲一样。他一直把父亲视为“敌人”。这个“敌人”住在上海。浪子觉得自己只有在杭州才有安全感。

在上海，从来没人敢为了过好一点儿的日子和这个敌人决一雌雄。谁都知道冯是打不垮的，没有必要和他比个高低。他不是那种一碰就碎的人。最好的办法是敬而远之。这样做的结果是，大家对他和他那个世界一无所知，他对别人也一无所知。人们都暗自希望被他遗忘。

十年来，在浪子看来，这种策略颇为奏效。

1937 年 9 月底，也就是冯给杭州打电话，让莲丢下那幢老宅，三天之内务必赶回上海的时候。三个月之后的一个下午，浪子站在父亲那座豪华别墅楼上客厅高大的窗前极目远眺。大约十一年前，也是在这个房间，莲向冯提出回杭州看望父亲的要求。浪子穿一件灰色英国精纺绒线套衫，系一个松松垮垮的蝴蝶结。他满脸不高兴，因为刚和他的朋友，家庭教师斯比斯大夫发生过一场争论，激动的心情还没有平静下来，心里混杂着一种歉疚、害怕和愤怒的感情。他在想自己刚才争吵时说的那番话，特别是医生下楼时，他说的那几句气话。“那是你自己的过错，”他朝楼梯扶手嚷嚷，“如果你就那么白白送死的话！”他无法想象，医生如果真的死了该有多么可怕。

斯比斯大夫出发到“中国城”之前，已经没有多少时间了。过去的三个月里，每天下午的这个时候，他都要到前线去，那儿离门前这条公路只有一两英里远。每逢这时，浪子都像今天一样站在窗口等待斯比斯大夫回来。有时候，大夫走了之后，他又害怕，又难过，就坐在窗口轻声啜泣。

今天他没有哭，而是从打医生在街角消失起，便一直站在窗口久久地等待。事情已经很严重了。虽然说了些不中听的话，但并非他的本意。现在他心里只有一线希望——如果一直在窗口站下去，就能看见医生匆匆忙忙回来，向他微笑着招手致意。医生或许会说：“我已经改变主意了！当然是你说得对，我最亲爱的孩子。我每天都跑到那儿是太自私了，也太危险了。不管怎么说，我一个人的力量微不足道。我能帮那些老百姓做些什么呢？我对这场战争的结果能发生多大的影响呢？让我们忘掉战争吧，再在一块儿读几首里尔克[①]的诗。诗歌比战争更重要。

①里尔克：（Rilke，1857—1926）奥地利诗人，生于布拉格，对西方现代文学有巨大影响，著名诗作有《祈祷书》《杜伊诺哀歌》《献给俄尔甫斯的十四行诗》等。

‘我怎样才能把握住自己的灵魂，使它不与你的灵魂碰撞？我怎样才能让自己的灵魂升华，越过你去探寻另外一个世界？’”

刚过下午三点，外面已是一片昏暗。铁工厂和轮船冒出的黑烟以及军舰大炮的硝烟，在满天乌云的天幕之下翻滚。黄浦江和滨江地带现出紫铜般的颜色。就好像附近有一座炼钢厂，巨大的贝西默[①]转炉正在出钢。外滩一座座巍然屹立的高楼和江面上的轮船放射出柔和的金属般的光泽，在更加深邃幽黑的天空的映衬下，宛若巨大的剪影。它们已经失去往日的风采。变成画家对于一座陷入重围的孤城的意念。浪子发现大街上的人们不再悠闲地漫步。他们全都匆匆忙忙，似乎要在什么可怕的事情发生并且将他们吞没之前赶快回家。

那间宽敞的屋子里只有他一个人。大夫走后，他就关了所有的灯，这样就能更清楚地看见外面的情形。每隔一两分钟，这幢房子就要颤动一下，好像正在地震。一种特别的、邪恶的平静笼罩着周围的一切。在这种平静之中，一些小事件正在发生。一艘英国巡洋舰向江心一个新的军港驶去，甲板上人影绰绰。他看见那条船迎着湍急的水流掉转船头，冲开一道白色的巨浪。不到两公里的下游，日本战舰不停地向中国人居住的地区打炮。斯比斯大夫冒着炮火到那儿救人去了。日本人每打一发炮弹，浪子面前的窗框就发生一阵哗啦啦的响声。脚下的地板也颤个不停，就像发生了地震。

“不要害怕澳大利亚。”医生曾经对他这样说。那是一个秋天的下午，上海的天空万里无云，一片湛蓝，人们从从容容，

①贝西默（Sir Besse mer，1813—1898）：首创酸性转炉钢的英国人。

安安逸逸，有的喂鸭子，有的坐在那儿眺望漫漫远方。浪子和斯比斯大夫在散步。“你希望之中而又难以言传的东西就是澳大利亚，”医生说，“它将变成现实。辽阔平原上的一座黄金城，阳光下闪闪发亮。人生最高的奖赏莫过于生活在你的同类之中。那是一片仙境，另外一个世界。是人们想象中的乐土，梦幻中的天堂，而不是一个真实的所在。所有民族的祖先都懂得，我们并不属于一个真实的世界。他们懂得生活的奥妙，生存的矛盾，全都蕴藏于我们个人生活的现实和人类永久的梦幻之中。在所有神奇的动物之中，只有凤凰（冯）同时体现了东方世界与西方世界的异同之处。”

“就像大多数事情那样，这种东西方的矛盾原本是一个统一体，传说中有一个名叫凤凰的东方人，不远万里来到西方的腓尼基[①]。就是他最早把文字介绍到希腊。希腊！想想看，那是一个多么古老，多么遥远的地方！由此可见，世界上没有孤立的事情。如果仔细研究，你就会发现一切都是相互关联的。古代人也会和他们的父亲吵架，然后离家出走，建立他们自己的国家。历史的长河流过漫长的岁月，可是究竟发生了什么根本性的变化呢？东西方之间确实有些难以消除的差别，而且我们常常被这些差别搞得手足无措。就好像有一种自然法则注定了这种隔绝，但是情况也不尽然。”

“说书人说的那些话你不必害怕。他并没有责备你，是你自己责备自己。他并不理解自己说的那番话，再说他也不需要理解。他不过是个靠讲故事为生的瞎子罢了。把他忘掉。他早

①腓尼基（Phoenician）：地中海东岸古国。

就把你忘到九霄云外了，现在正在讲别的故事呢！他并不重要，亲爱的孩子。如何理解这个故事，是我们自己的事情。我们知道，凤凰要想生存下去，就必须按照生死轮回。因此，作为个体，它的生命是有限的；作为一个物种，它是永生的，这是所有生命的象征，并不仅仅是我们这个物种的缩影。它是一个特别的生命现象，和任何一个实实在在的活物都不相同。”

“艺术也是一只凤凰。艺术抹煞了寻常意义上的生与死的界限，创造了一个纷繁复杂、丰富多彩的世界。那里有生有死，就像一团神奇的火焰，从我们已经知道的种种事物中升起，改变了我们本来早已熟悉的那个世界的面貌。艺术是我们对于现实的抗争。艺术之火看起来并非从我们共同的那个社会群落中升起，去嘲笑那些于我们来说至亲至爱的人和事。我们憎恨它，它却泰然面对着我们。艺术发号施令，事物便按照它的意志变化。我们认为，这该有多么丑恶，多么令人作呕，这是多么可恨的委曲。但是我们没法摆脱它。只能习惯它。最终，我们认为艺术是美好的，并且深深地爱上了它。但是我们无法拥有艺术创造的那些事物，也说不清这些事物属于哪个国家，哪个民族。艺术没有国籍。艺术是替代物，无法用国籍的标签确定它的属性。这是另外一个话题了。”

“你是一个无名之人，因此在中国不会得到人的承认。从某种意义上讲，你在这里是个陌生人。可是在澳大利亚——我相信那是介于东西方之间的一个古怪的国家——你会发现有几个受东西方文化影响的人欢迎你。中国不是你的久居之地。从你呱呱坠地我便清楚这一点。在这个问题上，我同意你父亲的意见，尽管他不了解你的目的，而且了解之后，也未必就同情你。

如果你真的下决心当个艺术家，浪子，澳大利亚是最好的去处。我无法给你推荐比它更好的地方了。你可以展开想象的翅膀去想象它在你的脑海里，它会变得栩栩如生。想想看，这有多么美好！在巴黎、柏林或者在伦敦你能做到这一点吗？甚至在汉堡也不行。作为艺术家，在澳大利亚，有足够的用武之地。你会有做不完的事情，我敢担保。”

浪子凭回忆，也凭想象在脑子里过了一遍朋友对他的忠告。这时，身后传来一阵脚步声，他从窗口回转身，想弄清是谁向客厅走来。是父亲，他站在灯光明亮的、通向大厅的走廊，一动不动，好像还没有拿定注意，应该进来，还是应该一言不发，继续走自己的路。

浪子等待着，他或许在等待闪电过后的雷鸣。他一秒一秒地算计着，估计他与风暴中心的距离。日本海军的大炮继续轰击，他的身体一阵阵震颤。好像这才是他们打炮的主要目的，死亡和毁灭只不过是一种“副产品”罢了，而且在远方，无须多加考虑。大炮轰鸣的间隙，江面上的驳船拉响汽笛，在彤云密布的天空下回荡。

浪子等待着，闻到一股煤烟味儿。在上海，不管走到哪儿都能闻到这股味儿。就连欧洲人密封良好的沙龙也逃不脱它的袭击。还是在很小的时候，浪子就知道这股烟味儿是上海和父亲那个充满危险的世界中所特有的气味。从茉莉花花香袭人的杭州回来，一下火车，煤烟味儿便扑面而来。和妈妈坐在包厢里愉快的旅行就这样结束了，他们神情沮丧，一句话不说走出站台，那位俄国佬正站在“庞蒂亚克”旁边等他们。他们不再属于自己。煤烟滚滚，这座正受战火煎熬的巨大的重工业城市沉重地喘息着。在这个世界里，老祖宗早已失去往日的权威。这是无可争辩的。这是一个冷酷的世界。而他的父亲，他心目中的“敌人——他总是设法逃避他的注意——则是这个世界的“天之骄子”。

父亲穿过灯光明亮的走廊，迈着坚定的步伐走了进来。这时候，在浪子的眼里，他不是父亲，甚至不是活生生的人，而是一个传说中的人物，他拥有绝对的权威，去安排他的一生。哦，冯，凤凰家族的第三代传人，浪子的宿敌。

浪子两条胳膊紧贴身体两侧，双拳紧握，拇指蹭着精纺绒线裤子上的绒毛。他心里明白，他已经被选中，再不会被人忽略。他将以冯氏家族第四代传人的身份踏上他们为他设计的道路。他真想与这种安排抗争。这天早晨，他见过母亲，她焦躁不安，悲痛欲绝，躺在隔壁房间里为父亲、于洪孟以及她在中国失去的一切而伤心。他知道母亲对自己爱莫能助。日本人还在打炮，火光映红了上海的天空。他觉得五脏六腑都在震颤。

冯俯身向窗外望去，外套的下摆蹭着浪子的肩膀。冯清了清嗓子，似乎在滚滚的硝烟与鳞次栉比的建筑物中发现了什么让他感兴趣的东西，要么就是对自己看到的东西作出什么判断。“我想，你从这儿一定能看见美国人的旗舰。”他说。就好像他觉得应该为自己走进这个房间并且向窗外眺望找一个理由。

灰色的军舰穿过铁青的雾霭在黄浦江上来来回回慢慢地游弋。好像那不是真实的景物，而是许多年前留下的一个记忆。宛若斯比斯大夫那本《解剖学》扉页上用人体某一部分器官的构图印下的一个版权标记。

“从楼顶能看见奥古斯塔。”冯边说边回转身，“你上过楼顶吗？”

他们凝视着对方。

“没有，先生。”

“跟我来吧，”冯不耐烦地说，在前面带路，“你该跟我们一起到上面玩玩了。”

浪子跟在父亲身后。说书的瞎子曾经说，所有文明人都知道有天堂也有地狱，但是他没有泄露怎样才能将这二者区别开来。

第十二章 情人们

摘自奥古斯特·斯比斯大夫的日记。

他的女儿格特鲁德·斯比斯由德语翻译。

墨尔本 1968 年。

1937 年 12 月 1 日，圣凯尔达，海滨广场。

对有些人来说，流亡是唯一可以忍受的生存状态。在他们看来，亡命海外如同身居故里。但是怎样才能理解这一切呢？我已年过花甲，但还是无法把握人的复杂性。这种复杂性像我的行为赖以形成的大地一样反复无常。我也无法推测人们是否对他们的欲望总是锲而不舍？我想，这或许正是生活的真谛。总而言之，他们认为真谛的东西便是行为的基础与规范。

我发现人的动机，我自己的和别人的，都是不可测知的。

令人害怕的可能性时时在我心头闪烁，就像从漫漫远方传送过来的微弱的、神秘的信息。在那里，千百年来，不论白天还是黑夜，一直进行一场大战。这场战斗或许会永远打下去。这些信息像精疲力竭的鸽子飞回鸽窝一样，飞进我的脑海。我担心，我在相当一段时间内，甚至永远不会破译其中的奥秘。难道他们在寻求我的帮助吗？他们是谁？是什么？

不管什么时候，只要感觉到脑海里有这种无法解释的信息“振翅飞翔”，我便知道有什么变故会接踵而来。我将经历一场新的发现。令人难以置信的心灵的纯明将使我清清楚楚地看到像大海一样深沉的生命之源，看到我们被包容其中的宇宙万物。就好像我是站在大海之滨极目远眺。怀着这样的心境，我看到的则是一片空虚。那里没有露出地面的岩层，或者可以平安停泊的港湾。换句话说，那里什么也没有。确实没有，只有一片空虚。一片未曾占领的空间。不管可以用多么丰富的比喻对它加以形容，或者天国的音乐在这里产生怎样的共鸣，在这无穷大之中，只能相互抵消。一种巨大的压力震荡我的耳鼓，使我对所有的声音与信息都置若罔闻。我的脑壳里十分紧张，失去了思维的能力。在这样的情况之下，除了绝望，我还能怎样呢？

是绝望吗？难道人们就是把这种心境称之为绝望？人们是否像我亲爱的父亲那样，潜心于对圣典的研究？《旧约·传道书》里有这样一句话：“我在炎炎烈日下辛勤劳动，难道就是为了让心灵失望吗？”作者写这句话的时候，表现的就是这样一种心境。或者人们认为，通过长时间的科学研究和冷静的判断，发现阿米巴原虫可以寄生于人体，并且消耗人的生命力。

怀着这样一种心情，我知道我已经游离于人类斗争之外。在这种心情的影响之下，我无法鼓起勇气驾起船儿迎着黄浦江滚滚浪涛逆流而上，或者游弋于风平浪静的墨尔本港。我只能随波逐流。在这种心情的影响之下，我已经被排除在过去与未来的连续性之外。对此我并不介意。实际上，上帝早已把我当作不肖之子而抛弃。在这种心境的束缚之下，我是一个孤独的人。我的一切艰辛都和实现人类先祖之梦无关。我什么也不是，我是一个没有生存意义的人。我远离了人类宏伟的目标，我被失去信仰之苦折磨。我问自己：为什么会是这样？然而始终没有答案。

当我奇迹般地治愈心灵的伤痛之后，便不再为这些讨厌的问题所困扰。早晨醒来，我闻见炒咖啡豆的香味。阳光照耀着窗外蓝色的港湾，微风掀起层层涟漪。我感到深深的慰藉，头天夜里那些傻乎乎的念头消失得无影无踪。

今天早晨，我去咖啡馆喝咖啡，翻报纸，想看看中国战事如何。我必须强调指出的是，对于历史的解释总是反映了一个人当时的心境，知识水平。同时反映出这位“历史学家”当时是疾病缠身，迷惘不前，还是志满意得，平步青云。至于历史的真实到底怎样，很难说清。至少今天早晨当我沿着海滨漫步，去咖啡馆喝咖啡的时候，我认为所谓历史不过是人们杜撰的玩意儿。如果真是如此，那又有什么可庆幸的呢？那么多激动人心的小说，或许只是历史的翻版。维特和洛蒂[1]或许实有其人！人也许可以在没有历史的世界里生活，但是谁愿意在一个没有小说，没有想象的世界里生

①维特和洛蒂：均为德国著名作家歌德的小说《少年维特之烦恼》中的主人公。

活呢？谁愿意忍受那分孤寂和凄清呢？

1937 年 12 月 15 日，圣凯尔达，海滨广场。

每个星期三午饭前，我都要抱一摞书到冯公馆一楼那间宽敞、漂亮的客厅。我和浪子坐在那张意大利造的圆桌旁边，桌面是一幅用象牙精工镶嵌的狩猎图。我们一块儿学习德国诗歌和德国历史，分析困扰他的种种原因。浪子是于 6 月和他的妈妈一起离开杭州回上海的。他终于离开了那个中国文化氛围浓厚的“书香门第”。但是六个月来，他的学业没有多大的长进。他心烦意乱，坐卧不安。我无法回答他的问题，只能握着他的手相对无言。他似乎命中注定要成为世界上最孤独的人。有一天傍晚，我们懒得开灯，客厅里的光线渐渐变暗。冯太太走到门口，看见我们这样默默地、忘情地握着手，说：“你们俩就像一对情人。”她就那样在门口站着，既不进来也不开灯，似乎害怕向她自己证实，我们已经不再属于她的世界。打这以后，她总是带着一种讥诮和伤感，说浪子和我像一对情人。她对她的女仆说：“他们在黑屋子里坐着说悄悄话呢！”我发现她看出自己已经无法加入我和浪子建造的这座营垒，所以总是退避三舍。杭州被毁，上海战火熊熊。中国的历史似乎走到尽头。她把儿子交给了我。从今往后，她将怀着浓浓的苦涩，独自面对惨淡的人生。

他求我不要到前线冒险救人。“你关心我还不如关心那些受伤的农民！”有一天，我正要去前线，他含着眼泪责备我。我拒绝了他要我留下的请求。他大发脾气，扯着我的衣襟哭喊着说我并不真的关心他。没有办法，我只好放弃进城的打算，留下来陪他。我把他紧紧搂在怀里，一遍又一遍告诉他，他比我自己的儿子还要宝贵。说这番话的时候，我自己也很受感动，几乎流下眼泪。为了让他明白我为什么要上前线，救受伤的中国人，我给他讲了我在杭州凤凰山挨打的故事，以及这件事情的结果。

“我离开你外公的宅子以后，独自一人到凤凰山寻找宋代官窑旧址。跑到老宅看我的那些人神色慌张。那时候你还是个婴儿，没有满月。”我说。我还告诉他那些青年学生怎样袭击我，他的母亲和那个俄国佬怎样开着庞蒂亚克救了我。

“我回上海已经几个月了，每天都在诊所忙着看病，不再想凤凰山发生的事情。有一天，你父亲突然来找我。以前他从来不曾不打招呼就来诊所。我想一定发生了什么不同寻常的事情。他满脸严肃，同时还有点儿兴奋，似乎迫不及待要让我大吃一惊。他让我马上跟他出去一趟，又不告诉我上哪儿。汽车拐过贵州路，前面就是警察局。我开始担心出了什么大事。警察局的门大敞着，一望而知，他们正在等我们。局长阿利斯坦尔·麦肯基是我和你父亲的朋友。他没有寒暄，拉着我的胳膊径直向后院走去。靠墙放着一个铁笼，里面关着十几个青年男女。他们全都赤身露体，受尽折磨。有的人倘若没人扶，连站也站不起来。”

“阿利斯坦尔、你的父亲和我一起走进小院的时候，笼子里的青年男女都转过脸望着我。他们一言不发，只是直盯盯地望着我。看守他们的警察好言相劝，可他们就是不理睬。阿利斯坦尔捏着我的胳膊说，‘这就是想杀你的暴徒，奥古斯特。’”

“我亲眼看见他们把那些年轻人从笼子里一个个拖出去枪

杀。”

“过去的二十年，我一直认为所谓治外法权不过是人们杜撰的奇想。可是，这种欧洲人的智慧与殖民主义者本能独一无二的结晶此刻变成惨不忍睹的现实。我们似乎生活在人类历史之外。每一个人都是演员，根据剧情发展，自己为自己撰写台词。我们不是普通人，而是一群享有优惠的特殊公民，是天堂里的居民，地球上的上帝。生活对于我来说，完全是想象。我在中国醉生梦死二十年。酒席宴前，跑马场上，我默默地赞赏那些享受治外法权的同胞，好像他们是我讲的故事中的人物。

“可是凤凰山和警察局的事件发生之后，我开始认识到，我们是中国悲惨历史的一部分。我们不能袖手旁观了。原先那些幼稚美好的幻想已经彻底破灭，再也不能拼凑到一起了。”

我讲这个故事的时候，浪子一直坐在我的腿上。此刻却跳下来，走到高大的窗前，一句话也不说，只是默默地向窗外眺望。“怎么了？”我问他。他直截了当地、闷闷不乐地说：“既然这样你干吗不回汉堡呢？”他那近乎残酷的语气和神情使我震惊、伤心。

我不得不承认，当时没能和他开诚布公地谈一谈。我后悔后来也没能在这个问题上把我心之所想和盘托出。浪子提出这个问题时的神情令人难过。我一时想不出该怎样回答他。这个问题对于我并不陌生，但我从未想过他也会提出这样的问题。我以为这是那种并不可能真正发生的谈话，因为这种谈话不属于现实，而属于我们对现实的反映。严格地说，是一种反思。事实上，下面的谈话只是文学意义上的谈话。

“我是在汉堡长大的，”我说，“那时候，我想总有一天我会成为一个剧作家。年轻人不是都爱对自己的未来做些不切实际的设想嘛！父亲不会同意我的想法，所以我从来没有向他吐露心中的秘密。我经常偷偷地想，等我长大成人并且成为汉堡著名的剧作家时，该有多么风光！自然，如果作为一个成功的剧作家汉堡让我志满意得的话，就不会有父亲的容身之地了。因此，为了能够美滋滋地沉湎于对未来的遐想，我就只能歪曲现实。我怀着一种内疚，偷偷凝望我的未来，就像一个观淫癖患者窥视不该看见的一幕。我爱我的父亲。真的，就是此刻也仍然深爱着他。我不愿意为了自己的前途损害他的利益。可是我又摆脱不了那美好前景的诱惑。”

“那是一幅风景画，一幅具有无穷魅力、等待我走进去的风景画。那时候，我当然不是把它看作充满性感的风景，而是克劳德·洛兰[①]的油画，一个具有神话色彩的隐喻。我对克劳德的作品和风格很熟悉，知道他是欧洲第一位将天才全都放到风景画上的艺术家。我还知道，他雇别人替他画画里的人物，要不然那些画会更加完美。克劳德似乎对我说：大胆干吧！在我创造的这个领域，你可以随心所欲，施展你的才华。于是，我接受了他的邀请，画将起来。我还跟家庭教师学画。他是一位年纪不大的普鲁士人。他坚定地相信，‘德国人的才华是压抑不住的’。当法国人像崇拜普桑[②]一样崇拜克劳德，把他当

①克劳德·洛兰（Claude Lorrain，1600—1682）：法国风景画家，革新古典风景画，追求理想境界，开创表现大自然诗情画意的新风格，主要作品有《罗马近郊的风景》《海港》等。

②普桑（Nicolas Pussin，1594—1665）：法国画家，法国古典主义绘画的奠基人，晚期作品多以古典神话和《圣经》为题材，主要作品有《圣母升天》《台阶上的神圣家族》《四季》等。

作自己民族最伟大的艺术家的时候，我的家庭教师都说，克劳德实际上是德国人。他画的都是德国人理想之中的山水风光。为了增强说服力，我的家庭教师特别指出，克劳德诞生之时，洛林[1]是普鲁士王国的一部分。此外，克劳德只会说一点儿法语，没用法语发表过任何著作，而且他的画家生活几乎都是在意大利度过的。这位普鲁士人虽然引经据典，还是无法使我相信克劳德就是德国人。不过，我觉得作为画家，克劳德并不需要属于某一个特定的国家。”

“我从克劳德这种不受任何特定地域限制的风格中看到自己的理想。他画笔下的景物不是他的同胞或者某一个国家百姓的居住之地，而是众神之地。他是如我父亲所说的那种喜怒无常的画家，一个利用了旁观者敞开的心扉的画家。他的画吸引那些旁观者栖息于画中的景物之中。他是描绘沐浴着意大利金色阳光，或者笼罩着北国轻纱般薄雾的心灵风景线的画家，并不是照搬某一个真实地点的画师。站在克劳德的作品前面，你会觉得画面上的主人公不是朱诺[2]或着普西芬尼[3]，而是你自己。画面上的庙宇不是古希腊罗马供奉众神的万神殿，也不是供奉自家老祖宗的祠堂，而是供奉自己心灵深处的上帝——凭借他的力量使你梦想成真——的圣殿。小时候，我最大的心愿就是成为克劳德风景中的人物。我实现了我的梦想，而且至今仍然生活在这梦中。”

---

①洛林（Lorraine）：法国东部一地区。

②朱诺（Juno）：天后，主神 Jupiter 之妻，主司生育婚姻等，相当于希腊神话中的 Hera。

③普西芬尼（Persephone）：希腊神话中阴间女王。

"亲爱的浪子（我继续在想象之中和他对话），经常有人问我，为什么不回汉堡，而且像你刚才一样，态度粗鲁。他们之所以提出这样的疑问，大概因为大伙儿都觉得我应该回汉堡。我很难对这个问题作出准确的回答，总是随口编个理由应付过去。我不是那种头脑敏捷、伶牙俐齿的人，而且从来不喜欢讽刺别人。是的，我总是乐呵呵地回答他们的问题。你知道，我是这样的人。也许我只是等待时机窥测方向罢了。就这么回事儿。如果对方追问得紧，谎话说得更巧妙点儿。问得越紧，谎话说得越巧妙。的确如此。到此刻为止，我从来没有对任何人说过实话。现在我却要坦白地告诉你，在过去的二十多年里，在我的心目中，中国的租界地一直是我儿时梦幻中的克劳德风景。"

这就是我想象之中的和浪子的谈话。实际上这种谈话从来没有发生。真正发生的是下面的事情。他问我为什么不回汉堡，我没好气地说，原因很多，不过现在不是讨论这个问题的时候。我还坚持说，如果我不能到前线去救中国老百姓，那就干点儿别的事情，不要浪费彼此的时间。我站起身，开了灯，打开书，以老师的口吻让他跟着我翻译彼得·黑贝尔的诗歌，心里明白，他对黑贝尔的阿勒曼尼[①]方言一窍不通。

我手里拿着打开的书，在屋子里踱来踱去，浪子结结巴巴，怎么也弄不明白那首诗的意思。我和他隔一张桌子站着，有点刻毒地说："'酒鬼之死'，我亲爱的浪子。明白了吗？不要忘记！这首诗的大意是：他们刚刚埋葬了一个熟人，他那与众不同的天赋让人引以为憾。他已经辞世而去，走遍天涯海角，

①阿勒曼尼语：一种高地德语方言，通用于德国西南部、阿尔萨斯及瑞士。

你也不会再找到第二个。这是一首表示哀悼的诗，我亲爱的孩子，写给一个虚度年华的人。”我把那本书放到他的脸前，带着一种轻蔑腔调说：“把这首诗当作这一课的作业翻译一遍。”然后我就离他而去。回家的路上，为了缓和一下心里那种近乎残酷的情绪，开始想象和他的谈话。

11月中旬，上海的仗打完了。硝烟未散，这座巨大的工业城市几乎成了一片废墟。在阴沉的天幕和缭绕的烟雾的笼罩之下，好长时间看不见太阳。租界里挤满逃难的中国人。不论白天还是夜晚，大街上到处都是难民。冯通过他和日本人的关系，安排我和浪子搭乘“万戈拉达号”离开严密封锁的上海港。这条船是日军允许离开上海的最后几条船中的一条。

在经历了三个月不间断的轰炸和炮击之后，这几天上海突然变得死一样寂静。我们全都压低嗓门儿说话，比打仗的时候还要紧张不安。那时候，炮声隆隆，为了让对方听见，我们不得不扯开嗓门大声嚷嚷。人们似乎都在等待上帝的裁决。就连为玄学鼓舞的杉山将军也压低了嗓门儿。日本人做了多少年征服中国的美梦，现在终于梦想成真，在成功的面前他们头晕目眩。在战斗结束，沉寂刚刚降临的时候，日本人不敢说一声胜利，生怕上帝会用另外一个字眼儿回答他们。

离我们告别中国只有三天了。冯太太的出现使我想起被日本人俘虏并且送进临时战俘收容所的中国军官。她形容憔悴，精疲力竭，完全被命运击败了。自从生下浪子，她的身体一直不好，经常闹病，现在又缠绵病榻，所以我每天都去看她，尽量为她减轻病痛。我经常背着她的丈夫偷偷地给她往来带中药。

她对此十分感激。她对我锲而不舍的精神也很喜欢。自从十年前我在杭州挨打，她对我一直敬而远之，从来没有过亲密的表示。可是这一天，她却微笑着握住我的手，表示对我的谅解。她说："斯比斯大夫，你不应该轻易失去自己的信仰。中国人一定能打败自己的敌人，中国一定胜利。对此不应该有丝毫怀疑。"她松开手，激动地说："总有一天，我们会收复失地！"我又一次认识到自己多么容易低估这个女人的力量。我走的时候，她笑着责备我："大夫，你永远不会理解我们。"她这种认为过去的一切都将恢复的幻想使得她那样孤独、凄凉。

在上海滞留的这一段时间，浪子和我继续在那间布置得不伦不类的客厅里会面。这一段时间是旧的、已经变得糟透了的事物的终结，新的、最终也将变得糟透了的事物的开始。"黑贝尔事件"之后第二天早上，我们俩再见面的时候紧紧地拥抱在一起，请求对方原谅。我又一次对他的存在产生了一种感激之情，而且这种感觉比以往任何时候更强烈。我们俩好像都在心底呼喊："没有你，我的生命便是一片寂静。"我给他读赫尔德林的诗句："这一片沃土盛产黄梨，湖边开满野玫瑰。优雅的仙鹤翩翩起舞，亲吻着清澈的湖水……"这时，浪子打断我的朗读，问道："你认为一个中国人能成为画家吗？"

1937 年 12 月 16 日，圣凯尔达，海滨广场。

我的日记虽然有头有尾，前后呼应，但毕竟不可能是一张地图。旅行的喜悦只属于那些肯定要再回到这里，而且因为荣归故里受到热烈欢迎的人，属于那些把出发之地看作最终归宿的人。绘制地图的人既非难民，又非殖民主义者。绘制地图的人不能留下空白。绘制地图的人从出发到回归，中途不能停笔，必须一口气画下去，否则这张地图对步他后尘的国人就没有什么用处。我不是绘制地图的人。我的国人像克劳德·洛兰一样，都是云游天下的浪子。我是自由的，我可以提起笔来，在这里留下一个空白，不去记录我们在上海最后几天的情形，不去记录他们痛苦的别离。我将把那一切埋葬在空白的一页。

对于我来说，这是一次具有二重性的旅行。在巴腊腊特，我欢欣鼓舞，他却失望痛苦。

三天前，我从那座城市回到住地。我的房间在这幢相当漂亮的楼房的一层，俯瞰美丽的海湾。屋子非常舒适，秦小姐已经为我准备好一切。我立刻沉湎于往事的回忆。我不能对巴腊腊特不做任何记载，下面就是这些天发生的事情。

冯所说的“姑妈”是冯家老祖宗和他的爱尔兰妻子玛丽·纳南的外孙女。应该是浪子的嫡亲姑妈。她的日子虽然十分富足，可是刚见面儿就叫苦连天，装出一副穷困潦倒的样子。言谈话语中，他们暗示，浪子这位不速之客像降临到他们头上的一种异乎寻常的、少有的疾病。似乎因为他们得罪了上帝，上帝大为震怒，才用这种方式惩罚他们。如果他们忍辱负重，最终就应该得到补偿。不过，既然是亲戚，他们无法拒绝接纳浪子。

巴腊腊特很像杭州。城西北有一个漂亮的湖，湖那面是郁郁葱葱的群山。但是眼下谁也没有心思去想什么“上有天堂，下有苏杭”，我们还有更重要的事情要考虑。

哈洛兰一家住在一幢很普通的木房子里，周围人家的住房大多是这种只有一层的木屋。门前的大街出奇地冷清。从这幢木房子的窗户望出去，既看不见湖光水色，又看不见崇山峻岭，只有马路对面一幢幢大同小异的房屋。

哈洛兰太太就像举行什么仪式似的在她的丈夫福兰克和三个儿子——按年龄排列从十二岁到十六岁——的陪同下，顺着中间那条走廊，把浪子和我领到紧挨前门的一间窄小、昏暗的屋子里。这间屋子是小客厅。和杭州黄老先生的客厅一样，很少有人光顾。这两个客厅虽然相距千万里，但目的显然如出一辙——不使客人有宾至如归之感，而是使他们敬而远之，始终和主人保持一定的距离。浪子和我坐在一张沙发上，对面是福兰克·哈洛兰和他的三个儿子。我们尽量不看对方。因为直到此刻为止，还没有举行掩饰我们不安的任何“仪式”。沙发椅都套着用深颜色的布做的套子，发黄的扶手像一盏盏信号灯在昏暗中闪着微光。由于日久年深，那迷蒙的光带不来半点儿希望。哈洛兰太太给我们准备饭菜去了。烤羊肉，大烩菜。她到厨房之前，历数大烩菜的营养价值，就好像浪子和我刚刚逃脱一场饥荒。

哈洛兰太太终于叫我们吃饭了。没有餐厅，热气腾腾的饭菜摆在厨房。这顿饭在哈洛兰夫妇和他们那几位儿子眼里算得上盛宴，可是我和浪子却难以下咽。浪子低着头，手足无措，一口也不想吃。我在主人一家吃完之后，继续撕扯那一块块烤肉。我一是没有胃口，二是心里明白他们很难为情，所以使劲儿咀嚼、吞咽，发出很大的响声，主人家的尊严一定因为我这副吃相而受到损害。

于是，咀嚼和吞咽变成一件痛苦的事情。我多么希望做饭的人是于洪孟。他的手艺会使最不可一世的主人大开眼界，大吃一惊。没有酒，咽完一口还得接着嚼。吞咽像心跳一样，完全成了器官下意识的、无法控制的动作。整个进食的过程犹如上下颚和两只手在马达驱动下所做的机械运动。不能吞咽的时候便不再咀嚼。

就像围在就要咽气的亲人身边的亲戚一样，哈洛兰一家凝望着我，希望的火花渐渐熄灭。一双双默默注视的眼睛似乎在说："医生，他还有救吗？"我神情严肃，目光冷峻，把手里的刀叉放到那一大堆还没有吃完的羊肉、土豆、南瓜旁边，仿佛在说："我已经尽了最大的努力，死神不会饶过任何一个人。"厨房里面死一样寂静，教堂的钟声仿佛马上就要响起。哈洛兰太太站起来收拾剩下的食物。他们脸上的表情清楚地说明，哈洛兰一家已经承认他们在待客方面几乎一窍不通。

喝茶的时候，哈洛兰太太问我，她的姑妈维多利亚·冯身体怎么样。"我们已经好长时间没听到她的消息了。"她补充说，瞥了福兰克一眼，似乎为了证实她的这番话没有说错。在我看来，她的问题暗含着这样一个意思：为什么不能让冯小姐照顾这个孩子呢？她做了什么贡献？她和他的关系比我们近，而且她有的是钱。不过，我们对此并不介意。

毫无疑问，哈洛兰一家一直纳闷，维多利亚将把她相当可观的遗产和岗坪园的宅子遗赠给谁？我回答说，我还没去拜访冯小姐，准备回到墨尔本之后再去看她。哈洛兰太太喉咙里发出古怪的响声。我不想费心劳神去解释这响声意味着什么。她喝了一口茶，咔嗒一声把茶杯放到小碟上，瞥了一眼她的三个儿子，摇了摇头，抿着嘴从鼻孔呼出一口气来。福兰克冲我笑了笑，他大概认为我对许多事情一窍不通。当然，事实上也是这样。不过有许多事情他们也一无所知。我和他们之间的鸿沟太宽了，我并不想在这条鸿沟之上架设一座桥梁。

他们没能诱使浪子——使他们陷入困窘的原因——开口说话。他痛苦失望，语言已经无法表达心中的感受。他变得深不可测。我觉得对于他的失望自己负有不可推卸的责任。留在上海的冯太太此刻一定悲痛欲绝。我不敢想象那凄凉的景象。

随后我们一起去学校，那里一律红砖瓦房，朴素而整洁。哈洛兰家的三个男孩儿都在这所学校念书，不过是走读，没有寄宿。当时的情形是另外一种玄妙和焦急。那位不准备接受圣职的修士穿着黑色长袍从办公室把我们带到花园。这座花园其实与旷野无异。他指着一排刚刚种植的松树让我们看。我实在弄不明白这些树和我们有什么关系。哈洛兰一家对这次游览似乎很感兴趣。修士让我们赞美他的树，我们只好满足他的心愿。其实那绝对不是什么值得赞美的玩意儿。和黄老先生花园里的珍奇树木相比，不过是几根毫无特色的细弱的破树枝。我们站在那排小树前面，就像检阅一支闷闷不乐的童子军。修士一直把手放在浪子肩膀上，就好像这个来自北半球的小男孩儿是他刚刚得到的财富。

我们遵照修士的意愿凝望大草坪上那一溜普普通通的小松树时，哈洛兰太太正斟词酌句向修士解释浪子和她家的关系。她说，浪子和她没有血缘关系，不过是一个远房亲戚罢了。当然她并不是直截了当告诉修士这一点，而是让他从一大堆事实中推断出这一结论。这个女人对冯氏家谱，以及冯氏家族种种隐秘的细枝末节知道得一清二楚，真让我叹为观止。她虽然是个糟透了的厨师，但是不失为一个杰出的“女族长”，一个能够引经据典，把自己是血统纯正、地地道道的澳大利亚人说得一清二楚的“家世学家”。她脑子里装着一本现成的家谱，装着她的同类传给她的“知识的网络”。谁生了谁；谁和谁在哪儿，在什么情况下结为夫妻，又生下谁谁谁……

这是方圆多少英里之内巍然耸立的生于死的十字架。一张供那些可以从传说与故事中识别真伪的人们查阅的大地图。就像中国文学的传统一样，十分严格。一个错误便会导致难以想象的后果；一个错误便是对神明的亵渎。这其中蕴含着一种诗情。浪漫的插曲，悲欢离合，以及英勇的壮举。哈洛兰一家以一种机智和胆略，经历了荒火、干旱、洪水、战争，以及突然降临的死亡的考验。

慢慢地，这个家庭出现在地平线之上。

就在她高谈阔论的当儿，天下起蒙蒙细雨。谁也没有寻找避雨之处的意思。修士细长的手指一会儿伸直一会儿收拢，揉搓着浪子小小的圆圆的肩膀。他凝视着他的小松树，不时点点头或者咂咂嘴，表示正在倾听哈洛兰太太的讲述。有一次，他皱着浓眉，打断哈洛兰太太的话，问道：“这么说，杰克和茉莉·凯南的女儿，从曼斯菲尔德嫁给了科斯廷的儿子？”他的疑问是真诚的。“不，哦，不是，修士。”哈洛兰太太大惊小怪地说，“请原谅，修士。茉莉是欧布雷恩家的姑娘。她的父亲是贝那拉的一个马车夫。欧布雷恩家的男人都是赶车的。最小的儿子泰里，上帝保佑他的在天之灵，他曾去达达尼尔海峡[①]服役，

①达达尼尔海峡（Dardanelles）：在亚洲小亚细亚半岛同欧洲巴尔干半岛之间。

结果再也没有回来。如果你还记得的话，他的名字被刻到伊艾[1]纪念碑上的时候出了一个错儿。《信使报》就这件事还发表过几封读者来信。但市政会不同意修改，因为开销太大，所以至今还是错的。”修士紧皱的眉头并没有舒展开来。“那么，是约瑟夫·科斯廷了？”他穷追不舍，细雨打湿他的发卷，好像结了一层亮闪闪的膜，对于这位永远不可能成为神父的低能的出家人似乎是一个充满嘲讽之意的预兆。“科斯廷家有个儿子在三十二岁的时候得过多诺万奖学金，这我知道，哈洛兰太太。”他回转头，直盯盯地望着她。她等待着，虽然恭而敬之，但一副胸有成竹的样子。“你知道吗？茉莉·凯南今年7月在圣维斯过世了。”“知道，知道，她是过世了。”哈洛兰太太知道这件事情，使劲儿点着头表示赞同。她不无敬意地继续说：“茉莉的母亲是迈赛家的女儿。她家兄弟姐妹一共九个。”教士的手指捏着浪子的肩膀。

人们看到，一个哈洛兰，一个冯终于出现在历史的旧物之中，只是稍稍重迭了一点儿。在那张表示家族沿革的图表之上又画了一个十字，表示从中国来了个小男孩儿。哈洛兰太太直到此刻才想起我们此行的目的。她向浪子点点头，把他——她的部族一位孤独的、被扭曲的成员——置于她那辽阔领地的最边缘，几乎抛到地平线那边。在她那本口头流传的家谱中，最重要的不是父亲，或是母亲，而是正出还是庶出。然而，血浓于水，不管你采取什么手段淡化这种与生俱来的血缘关系都无济于事。

[1]伊艾（Yea）：澳大利亚墨尔本北部小镇。

教士的手指掐着浪子的肩膀，好像怕他跑了似的。我心里感到不快。“这场雨对树有好处。”教士一边喃喃一边领我们回到办公室，上课的钟声恰恰敲响。

拱形门廊下，浪子可怜巴巴地站在警惕的教士和哈洛兰家三个大小伙子中间，活像一个变了形的他父亲的微缩塑像。我松开他的手。他没有哭泣也没有表示反对，而是带着一种被伤害的、不信任的神情直盯盯地望着我。

就这样，我把他留在他的祖先开发的黄金城。

1937 年 12 月 20 日，圣凯尔达，海滨广场。

我之所以能硬着心肠自己在圣凯尔达快快活活，把他丢在巴腊腊特痛苦绝望，是因为在这儿碰到一件让我进退维谷的事情。这是一个我既熟悉又陌生的地方。就好像这里的人对我盼望已久。秦小姐双膝跪在地上，微笑着擦门前的台阶。她虽然默不作声，但心里明白我要做些什么。我从中国来似乎满足了她多年来珍藏在心底的愿望。我和她心照不宣，用不着大讲友谊便成了朋友。我必须找出其中的原因，并且设法解释清楚。

每天早晨，熟睡一夜之后，我都被电车开过的响声和从窗下走过的工人们的嘈杂声吵醒。我立刻起床，几乎有点儿迫不及待，不想浪费宝贵的时光。我的心里充满一种莫名其妙的快乐，坚信自己正在抛开繁重的、世俗的责任和义务，去追求更高的目标。每天，我都要探寻之所以在这儿待下去的奥秘。

我的脸刮得干干净净，穿得整整齐齐，头戴一顶新草帽，草帽上系一根樱桃色带子，上衣口袋里装一块完全可以与之相匹配的真丝手帕，手里提一根手杖，走下那一层层黄褐色的台阶。我向秦小姐鞠躬，问早安。在最后一级台阶停下脚步，看一眼阳光照耀的湛蓝的海湾。然后向左拐，手里挥着手杖，向阿克兰大街大步走去。

街道狭窄，飘荡着煮咖啡和烤面包的诱人的香气。人行道上拥挤着步履匆匆的行人。店铺全都开门营业，橱窗里摆满各式各样的水果、肉食和糖果。马路中间，有轨电车来往穿梭，一路鸣笛。走上这条大街，我立刻被充满活力的生活所振奋。我茫无目的，不知道该往哪儿走。不过这无所谓，置身于闹市这就够了。

走在大街上，我总觉得熙熙攘攘的人群中会有一位几天没见的老朋友或者自从年轻时候离开汉堡一直没有再见面的什么人会认出我，并且高兴地喊："奥古斯特·斯比斯，是你呀！我的老伙计，你总算来了！我们一直在盼你。"他会拉着我的胳膊，一定要去见见别人，为老友重逢热闹一番。

虽然没有人喊我，这种感觉并没有消失。我常常能够碰到熟悉的环境，并且想起久已忘却的往事。我能立刻判断出自己身处何方。与此同时，对于我所熟悉的一切都依然是个"隐身人"。往事的回忆使我的现实生活更加充实，我将真正成为这里的一员。

我从一家咖啡馆敞开的门前走过，喧闹声夺门而出包围了我。我被这声音迷住了，停下脚步侧耳静听。喧闹的人声之上清清楚楚传来一个孤孤单单的乐句：光明与黑暗。我向人声鼎沸的咖啡馆望去。餐桌旁边坐满了男男女女，有的喝咖啡，有的看早上刚来的报纸，有的大声议论当天的新闻。还有的人默默地吃早点。我向里面张望的时候，这个用德语演唱的乐句又扑面而来：光明与黑暗。咖啡馆里的人们在我看来，身处文明的最中心。一杯杯热气腾腾的咖啡，翻得沙沙作响的报纸，要咖啡的吆喝声，诱人的香气，急切交换意见的争论声都给我一种玄妙的愉悦。就好像这些人都拥有一个珍贵的秘密。而这个秘密以前也肯定属于我。我会再拥有这个秘密吗？我走进咖啡馆，在一张桌子旁边坐下，要了一杯咖啡。一种无价似的、神秘的东西出现在我的身边。

我不假思索，用德语要咖啡。没有人为此而感到惊讶。坐在我对面的两个女人也没有因此而停下谈话。年轻的女侍者用手里的抹布擦了擦我面前的桌子，立刻回转身去取咖啡。“奥古斯特，”我对自己说，“这不是做梦！”我知道，没有什么会使我感到惊讶。这种神秘，这种对陌生事物感到熟悉的感觉，一直在我心底涌动。我知道，我已经把握了解释我身处何方的不可缺少的线索。

没有人认出我，也没有人注意我，我一边呷咖啡，一边侧耳静听周围人们有趣的、亲密的谈话。我正置身于世界的中心。我正处于过去想象之中的隐秘之地。在这里不会有思乡之情。我不能说这是一座欧洲城市，因为它本来就不是欧洲城市。这里没有纪念某位皇帝、暴君、征服者、公子王孙的建筑物或者青铜塑像，没有宫殿，没有城堡，没有在闷闷不乐甚至满怀愤怒的老百姓面前检阅部队的宽敞的广场。这里没有人用石头和青铜铸造他们自己和他们的征服的永恒与不灭。如果在澳大利亚发生革命，没有什么需要推翻、捣毁的东西。因为这里的一切都是他们亲手建造的。

我这样侧耳静听的时候，很快就弄明白，这些人从来不曾在帝王君主的阴影下生活，也不曾想过会有什么暴君带着荷枪实弹的士兵走出城堡，把残暴的统治加到他们头上。这些人并不担心被人批评。他们发表自己的意见从不压低嗓门儿，窃窃私语，而是高谈阔论，指手画脚。他们并不注意是不是有人想出卖他们。因为即使真有人想出卖，也找不到出卖的地方。每一个都是这里的君主，澳大利亚就是他们的城堡。

这里的人似乎居住于历史所及的范围之外。这里的“治外法权”就是人们现行的生存状态。这里过去没有什么法律，因此殖民主义者占领这块土地之后，从法律的角度看，没有与他们的统治相悖的东西。中国人则不同。他们在租界地之外辛勤劳作，总是千方百计驱逐“洋鬼子”，收复失地。这里的土著居民却被驱逐到深山老林，斗争的勇气因为造反不成而磨蚀殆尽，早已不再拥有值得人们重视的司法权。显然，老祖宗与这块土地的联系并不像欧洲或其他地方那样，赋予他们的后人某种特权。在这里，像我这种刚来一个星期的人和世代相传已经居住了一千年的人没有多大区别。

这里没有种族界限，背井离乡者亦可以得到一席之地。这个社会集团不是通过世世代代的相互倾轧最终形成的，而是像一个大家庭自然而然地成为一个集体。主宰所有风格——建筑物和谈话——的建筑学亦如此。如果澳大利亚人要建造一座青铜塑像，毫无疑问这座塑像所要表现的主题是哈洛兰太太所讴歌的生殖与繁衍。

喝咖啡的时候，神秘之感渐渐被驱散，像谜一样的直感也部分地得到解释。我现在来到的地方不正是年轻时候在汉堡梦寐以求的乐土吗？那是孩提时代的乐园，在那里用不着害怕黑暗。

1937 年 12 月 27 日，圣凯尔达，海滨广场。

这就是我在冯的照片上看见过的那幢自成一体的二层楼房。这幢房子用红黄两色的砖头建成，坐落在一座小丘之上，周围都是那个年代建造的占地面积很大的房屋。我已经发现，这个式样的房屋代表了澳大利亚那时最完美的建筑风格。楼上楼下都有装饰精美的长长的游廊，隐蔽了建筑物的核心部分。

冯小姐的家在一座很大的、无人照料的花园里。没有整理过的草坪上生长着榆树、杨树和别的从欧洲移来的树木。沿着一条小路走向前门，我觉得自己走进一个宁静、偏僻的地方。甚至有几分隐居的味道。没有人，一条狗在山上汪汪地叫。我好像身处乡野之中。我按了按门铃，又敲了敲门，没有人答应。站在门廊下面等人开门的时候，我心里不由得有点儿紧张。不知道她将怎样接待我，甚至纳闷她会不会接待我。因为我给她写了好几封信请求她允许我访问她，可她一封也没回。我甚至暗想，这位冯小姐是不是实有其人？或者她早已过世，要么就是已经迁往他乡。我突发奇想，这位冯女士或许只是澳大利亚人想象出来的一个鬼里鬼气的人物。是冯先生在中国不堪重负，借以慰藉自己的幽灵。冯先生的祖先作为一个一文不名的穷光蛋被中国沉重悠长的历史所淘汰，现在冯先生在中国又不堪忍受一成不变的现实所带来的痛苦，所以拿这个想象中的人物慰藉自己。要不是哈洛兰太太要我问候她的维多利亚姑妈——也就是这位冯小姐——我或许早就放弃了见她的念头。

我用手杖敲了半天门，还是没人答应，只好硬着头皮绕到旁边，向那座空旷而荒凉的花园望去。一根根紫藤像架空电缆一样，从头顶的阳台上面垂下来，廊柱旁边摆着几个很大的石头花盆，耐寒耐旱的竺葵花儿开得正盛。有一个花盆破了，露出里面的泥土。三层台阶下面，是一条杂草丛生的小路。这正是冯让我看的那张照片上面的情景，此刻，我正站在那位身穿精心缝制的白布长裙的妇人曾经站过的地方。她就是冯的祖父娶的那位澳大利亚妻子，也就是维多利亚的母亲——玛丽。我在台阶上站了一会儿，从这个隐蔽之地向阳光明媚的花园望去，绞尽脑汁也想象不出当年这里的样子。阳光照耀着紫藤，在我的脚边投下黑色的暗影，就像微风在水面上荡起的层层涟漪。我突然想起那天在咖啡馆门口听见的那句歌词：光明与黑暗。这种脆弱、微妙而又切切实实的联系给了我一种鼓励，再加上盛开的天竺，使我觉得这是一种吉兆。

我注意到大约三十码开外有一座小土丘。意识到或许有人会把我当作私闯民宅的坏人，我便走下台阶，穿过那片开阔的草地向土丘走去，我像一个在平原上探险的人看见远处有座小山，便急切地向它走去，希望登高望远，对周围的山山水水有一个更好的了解。我相信，就像摩西[①]登上西奈山[②]一样，所有登高望远的人都怀抱着这样的希望。

我离开游廊刚刚走了六七步，看见小土丘下边与蜿蜒而去的小河遥遥相对有一座凉亭。我满以为这幢房子和荒凉的花园

①摩西（Moses）：基督教《圣经》中率领希伯莱人出埃及的领袖。
②西奈山（Sinai 部）：基督教《圣经》中记载的上帝授摩西十诫之处，据信是指埃及西奈半岛南某山。

空无一人，不成想这座如画一样的，充满东方风情的凉亭里有一个女人。她正在写东西，没有看见我。我顺着平缓的山坡走下去，离她只有几码远的时候，生怕我的突然出现会吓她一跳，刚想打招呼，她抬起了头。

她抬头看我时，一脸正陷入沉思突然被人打断的表情，她似乎正在斟词酌句，突然抬头四处张望，选定的字眼儿或者句子不是落在纸上，而是要安放在周围的景物之中。

她直盯盯地望着我的一双眼睛，她也许正要求助于想象中的伙伴或者不离左右、听她差遣的秘书。因为看见我这样双手端着帽子，恭恭敬敬地站在面前，她一点儿也不惊讶。她确实好像知道我就在这儿站着。我是应她的召唤而来的。此时此刻我之所以出现在花园里，唯一的目的是替她出谋划策。她用完我之后呢？我会不会马上再消失？我会不会再回到那无人光顾之地呢？她就是从那儿把我召唤来，赐我一次现形的机会。她凝视我的目光是那样的专注、那样热烈，充满探寻，没有半点儿陌生，使我感觉到，我就是她正在撰写的那部小说。如果她不再注意我，我就不会在这里继续存在。她对我，对她的花园都拥有一种呼之即来，挥之即去的权力。

她又奋笔疾书起来。

河岸边，柳树林里小鸟叽叽喳喳叫个不停，太阳烤灼着我的头皮。虫声唧唧不绝于耳。我看她怎样全神贯注地表达心里的感觉。她穿一件淡灰色棉布长裙，裙边、袖口都已经磨破。她身材瘦小，皮肤松弛，满脸皱纹，十分憔悴，看起来比实际年龄大得多。我知道，她今年五十九岁，比我小一岁。她那凝视的目光浓缩了她的智慧和力量。这种目光似乎是他们这个家族独具的特色。冯和浪子看人的时候也是这样。冷峻、自信，仿佛别人都是安排在外面被他们评判的客观事物，而他们稳坐在居室之内，胸有成竹地打量他们。出乎我意料之外的是，她长得完全是东方人的样子，像一个血统纯正的中国人。和我们在租界地见到的那种欧亚血统的混血儿截然不同。当然，毫无疑问，这和她眼下形容憔悴，久经沧桑不无关系。在中国，她绝对算不上漂亮，即使年轻的时候也这样。她的眼睛是单眼皮儿。

我咳嗽了一声，提醒她我正在阳光之下等她。"我真的在这儿"，我想说，"即使你不看，我也还是在这儿。"她停下笔，直起腰，来回甩了甩骨瘦如柴的胳膊，放松一下酸痛的肩膀。她微微一笑。"你是斯比斯大夫，"她说，"从上海来，陪伴我的一位亲戚。非常感谢你来看我，大夫。外边太热，你进来坐坐好吗？"

"也许等你写完我再来？"我说。

"我可不知道什么时候才能写完。"她说，嘴角挂着讥诮。

我拾级而上，走进凉亭。栏杆上的油漆正在剥落，蹭了我一手。凉亭里面没有多少空余的地方，我在她的书桌旁边站着，好像是来毛遂自荐或者接受她的考试的。"有什么词，斯比斯大夫，"她问我，"可以代替 pilgrim（旅行者，朝圣者）？"她抬起头微笑着等待我的回答。她一双乌亮的眼睛目光犀利，兴致勃勃地端详着我。

我看出她是一个你无法对她撒谎的人，如果撒谎，她一眼就能看穿。在我看来，如果要对她说什么，就得一点儿不剩，和盘托出。这个结论给了我勇气，我下定决心单刀直入，绝不退缩。“哦，如果 pilgrim 不合您的要求，英语里可再没有更合适的词汇了。”我回答道，“班扬[①]已经把这个词用到家了，你不可能超过他。所以，要么就老老实实用 Pilgrim，不要脱离班扬赋予它的意思，要么就追根溯源，从拉丁语 peregrinum 中寻找新的含义。这个词还有‘陌生人’的意思。如果你不想找这个麻烦，中国话里倒有一个现成而又合用的词。不过恐怕对你并不特别有用。”

她笑了起来，说：“你比我强，大夫，能到拉丁语那儿去追根溯源。”她打了个手势，请我在写字台旁边的一张藤椅上坐下。“喝杯茶好吗？”她问。我说，我倒很想喝杯茶，这一路又是过河又是上山，把我搞得又热又渴。她坐在桌子旁边不动，也没有起身倒茶的意思，只是直盯盯地望着我。“中国话里这个词怎么说呢？”

到处堆放着书、纸、茶叶箱。箱子上面放着一个脏兮兮的瓦罐和炊具。凉亭八边形地板上还放着一张行军床和几样家具。她似乎就在这儿住。我把藤椅上放着的几本书放到茶叶箱上。那书的封面因为风吹雨淋都卷了起来。

我在那张吱吱嘎嘎直响的藤椅上坐下。“在中国话里，”我说，“这个词是浪子。”

“浪子，”她跟着我念了一遍，居然字正腔圆，她俯身向前，虽然娇小瘦弱但因为她那张窄窄的椅子比较高，颇有点居高临下的气势。她等待我解释这个词的意思，因为心情迫切显得年

①班扬（Johm Bumyan，1628—1688）：英国著名宗教讽谕小说《天路历程》的作者。

轻了许多。

我觉得她很信赖我，对我期望很高。“这个词的意思是，”我说，“儿子离开家乡，云游四方，抛弃了家族的习惯和传统。这个词有点儿 Prodigal[①]的意思，当然并不完全一样。他抛弃了家庭，推卸了责任，可是有朝一日他会荣归故里，补偿自己应尽的义务。这是不是也是一种 Pilgrimage[②]呢？”

“哦，是的，当然。这也算老生常谈了。”她显得很不耐烦，我担心她会对我失望，她向凉亭外面眺望，远处有一片稀疏的原始丛林，在河岸和大路中间形成一条仿佛是蛮荒时代留下的狭窄的走廊。

“我并不想把生命的里程仅仅描绘成旅行，”她强调说，“到一个能启发人心智的圣地朝拜，然后荣归故里，得到大家的原谅。我对此一窍不通！”她说话时轻蔑的口气明显地告诉我，她认为我误解了她提这个问题的意思。

她转过脸望着我。“我不旅行，斯比斯大夫。我不是一个浪子。我生在那幢房子里，”她抬起胳膊朝花园那边那幢二层楼房指了指，“我的活动范围没超过那儿。我从来没离开过家。我对旅行不感兴趣。多少年来，我就坐在这个花园里想象中国，如果我访问了它还能有什么想象的余地？我并不在乎能不能访问它，我感兴趣的是想象而不是中国。一个中国人不会在我的故事里找到他家乡的影子。不过，关于 peregrinum，你说得很对。在我的作品中，它的含义主要是指生活在陌生人当中。所以，

① Prodigal：浪费者、挥霍者、浪子。

② Pilgrimage：人生的旅程，一生。

我在乎的是 pilgrim（旅行者）的经验。我写的是在陌生人中间生活的感受，斯比斯大夫。我并不是写心智得到启迪，然后经过反省，做出什么光宗耀祖的事情。这个主题留给大主教们去写吧。”

我们谈了整整一个下午，一直谈到日落西山。她坚持让我把自己的经历讲给她听。我无法拒绝她的要求。她真是一个好听众。我便把什么都告诉了她。这真是一种幸福。我讲的每一件事都令她兴奋不已。讲述过程中我常常卖个关子，听得她急不可耐。我们经常哈哈大笑。有时候我讲得太快，一下子就从这件事跳到那件事上了。她便不依不饶，非让我把所有细节都从头到尾再讲一遍。于是，在她凝视的目光下，我给她讲杭州盛开的腊梅，讲黄老先生虽无人照料但仍然十分美丽的花园，讲于洪孟精美的菜肴，讲他们送给我的那件珍贵的银狐皮袍，我还把那天夜里为冯太太接产，浪子九死一生来到人间的故事向她讲了一遍。“他生错了地方，”我说，“生在一个分崩离析的世界。”

我终于停下话头的时候，她站在煤油炉旁继续烧水。在我的想象之中，我们俩都在谛听夜晚的寂静。这寂静对于她亲切而熟悉，对于我则那么陌生，跟她一起在凉亭里待着，我觉得很自在。它仿佛是探险者在辽阔的平原搭起的帐篷，天上星光闪烁，黑暗中隐约可见的小路直指原始丛林的残余。这儿不是一个由坚实的物体构成的世界，而是一个表面脆弱的、透明的现实，虽然有深有浅，但都是可以穿透的。

她站在我的椅子旁边，从热气腾腾的茶壶里给我倒了一杯新泡的茶。“你的戏，”她说，“自有用武之地。”她说话就是这个样子，听起来漫不经心，实际上十分果断。你似乎看得见她说的这个用武之地。

我们没有离开凉亭。这儿就是她的家。我相信，她会把我和我讲的那些人物、事件写到她的书里，我相信，我能看出她重新塑造这些人物的手段。我和冯太太、黄老先生、于洪孟、浪子、冯甚至哈洛兰太太都将成为她笔下那种在陌生人当中经受考验的人物。在我对她讲那些人、那些事的时候，她神情专注，但我心里明白，她其实不是听我讲话，而是听她自己早已飘向远方的心声。

第十三章 小红门

1976年9月10日，热带风暴由西南向东北移动，袭击了墨尔本。戈棱罗伊一株百年老榆被大风刮倒，砸在一幢房子上，电线被砸断。没有人员伤亡的报道。今年墨尔本气候反常，预报不准，常常让人大吃一惊。电台和电视台的天气预报说这天风云突变。我们习惯了北半球的生活，虽然一次又一次的经验证明判断失误，但还是觉得秋天已到，冬日将至，而不是温暖的春天正踏着轻柔的脚步悄悄走来。在这春天里，刚刚孵化出来的蝴蝶在三月末四月初温暖的下午翩翩起舞，黑魆魆的灌木树篱渐渐返青，蒲公英绽开金黄色的花朵，使人心清气爽。春末的脚步确实在悄悄走来，但不是在墨尔本。就好像我们不愿意让它到来，不愿意承认这个充满凄风苦雨的春天——从南极吹来的愤怒的风暴连根拔起百年老树，砸倒电线杆子。当然，最近一个时期也不乏温暖的下午，那融融暖意似乎坚持让人们承认，它们才是春天的真正代表——如果一切能转入正轨的话。

这天，格特鲁德第一次举行的个人画展将在福尔斯美术馆开幕。因此，毫无疑问，9月10日这一天对于格特鲁德、浪子，甚至我都是一个非同寻常的日子。对于我们三个人——照浪子的说法，我们三个人组成一个三角形——这一天将作出不可逆转的评判。福尔斯美术馆坐落在理克蒙德，站在岗坪园背后的小山上，看得见它那典雅的建筑。岗坪园曾经更名为莎士比亚园，最后又成了伊莎贝拉园。

刚过早晨七点，风暴便袭击了墨尔本南部地区，惊醒了我。实际上我是被狂风吹倒水泥地上的垃圾桶发出的响声惊醒的。我从梦中渐渐清醒过来，就像一条巨大的鲸鱼从尚且是一片寂静的海底慢慢浮出水面。我睁大眼躺在床上，梦醒之后一片空虚，听见垃圾桶滚过来滚过去的响声，一下子没有搞清楚这究竟是什么发出的声音。

电话铃响了，我伸手从床头柜上拿起听筒，道过 Hello 之后，是一阵熟悉的沉寂——人们总是以这样一种方式吊对方的胃口。“风暴已经刮到你那儿了吗？”我问。

他压低嗓门儿，用一种敬畏的、沙哑的声音说：“毛去世了，斯蒂文。”

如此说来，9月10日还是毛去世的日子，或者更准确地说，这一天不是他逝世的日子，而是世界各地报刊报道这个消息的日子。

昨天夜里，我一直在看格特鲁德翻译的她父亲的那本日记。看得太晚了，最后一卷随手放在床边的地板上，一直翻到最后一页。我开始意识到一些以前不曾意识到的东西。我对着话筒小心翼翼地说："这或许是个好消息，对吗？"

浪子沉默了好长时间。我听见他点燃一支香烟，回转头咳嗽了几声。我又瞥了一眼奥古斯特·斯比斯关于维多利亚的描述，或者是格特鲁德的描述："我对她讲那些人，那些事的时候，她神情专注，但我心里明白，她其实不是听我讲话，而是听她自己早已飘向远方的心声。"不过，此刻我并没有认真咀嚼这段话的意思。这一次我一边读一边想别的事情，想我已经从这段译文中体会到的深层的含义。

浪子似乎急于知道我的反响，用试探的口气说："现在，他们或许能允许我回去了。"

我吃了一惊，甚至大为震惊。我曾经不止一次想过，如果那个古老的国家对外部世界更加开放，他想不想回去？毫无疑问，他的母亲冯太太、黄老先生美丽的女儿莲，一定还活着。她已经上了年纪，孤零零一个人待在上海或者杭州，仍然怀抱着使古老的价值观重新恢复的愿望，仍然想打败冯，仍然盼望着儿子衣锦还乡。如果她能在抗日战争、随后的革命以及"文化革命"中幸免于难，她现在应该是七十多岁了。团圆仍然是可能的，应该说不存在什么问题。可是要回中国的念头一旦由浪子说出来，我就觉得那么不可思议。这个念头和我所了解的浪子似乎有很大的差距。我满腹狐疑地问："如果他们允许你回去，你真的回去吗？"

“三十九年来，这是第一个机会，斯蒂文！”我这是怎么了？我不是一直在想他回中国的可能性吗？我瞎想些什么呀！我本来清楚地知道，这件事对于他至关重要。想起还没有让他看我写下的手稿，我觉得十分内疚，就连格特鲁德也是不久前才看过。

我害怕他的批评，更怕他提出什么要求。怕他的批评和要求会影响那些尚未完成的篇章的创作。只要给他机会，他就会品头论足。而我的作品在尚未成形之前，如果总被人指手画脚，原来构思好的情节也会再度推翻。我的心声终于代替了父亲幽灵的咆哮与呼喊，倘若遇到批评，完全可能再归于沉寂。什么都还没有成为定论，更经不起推敲。格特鲁德看过之后激动地拥抱了我。她十分慷慨地表示对我的作品的理解，而且小心翼翼，没有做什么评论。她的认可对我来说十分重要。因为正如浪子所说，她是我们当中唯一真正的艺术家。她有独到的见解。浪子看了我的手稿或许会生气，会横加指责，认为我是杜撰。而且他完全可能最终说服我，把这部书写成他的“回忆录”，而不是富于创造精神的小说。

“我为什么不该回去呢？”他对着寂静大声问。线路由于风暴的干扰发出沙沙沙的响声，他的声音显得闷浊，充满疑虑。他似乎要极力通过电话看清我脸上的表情，听到我心灵深处的声音。

我在想，没有他，墨尔本会是怎样一副情景。没有他，我就不能再随心所欲地去岗坪园，去翻阅那本往事的记录。去和他喝个一醉方休。“我会想念你的。”我说，态度十分明确，还宣称生活不会因为没有他而问题更少。

“不，你不会想我的，斯蒂文。”他笑着说，喉音很重，听得出颇有点得意洋洋，“不，你不会的，你不会想念我。”他给我念了几句《时代》的报道。记者说，中国政府不邀请外国贵宾参加毛泽东的追悼大会。“听我说，你错了！”他笑着说，有点气喘吁吁，“你永远都不会理解我们。他们把这事儿当作家庭内部的事情，而且要严格地按照这个原则办事。斯蒂文，只有我们才能做到这一点。”

经过整整四十年，难道他和中国的联系还没有割断？他曾经对我说过，这四十年当中，他没有收到来自中国的只字片语。自从到了巴腊腊特的圣帕特里克斯，他就没有再听到家里的任何消息。可是他居然还有心回到他的祖国。“因为中国人身上确确实实有一种特别的、与众不同的东西”，一种我不曾理解，而且永远也不会理解的东西。这个事实很让我生气。对于他要重返祖国的可能性，我感到嫉妒，不管这种可能性多么虚幻，多么飘渺。他似乎正在因为拥有这样一种我永远无法与之匹敌的可能性而嘲弄我。

“你还在听我的电话吗？斯蒂文。”

“我正琢磨这事儿。”我说。那个垃圾桶还在狂风中滚来滚去。他开始沾沾自喜了。我决定挂上电话，便问他什么时候见面。我们约好下午5点我开车到岗坪园去接他。他建议去看格特鲁德的画展之前，先到石桥路酒馆喝上一杯。我没等他对这个建议再做什么发挥便挂上了电话。

我一直没有认真对待或者真正看清的是他身上的那股“外国味儿”。他是真正的Peregrinum，我们当中的一个陌生人，典型的“浪子”，不管离家多久都要“衣锦还乡”，补偿自己对祖国和亲人欠下的一分感情。在我努力明确自己那种已经澳大利亚化的感觉的时候，从来没有想到浪子压根儿就没有把自己看成澳大利亚人。现在我开始把他看成一个“外国人”。我让这个字眼儿悄悄潜入我的思想，同时想象着“外国人”会是怎样一副模样。他们凡事保持中立，脸上一副被打入另册的表情。谈不上好，也谈不上坏，异类而已。但是在浪子身上，我就觉得那是一种邪恶。好像强行贴了一张划分类别的标签。这种想象让我丧气。我拒绝接受这样一个形象。对于我，他实在是太熟悉了……我走近那幢房子，走进门廊。这个时候，他刚从卧室或者厨房出来，正对前门站着。走廊尽头的大镜子里是我的映象。就像西克特[①]让我背对阳光站在这儿看他。我似乎真的是从隐蔽的幽深的花园里“脱颖而出”。镜子里有他的背影。这个时候，他穿一身宽松的黄睡衣，里面一丝不挂。我怀着一种陌生的柔情喜欢他那娇小的身体。他汗毛很轻。皮肤特白，没有经过阳光的沐浴，蓝色的血管突出在乳白色的皮肤下面，而不是深藏在肌肉里，像一张网，清晰可见。他的肌肉不发达，很像尚处青春期的男孩儿，和他的姑奶奶维多利亚小时候那张画像很相似。这张画挂在前门右侧——前厅外面。别的画像都挂在这个厅里——因为，客人们如果像我这样站在门廊，就看不见这张画儿。他正弓着腰，浑身颤抖着接电话，浓密的黑发在头皮上竖起，就像猎马剪得很短的鬃毛。他这副模样让我大吃一惊。给人一种印象，他是属于那种有选举权的阶层。这也是他最动人的表情。

---

①西克特（Sickert，1860—1942）：英国画家。

整整一上午，我都从头到尾，全神贯注地研读这本日记的每一页。全部日记都是格特鲁德用黑墨水、老式蘸水笔一笔一画抄清的，字迹清楚，字体娟秀。七大本没有一个字涂抹过，空白处也没有增加任何文字。作为手抄本，实在是太漂亮了。然而，这只是一般的手稿，还是一部别具一格的著作？七大本，一律 32K 对折，绿布封面，每一页都在上面中间编着页码，每一部分开头都注明翻译的时间，每一卷的封面都贴着一个长方形标签，写明第几卷，下面还写着 A·I·W·斯比斯的字样。七本总共四百一十七页。

这确实是一件无以伦比的艺术品。它的译文流畅，颇具文采，一望而知并非信手译来，而是字斟句酌、仔细推敲的结果。格特鲁德之所以精心翻译这七大本日记，绝非一时冲动，仅仅为了尽女儿的义务，把父亲的日记译成英文，而是有更加长远的目的，经过周密的考虑。对于这一点，我深信不疑。

我发现翻译日期对我理解这桩事情很有帮助。第一卷的第一部分译于 1964 年 12 月 14 日。那时距离她那位以八十七岁高龄去世的父亲的忌日只有 1 个月。格特鲁德本人应该是十八岁。第七卷的最后一部分完成于 1968 年 5 月 15 日。全部日记的翻译历时三年半，从十八岁译到二十二岁。这期间，她在美术学院学习。她是在繁忙的学习之余翻译、修改、抄写、装订这部日记的。作为一个长达四百多页的手抄本，没有任何修改、涂抹的痕迹，实属罕见；但是作为一件已经完成的艺术品，没有瑕疵就不足为怪了。以前我一直认为，她是作为创作素材，给我提供这部日记的，现在我却觉得，这并非她的真实意图。

第七卷，也就是最后一卷的封三贴着一张黑白照片。一个头戴巴拿马帽、身穿皱皱巴巴的浅色套装的老头和一个年轻的中国人拉着站在他们中间的一个小姑娘的手。那个年轻的中国人就是浪子。他刚二十一二岁，嘴里叼着一支香烟。他一定刚使劲儿吸了一口，烟头很亮，在照片上形成一个白点儿。从那时候起，他的长相几乎没有什么变化。以前我从来没有见过他的照片。照片上，小姑娘拉着他们俩往前走，他们故意扯着她，不让她往前跑。身后是一道防波堤和一个公共电话亭，远处是茫茫大海。我心想，要是那时候就认识他们该有多好。我纳闷，是谁拍了这张照片？

“我的日记虽然有头有尾，前后呼应，但毕竟不可能是一张地图。”他为什么对自己永远不会再回到生身之地汉堡那么肯定？他真的那么肯定吗？作为译者，格特鲁德在翻译过程中有多大的自由度呢？她后来对事物的认识到底使她在多大程度不篡改了父亲的原意？她是否仍然爱着他，仍然为失去他而伤心，从而抵御了想要篡改的诱惑？“我发现，人们的动机，我自己的和别人的，都难以探究。”这句话德语的原文是个什么样子？他实际上是怎样表达这个意思的？换个译者也会像他的女儿这样翻译这句话吗？

这天，我一直仔细研究这部日记。看到最后，我相信格特鲁德在翻译过程中加进了杜撰的成分。也许起初并无此意，也许起初只是为了流畅，为了人物形象更加生动鲜明加了点儿什么，或者减了点儿什么。可是没过多久，她就无法抑制自己敏捷的才思，怀着一种自信大刀阔斧地写将起来。如果她改变了原先的结构，渗透了自己的思想，那么写到最后，她便发现自己不得不花费时间和精力几易其稿了。在这个过程中，渐渐地以一种潜移默化的方式，她以自己的看法代替了父亲的见解。在这个问题上，她和我截然不同。我被父亲吟诗诵词的亡灵所震慑，不敢有所创新，而她却恰如其分地填补了并且重新命名了先父留下的那片空白，不但心安理得，而且把自己造就成一个艺术家。

于是，怀着一种新的期待，一种复杂的感情，好奇、兴奋，甚至嫉妒，我开始重读这部日记，开始从这部先前满以为是奥古斯特·斯比斯大夫一手所写的日记的文字中寻找格特鲁德的声音。打开第一卷，我不由得想起格特鲁德把那七本日记放到我手里时，脸上谜一样的微笑，就好像我们俩要分享一个秘密。现在，我终于懂得了这一切："1927 年，12 月 18 日，上午 9 时。杭州，国画家黄玉化的老宅。我既兴奋激动又疲惫不堪。我无法相信眼前的一切，仿佛仍在梦中……"

晚了，已经 5 点半了。一下汽车我便知道他不在家。前门关着。明知不会有人答应，我还是敲了敲门，然后绕到后面。厨房的门锁着，只有那扇纱门在风中转动。我趴在窗口向里看。我的映象焦急地看着我——另外一个我落入他这幢房子的陷阱，映照在他那面躺在钱塘江底的硕大无朋的铜镜上。我们透过那块油腻腻的玻璃相互默默地凝视着，既陌生又熟悉。夏末，格特鲁德就是透过这扇窗户，构思出这样一幅画面——两个穿白衬衫的朋友在太阳的照耀之下坐在老式藤椅里。当整个世界向前运动的时候，他们好像凝固了一样。我手搭凉棚向里面看。像往常一样，厨房里一片混乱。不过没有主人匆忙离去或者大发雷霆的迹象。我又走回到草地上。我知道，即使破门而入，也不会有邻居干涉，即使弄响警报器，尖啸声在这宁静的小树林回荡，也不会有什么人跑来问个究竟。

身后似乎有什么人在鬼鬼祟祟地走动。我连忙回过头。白杨树在风中沙沙地响。由于暴风雨的袭击，草坪上落下许多带着一两片新叶的树枝，就像一群群闪着微光的绿螃蟹在草丛中爬行。凉亭顶部精工制作的铁尖顶端有点向西偏。那是典型的维多利亚时代建筑风格，塔顶尖尖，指向现在已经不复存在的什么东西。确无所指，但它依然存在。现在已是春天，但是花园里依然一片荒凉。

现在已经六点多了。距离格特鲁德个人画展开幕不到半个小时。我把车开得飞快，可是又想返回岗坪园，真的破门而入，去寻找点什么，证明他不是他父亲的儿子，不是冯家第四代传人。总有一天，他会把我们的书统统烧掉，把我们的镜子扔到河底。

他不会气恼，他会非常高兴。如果我不从桌上堆放着的过去时代留下的遗物中拿一两样东西，他或许会大失所望。他会兴奋异常，因为这才是这场游戏真正的高潮。"斯蒂文！斯蒂文！斯蒂文！"他会快活地大呼小叫，"原来是你，你是贼！这么多年我装了警报器防范的竟然是你！过去我可没看出你是这种人。你是我请进门来的佳宾。我以为应该防范的是汤姆·林德纳和他那伙狐朋狗友，没想到竟是你！"我仿佛听见他因为快乐而喘不过气来，目光中的疑惑渐渐化为确信，嘲弄我们俩；嘲弄所有的严肃与认真，从而使我们再次相信——虽然只一小会儿——预言的力量。"喝一杯！"他好像突然想起什么，"听我说，我们为什么不拿出那只莲花杯看一看呢？你还没见过呢！见过吗？”他紧紧挨着我，催促我跟他一块儿走。“你的确想看一看，不是吗？你还记得我给你讲的小红门的事儿吗？黄家老宅的后门。”他拉着我，“我的母亲给秋天的森林披上五彩缤纷的盛装，可是风吹日晒，早已失去令人炫目的光彩。我又梦见来澳大利亚时，在“万戈拉达号”上的情形。奥古斯特和我经常谈起那桩事情。我们一会儿再看那个杯子。昨天夜里，我又做了那个梦，童年的梦。你是怎么看待这事儿呢？这意味着什么呢？斯蒂文，我告诉你这一切好吗？”

石桥路车流缓慢，几乎完全停顿。汽车一辆挨着一辆，排成长龙。我已经看出岗坪园的花园完成了它的历史使命。她已经不在那儿，她在我的心中。现在的焦点是到美术馆，去看格特鲁德和她的画展。这是透过表面现象认识事物本质的机会。如果现在我返回去偷了维多利亚的画像，那只是一件让人怀旧的纪念品。红绿灯亮了两次，车的长龙还没能向前流动……

“经历了种种困难，我终于回到杭州。我是独自一人回去的。也许我还是个孩子，也许不是，我已经很难说清这一点了。我走了好几天，好几年，似乎是一个永远。到达杭州之后，虽然精疲力尽，但依然十分高兴。一切都是真实的，没有做梦的感觉。刚转过街角，我就看见那个小红门和向上翘起的飞檐。卖糖葫芦的老头还站在马路对面，糖葫芦在阳光下轻轻颤动。我三步并作两步跑到门口，一边用拳头敲门一边喊，‘妈妈！妈妈！妈妈！’我不停地敲，不停地喊，‘是我！我回来了！你的儿子回来了！’但是没有人回答。过了一会儿，我意识到，空旷的街巷和幽深的老宅传来隆隆的回响，就像灵隐寺有人敲鼓，不过这回响从我的心底滚过。我开始意识到又是一场梦，那震撼我心灵的隆隆的鼓声！我不再敲门，老宅早已空无一人，他们永远不会知道我还能回来。”

车流完全停了下来，没有一样东西向前移动。看来我赶不上画展开幕式了。对于她，那是一个辉煌的时刻，伴随着她的作品，她将完完全全展现在人们眼前。他们背朝门，站在长长的画廊那头，各看各的画。我就要从那扇门走进去。画廊尽头的墙壁上挂着三张篇幅很大的只有黑白两色的画儿。这个完全对称的布局倒很大胆——两扇窗户隔开了灯光明亮的大厅和渐渐变黑的风景。这三幅画儿构图复杂，色彩浓重，充满了潜在的叙述性和捉摸不定的人物形象（美术杂志上有一篇文章这样写道）。我很快就能弄明白，这三幅画是否也是她自己的日记——经她加工而成为她自己的日记——生动的再现。弄明白，那篇文章不曾告诉我的一些事情。她身穿华贵的黑色长裙。拍那帧动人的照片时，她就是穿着这条裙子。浪子站在她身边显得矮小而寒伧，一缕蓝色的烟从他那鬃毛一样竖起的头发中间升起。（我惊讶地想起，那个关于小红门的梦是我而不是他做的）。我想起她的日记最后一卷的开头：“对有些人来说，流亡是唯一可以忍受的状况。”

他们在细看眼前那个渺无人烟的酶的世界：那被分割开的景物等待人们去居住。主要人物直到此刻，才摆脱她的羁绊。

图书在版编目（CIP）数据

浪子 / (澳) 亚历克斯 · 米勒著 ; 李尧译. -- 青岛:
青岛出版社, 2017.11
ISBN 978-7-5552-6124-7

Ⅰ. ①浪… Ⅱ. ①亚… ②李… Ⅲ. ①长篇小说－澳
大利亚－现代 Ⅳ. ①I611.45

中国版本图书馆CIP数据核字(2017)第290600号

THE ANCESTOR GAME
by Alex Miller
First published in 1992 by Allen&Unwin Pty Ltd, Sydney, Australia
Published by arrangement with Allen&Unwin Pty Ltd, Sydney, Australia
through Bardon-Chinese Media Agency

山东省版权局著作权合同登记 图字: 15-2017-227号

书　　名	浪子
著　　者	（澳）亚历克斯 · 米勒
译　　者	李　尧
出版发行	青岛出版社
社　　址	青岛市海尔路 182 号（266061）
本社网址	http：//www.qdpub.com
邮购电话	13335059110　0532–85814750（传真）0532– 68068026
责任编辑	刘　坤
整体设计	刘　欣
印　　刷	青岛国彩印刷有限公司
出版日期	2018 年 1 月第 1 版　2018 年 1 月第 1 次印刷
开　　本	32 开
印　　张	10.5
字　　数	200 千
书　　号	ISBN 978–7–5552–6124–7
定　　价	58.00 元

编校印装质量、盗版监督服务电话 4006532017　0532–68068638